"社労士"になりたかったら、まずみてほしい

2025 年版

ユーキャンの

社労士

はじめてレッスン

ユーキャン
自由国民社

＼ はじめに ／

　本書『はじめてレッスン』は、生涯学習のユーキャンがノウハウを駆使し、社労士試験合格のために「分かりやすさ」を第一に考えて制作した入門書です。初学者はもちろんのこと、再受験者にとっても十分に役立つ内容になっています。

　社労士試験では、膨大な情報の中から必要な知識を身につけなければなりません。本書では、そのための土台となる知識をしっかりと身につけていただくことを目的として、過去問題を徹底分析した結果に基づく厳選した重要・頻出テーマを取り上げています。つまり、本書は社労士試験のエッセンスそのものです。

　本書で学んでいただくことは、合格への近道を示した「学習の道しるべ」になるだけでなく、合格した後の「専門家としての知識の源泉」にもなるはずです。

　「無理なく基本を学び、基礎力を完成させる」というコンセプトを実現するために、本書では、特に次のような点に工夫をこらしています。

◆ **各レッスンが２ページ完結なので読みやすく、達成感が得やすい！**
　　学習は、何よりも継続が重要です。各レッスン（学習テーマ）は短い学習時間しか取れない方でもらくらく読めるよう、２ページで完結させています。

◆ **約１ヵ月で無理なく基本事項を網羅的に学べる！**
　　社労士試験は非常に広い範囲から出題されますが、１日に３レッスン程度を読み進んでいけば、約１ヵ月で無理なく試験の基本事項を網羅的に学べます。

◆ **豊富な図解と具体例でイメージがつかみやすい！**
　　本文による説明が分かりやすいのはもちろんのこと、豊富な図解と具体例を挙げたコラムで、イメージによる内容理解をいっそう深めることができます。

◆ **章ごとの「理解度Check！」が知識の定着に役立つ！**
　　各章（全12章）の学習の仕上げとして、問題形式の「理解度Check！」にチャレンジすることで重要ポイントが鮮明となり、知識の定着が図れます。

　社会保険労務士は、今後ますます社会に必要とされる素晴らしい資格です。本書を活用していただき、合格という栄冠をつかんでいただくことを願っています。

令和６年８月

ユーキャン社労士試験研究会　主宰　**常深 孝英**

本書の**使い方**

スムーズに学習を進めていただくために、本書ではさまざまな工夫をしています。

STEP 1 Point を確認

「Point」では、そのレッスンの核となる重要事項を3点挙げています。最初にここを確認して、要点を押さえることからレッスンの学習を始めましょう。

STEP 2 本文を学習

本文では難解な表現を避け、初学者の方にもよく分かる説明をしています。加えて、豊富な図解、コラム「たとえば…」、脚注などで、スムーズに学習が進む構成になっています。

Introduction

本編全12章の学習に入る前に、まずは Introduction を読みましょう。社労士の試験と業務について、文章とマンガで楽しく分かりやすく説明しています。

常深講師

本文で説明した事項について、具体例などを挙げたコラムです。これによって、学習内容の理解をより深めることができます。

労基 Lesson 9

年次有給休暇（1）

Point
● 年休権は、「継続勤務と出勤率」の要件を満たせば、誰にでも発生します。
● 出勤率は、「出勤した日÷全労働日」によって計算されます。
● 時季変更権は、「事業の正常な運営を妨げる場合」にのみ認められます。

① 年次有給休暇の発生要件は？

使用者が「あなたはアルバイトだから年次有給休暇はあげないよ。」などと取り扱うことは、本法に違反します。年次有給休暇の権利（年休権）は、本法の要件を満たした場合には、誰に対しても、法律上当然に発生するものなのです。

具体的には、使用者は、①6ヵ月間の継続勤務と②8割以上の出勤率という2つの要件を満たした労働者に対して、継続し、又は分割した10労働日の年次有給休暇を与えなければなりません。**1**

労働者
① 雇入れの日から起算して6ヵ月間継続勤務
② 全労働日の8割以上出勤
→ **10労働日の年休権発生**

たとえば…

労働日というのは、労働契約上「労働義務がある日」のことをいいます。年次有給休暇は、労働義務がある日にしか取得することができません。たとえば、所定の休日、休職期間、休業申出後の育児休業を取得する期間は、労働義務がない日であるため、年次有給休暇を取得することができないのです。

本法では、付与日数を「10労働日」のように表現していますが（「10日」でも間違いではない）、上記の趣旨を明確にするため、「労働日」の語を用いています。

② 継続勤務と出勤率

（1）継続勤務とは？

さて、「継続勤務」とは何のことでしょうか。継続勤務とは、**労働契約の存続期間（在籍期間）**をいいます。継続勤務に該当するか否かは、**実質的に**判断されます。たとえば、パートタイム労働者から正社員に契約を切り替えた場合などは実質的に継続勤務と判断され、勤務年数に通算されます。

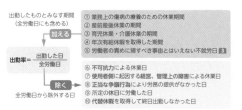

STEP 3 問題にチャレンジ

各章の最後には、理解に役立つ○×式・穴うめ式のオリジナル問題「理解度 Check!」があります。これによって学習内容の理解度を確認するとともに、解けなかった問題は本文に戻って復習しておきましょう。

右上の画像部分: 労基 - 理解度 Check!

（2）出勤率の計算

出勤率は、次のように計算します。**2** なお、出勤率は、初年度のみが6ヵ月間を対象として計算し、その後は1年間ずつを対象として計算します。

出勤したものとみなす期間
（全労働日にも含める）

加える
- ① 業務上の傷病の療養のための休業期間
- ② 産前産後休業の期間
- ③ 育児休業・介護休業の期間
- ④ 年次有給休暇を取得した休業日
- ⑤ 労働者の責めに帰すべき事由とはいえない不就労日 **3**

$$出勤率 = \frac{出勤した日}{全労働日}$$

除く
- ⑥ 不可抗力による休業日
- ⑦ 使用者側に起因する経営、管理上の障害による休業日
- ⑧ 正当な争議行為により労務の提供がなかった日
- ⑨ 所定の休日に労働した日
- ⑩ 代替休暇を取得して終日出勤しなかった日

全労働日から除外する日

3 年次有給休暇を与える時季等

（1）労働者の「時季指定権」と使用者の「時季変更権」

年次有給休暇を取得する時季 **4** については、労働者に選択権（時季指定権）が与えられており、使用者は、原則として労働者の請求する時季にこれを与えなければなりません。ただし、事業の正常な運営を妨げる場合に限り、使用者には、その時季を変更する権利（時季変更権）が認められています。

（2）年次有給休暇中の賃金

年次有給休暇は文字どおり「有給」の休暇ですから、賃金が支払われます。その賃金は、就業規則等で次のいずれかを選択したものとなります（③が最優先）。

- ① 平均賃金
- ② 所定労働時間労働した場合に支払われる通常の賃金 ◀━━ **これが一般的**
- ③ 健康保険の標準報酬月額の30分の1（労使協定の締結要。届出は不要）

1 年次有給休暇は、初年度のみが6ヵ月経過日の時点、その後は1年ごとに1年経過日の時点で新たな権利が発生します。付与日数も1年ごとに増加します（⇒労基P70）

2 特に「出勤したものとみなす期間」と「全労働日から除外する日」が重要です。

3 全労働日から除外する日の⑥～⑩に該当する場合を除きます。なお、具体的には、解雇が無効とされた場合（不当解雇）の解雇日から復職日までの不就労日などがこれに該当します。

4 「時季」とは、「季節と具体的時期」の双方を含む概念です。本法では、△月×日といった具体的時期のほか、「季節」を指定した上で、労使の調整を経て具体的時期を決定することを想定しています。

69

【改正】

最新の法改正（令和7年度の試験で初めて出題対象となるもの）があったことを表します。

本文で説明しきれない事項を補足する脚注です。このマークが出てきたら脚注を確認して、理解と知識を補強しましょう。

関連事項を説明しているページへのリンクを表します。このマークが出てきたら、該当するページにある記述を確認しておきましょう。

＊ここに掲載しているページは、「本書の使い方」を説明するための見本です。

目次

Introduction イントロダクション

第1章 労働基準法

第2章 労働安全衛生法

第3章 労働者災害補償保険法

試験の概要

※以下は、令和6年度の試験実施要領をもとに記述しています。令和7年度試験につきましては、必ず次ページの試験センターにご確認ください。

※受験申込みは、「インターネット申込み」が原則であり、当面、「郵送申込み（別途「受験案内の請求」が必要）」でも受け付けることとされています。

▼ 試験までのスケジュール

4月中旬	受験案内の公表
4月中旬～5月末日	受験申込みの受付期間
8月第4日曜日	試験日 $\left[\begin{array}{l}選択式\ \ 80分\\択一式\ 210分\end{array}\right]$
10月上旬	合格発表

◀受験申込み▶

　令和6年度の受験申込みの受付期間は4月15日～5月31日、受験手数料は15,000円（払込みに係る手数料は受験申込者負担）でした。

　インターネット申込みの場合は、専用サイトにアクセスし、マイページの登録（メールアドレスが必要）を行います。マイページにログイン後、必要事項を入力し、下記の必要書類のデータをアップロードします。郵送申込みの場合は、受験案内を請求して入手し、受験申込書と必要書類を試験センターに提出します。

① 顔写真
② 受験資格証明書
③ 免除資格証明書（免除資格に該当する者）その他の必要書類

▼ 試験地

1 北海道　2 宮城県　3 群馬県　4 埼玉県　5 千葉県　6 東京都　7 神奈川県

8 石川県　9 静岡県　10 愛知県　11 京都府　12 大阪府　13 兵庫県　14 岡山県

15 広島県　16 香川県　17 福岡県　18 熊本県　19 沖縄県

受験申込み時に、「希望試験地」を上記の都道府県から選びます。

▼ 配点と合格基準点

配点は、選択式が各空欄1点であり、1科目5点満点、合計で40点満点、択一式が各問1点であり、1科目10点満点、合計で70点満点となります。

合格基準点は、以下のとおりです（令和5年度）。なお、合格基準点は試験の難易度に応じて、実施年度ごとに変動します。

選択式：総得点26点以上かつ各科目3点以上

択一式：総得点45点以上かつ各科目4点以上

※令和5年度試験では、選択式・択一式ともに、科目基準点の引下げ（救済措置）はありませんでした。

▼ 受験者数と合格率

	令和元年度	令和2年度	令和3年度	令和4年度	令和5年度
受験申込者数	49,570名	49,250名	50,433名	52,251名	53,292名
受験者数	38,428名	34,845名	37,306名	40,633名	42,741名
合格者数	2,525名	2,237名	2,937名	2,134名	2,720名
合格率	6.6%	6.4%	7.9%	5.3%	6.4%

▼ 受験に関するお問い合わせ

受験資格の照会、社労士試験制度に関しては、**全国社会保険労務士会連合会試験センター**にお問い合わせください。

〒103-8347　東京都中央区日本橋本石町3-2-12　社会保険労務士会館　5階

電話：03-6225-4880〔受付時間は9：30〜17：30（土日祝日は除く。）〕

FAX：03-6225-4883（お問い合わせの際は必ず連絡先を明記してください。）

WEB 社会保険労務士試験オフィシャルサイト：https://www.sharosi-siken.or.jp

1. 学校教育法による大学、短期大学、専門職大学、専門職短期大学若しくは高等専門学校（5 年制）を卒業した者又は専門職大学の前期課程を修了した者
2. 上記の大学（短期大学を除く。）において 62 単位以上の卒業要件単位を修得した者又は一般教養科目 36 単位以上を修得し、かつ、専門教育科目等の単位を加えて合計 48 単位以上の卒業要件単位を修得した者
3. 旧高等学校令による高等学校高等科、旧大学令による大学予科又は旧専門学校令による専門学校を卒業し、又は修了した者
4. 前記 1. 又は 3. に掲げる学校等以外で、厚生労働大臣が認めた学校等を卒業し又は所定の課程を修了した者
5. 修業年限が 2 年以上で、かつ、課程の修了に必要な総授業時間数が 1,700 時間（62 単位）以上の専修学校の専門課程を修了した者
6. 全国社会保険労務士会連合会において、個別の受験資格審査により、学校教育法に定める短期大学を卒業した者と同等以上の学力があると認められる者（各種学校等）
7. 労働社会保険諸法令の規定に基づいて設立された法人の役員（非常勤の者を除く。）又は従業者として同法令の実施事務に従事した期間が通算して 3 年以上になる者
8. 国又は地方公共団体の公務員として行政事務に従事した期間及び行政執行法人（旧特定独立行政法人）、特定地方独立行政法人又は日本郵政公社の役員又は職員として行政事務に相当する事務に従事した期間が通算して 3 年以上になる者。全国健康保険協会、日本年金機構の役員（非常勤の者を除く。）又は従業者として社会保険諸法令の実施事務に従事した期間が通算して 3 年以上になる者（社会保険庁の職員として行政事務に従事した期間を含む。）
9. 社会保険労務士若しくは社会保険労務士法人又は弁護士、弁護士法人若しくは弁護士・外国法事務弁護士共同法人の業務の補助の事務に従事した期間が通算して 3 年以上になる者
10. 労働組合の役員として労働組合の業務に専ら従事（専従）した期間が通算して 3 年以上になる者又は会社その他の法人（法人でない社団又は財団を含み、労働組合を除く。以下「法人等」という。）の役員として労務を担当した期間が通算して 3 年以上になる者
11. 労働組合の職員又は法人等若しくは事業を営む個人の従業者として労働社会保険諸法令に関する事務に従事した期間が通算して 3 年以上になる者
12. 社会保険労務士試験以外の国家試験のうち厚生労働大臣が認めた国家試験に合格した者
13. 司法試験予備試験、旧法の規程による司法試験の第一次試験、旧司法試験の第一次試験又は高等試験予備試験に合格した者
14. 行政書士試験に合格した者
15. 直近の過去 3 回のいずれかの社会保険労務士試験の受験票又は成績（結果）通知書を所持している者
16. 社会保険労務士試験 試験科目の一部免除決定通知書を所持している者

※ご不明な点は、試験センター（P11 参照）にお問い合わせください。

科目名・法律名略称一覧

　本書では、必要に応じて、科目名と法律名を略称にしています。なお、科目の該当法である場合は、単に「法」あるいは「本法」としています（たとえば、第1章で「法」「本法」という場合は、労働基準法を指します。）。

略称	正式名称
労基／労基法	労働基準法
安衛	労働安全衛生法
労災／労災保険法	労働者災害補償保険法
雇用	雇用保険法
徴収／労働保険徴収法／徴収法	労働保険の保険料の徴収等に関する法律
労一	労務管理その他の労働に関する一般常識
健保	健康保険法
国年	国民年金法
厚年	厚生年金保険法
社一	社会保険に関する一般常識
憲法	日本国憲法
育児・介護休業法	育児休業、介護休業等育児又は家族介護を行う労働者の福祉に関する法律
高年齢者雇用安定法	高年齢者等の雇用の安定等に関する法律
高齢者医療確保法	高齢者の医療の確保に関する法律
社審法	社会保険審査官及び社会保険審査会法
社労士法	社会保険労務士法
障害者雇用促進法	障害者の雇用の促進等に関する法律
男女雇用機会均等法／均等法	雇用の分野における男女の均等な機会及び待遇の確保等に関する法律
パートタイム・有期雇用労働法	短時間労働者及び有期雇用労働者の雇用管理の改善等に関する法律
労働者派遣法／派遣法	労働者派遣事業の適正な運営の確保及び派遣労働者の保護等に関する法律
労働施策総合推進法	労働施策の総合的な推進並びに労働者の雇用の安定及び職業生活の充実等に関する法律

ゆー
U太くん

ゆー
Uちゃん

Uちゃんの
友達のネコ

ここでは
社労士について
いろいろ教えて
もらいましょう！

私たちプロの社労士に
お任せください！

受験指導の
プロの先生

実務の
プロの先生

Introduction

イントロダクション

1 社労士試験の特徴とポイント

❶ 出題科目を知ろう！

　社会保険労務士（社労士）は、社会保険労務士法（社労士法）に定められている**労働社会保険諸法令**を専門領域とする唯一の国家資格です。労働社会保険諸法令には、多岐にわたる50種類を超える法令が存在しますが、試験対策としては、主要科目にもなっている8つの法令を中心とする一部の法令が対象となります。

　学習の対象は、次表の**10科目**です。ここには、それぞれの科目の概要のほか、**各科目で注ぐべき学習の労力（時間）のイメージを「学習比重度」として5段階**で表しています。学習比重度が高い科目について、しっかりと時間を充てて攻略していくことが合格への近道となります。

科目名	略称	概要	学習比重度
①労働基準法	労基	主に**労働条件の最低基準**を定めた労働者を保護するための法律。使用者が規制の対象。	★★★★★
②労働安全衛生法	安衛	労働災害を防止し、労働者の安全と健康を確保するための法律。上記①とは親子関係。	★☆☆☆☆
③労働者災害補償保険法	労災	業務災害や通勤災害などを被った労働者に対して、政府が保険給付を行うことを定めた法律。	★★★★☆
④雇用保険法	雇用	失業した労働者の所得を保障することを主たる目的とした法律。	★★★★☆
⑤労働保険徴収法	徴収	労災保険と雇用保険の保険料をまとめて徴収すること等を定めた法律。上記③④とは姉妹関係。	★★★☆☆
⑥労務管理その他の労働に関する一般常識	労一	上記①〜⑤以外の労働関係諸法令、労務管理及び労働経済の3分野を幅広く学習する科目。	★★☆☆☆
⑦健康保険法	健保	業務災害以外の病気、ケガ等に関して保険給付を行うことを定めた法律。医療保険制度の中心。	★★★★★
⑧国民年金法	国年	全国民を対象に、老齢、障害及び死亡に関する年金について定めた法律。公的年金の土台。	★★★★★
⑨厚生年金保険法	厚年	国民年金を土台とした2階部分の年金について定めた法律。上記⑧とは双子関係。	★★★★★
⑩社会保険に関する一般常識	社一	上記⑦〜⑨以外の社会保険諸法令や社会保険の共通事項・理論等を幅広く学習する科目。	★★☆☆☆

❷ 各科目の出題数は？

　社労士試験の出題形式には、**選択式**と**択一式**の２種類があります。学習の対象は10科目ありますが、**均等な出題数とはなっていません。**少々複雑ですが、出題形式に応じて、次表の順に、**選択式では１問あたり５つの空欄、択一式では10問を１つの単位として、**複数の科目が組み合わされて(セットで)出題されます。

★選択式の出題数（試験時間は80分）　➡配点は空欄１つが１点で40点満点

	選択式　試験科目の区分	出題数（配点）の内訳	全8問（40点）
1	労働基準法及び労働安全衛生法	労基３点＋安衛２点	１問（５点）
2	労働者災害補償保険法	労災５点	１問（５点）
3	雇用保険法	雇用５点	１問（５点）
4	労務管理その他の労働に関する一般常識	労一５点	１問（５点）
5	社会保険に関する一般常識	社一５点	１問（５点）
6	健康保険法	健保５点	１問（５点）
7	厚生年金保険法	厚年５点	１問（５点）
8	国民年金法	国年５点	１問（５点）

　① 「**労基と安衛**」がセットで出題されます。

　② 選択式では、「**徴収**」からは出題されません。

★択一式の出題数（試験時間は210分）　➡配点は１問が１点で70点満点

	択一式　試験科目の区分	出題数（配点）の内訳	全70問（70点）
1	労働基準法及び労働安全衛生法	労基７点＋安衛３点	10問（10点）
2	労働者災害補償保険法（労働保険徴収法を含む。）	労災７点＋徴収３点	10問（10点）
3	雇用保険法（労働保険徴収法を含む。）	雇用７点＋徴収３点	10問（10点）
4	労務管理その他の労働及び社会保険に関する一般常識	労一５点＋社一５点※	10問（10点）
5	健康保険法	健保10点	10問（10点）
6	厚生年金保険法	厚年10点	10問（10点）
7	国民年金法	国年10点	10問（10点）

※近年は、「労一４点＋社一６点」の配分で出題されている。

　① 「**労基と安衛**」「**労災と徴収**」「**雇用と徴収**」「**労一と社一**」がセットで出題されます。一方、「**健保**」「**厚年**」「**国年**」は、単独で10問出題されます。

　② 「**徴収**」は、２試験科目にまたがって３問ずつ（計６問）出題されます。

※ここでいう社会保険科目というのは、労災、雇用、徴収、健保、国年、厚年の6科目です。

❸ 選択式と択一式の特徴やポイントは？

選択式は、1問あたり、5つの空欄について20個の選択肢の語句から解答する出題形式（空欄補充問題）です。**択一式**は、1問あたり、5つある選択肢から「正しいもの」又は「誤っているもの」を1つ解答することを基本とする出題形式（五肢択一問題）です。実際の出題例は、P20、21を参照してください。

選択式（空欄補充問題）	択一式（五肢択一問題）
① 解答時間は全8問で80分＝**1問あたり10分以内**に解くことが必要。	① 解答時間は全70問で210分＝**1問あたり3分以内**に解くことが必要。
② 時間的には、比較的余裕をもって解くことができる。	② 時間不足になりやすく、**解答のスピードを上げる訓練**が必要。
③ 特有の**専門用語や数字関係**が空欄になることが極めて多い。	③ **基本知識で解ける問題**が多い。ただし、事例問題への**応用力**も必要。
④ 難問もある程度出題され、論理的な文章を作成する**国語力**が試される。	④ **過去問を丁寧に学習**することで、得点力アップを図ることができる。

★選択式の出題例（国民年金法）

〔問〕　次の文中の □□ の部分を選択肢の中の最も適切な語句で埋め、完全な文章とせよ。

1　政府は、少なくとも □A□ 年ごとに、保険料及び国庫負担の額並びに国民年金法による給付に要する費用の額その他の国民年金事業の財政に係る収支について、その現況及び □B□ 期間における見通しを作成しなければならない。

　　この □B□ 期間は、財政の現況及び見通しが作成される年以降おおむね □C□ 年間とする。

2　故意の犯罪行為若しくは重大な過失により、又は正当な理由がなくて □D□ ことにより、障害若しくはその原因となった事故を生じさせ、又は障害の程度を増進させた者の当該障害については、これを支給事由とする給付は、その □E□ ことができる。

```
┌ 選択肢 ─────────────────────────────────┐
│ ①　3           ②　5           ③　7           ④　10          │
│ ⑤　25          ⑥　30          ⑦　50          ⑧　100         │
│ ⑨　医師の診察を拒んだ        ⑩　財政均衡                     │
│ ⑪　財政計画                   ⑫　収支均衡                     │
│ ⑬　将来推計                   ⑭　全額の支給を停止する         │
│ ⑮　全部を一時差し止める       ⑯　全部又は一部を一時差し止める │
│ ⑰　全部又は一部を行わない     ⑱　当該職員の指導に従わない     │
│ ⑲　当該職員の診断を拒んだ     ⑳　療養に関する指示に従わない   │
└─────────────────────────────────────────┘
```

（正解：A② B⑩ C⑧ D⑳ E⑰）

20

★択一式の出題例（雇用保険法）

〔問〕　被保険者に関する次の記述のうち、誤っているものはどれか。

A　労働日の全部又はその大部分について事業所への出勤を免除され、かつ、自己の住所又は居所において勤務することを常とする在宅勤務者は、事業所勤務労働者との同一性が確認できる場合、他の要件を満たす限り被保険者となりうる。

B　一般被保険者たる労働者が長期欠勤している場合、雇用関係が存続する限り賃金の支払を受けていると否とを問わず被保険者となる。

C　株式会社の取締役であって、同時に会社の部長としての身分を有する者は、報酬支払等の面からみて労働者的性格の強い者であって、雇用関係があると認められる場合、他の要件を満たす限り被保険者となる。

D　特定非営利活動法人（ＮＰＯ法人）の役員は、雇用関係が明らかな場合であっても被保険者となることはない。

E　身体上若しくは精神上の理由又は世帯の事情により就業能力の限られている者、雇用されることが困難な者等に対して、就労又は技能の習得のために必要な機会及び便宜を与えて、その自立を助長することを目的とする社会福祉施設である授産施設の職員は、他の要件を満たす限り被保険者となる。

（正解：Dが誤り。雇用関係が明らかな場合は、被保険者となる。）

❹ 合格基準点はどのようになっている？

社労士試験には、P18に記載した出題数のうち、どのくらい正解すれば合格できるのかという**合格基準点**があります。現実には、合格基準点を知らずに受験する人もいますが、本書の読者の皆さんは必ず確認しておきましょう。

社労士試験では、選択式における①総得点（全体の基準点）と②各科目の基準点（科目基準点）、択一式における③総得点（全体の基準点）と④各科目の基準点（科目基準点）の4つの合格基準点をすべて満たしたときに合格となります。

★4つの合格基準点（※「全体の基準点」は令和5年度以前の10年間の平均による。）

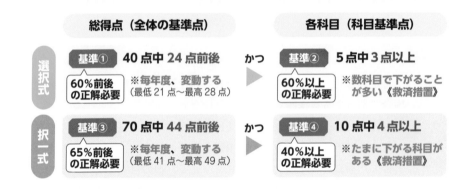

例 科目基準点の引下げ（救済措置）がないケースの例

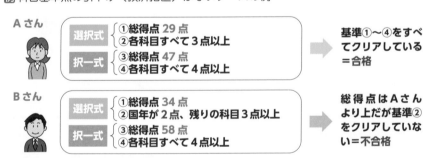

★救済措置について

全受験者の得点状況が悪い「難しい科目」については、科目基準点が引き下げられる救済措置が講じられ、選択式は基準②にある「3点」が「2点又は1点」に、択一式は基準④にある「4点」が「3点」に引き下げられることがあります。

★学習上のポイントなど

① 選択式では、「基準②」が重要です。**科目基準点である３点の確保が合格へ**のカギとなります。なお、選択式では、救済措置が多く行われる傾向にあり、過去の実績では**最多５科目で科目基準点の引下げ**が行われています。

② 択一式では、「基準③」が重要です。**総得点をいかに引き上げるかが合格**へのカギとなります。なお、択一式では、救済措置はあまり行われません。

③ 救済措置があるため、**難問を恐れる必要はありません。基本重視でOK**です。

④ **満点を目指す必要はありません。**しかし、科目基準点があるため、**苦手科目や苦手分野を作らないこと**が重要です。

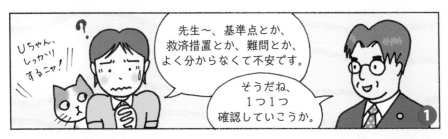

2 合格をつかむ学習方法

❶ 学習スケジュールの考え方

　社労士試験は、10ヵ月程度じっくりと対策を講じていけば、合格するのに必要な知識を十分身につけることができます。さらに言えば、効率的・集中的に学習をすれば、5ヵ月程度の短期間であっても合格することは夢ではありません。つまり、学習量的な観点からは、**1年以内の一発合格も十分に狙える試験**です。

　しかしながら、試験対策として学習しなければならない内容は、かなりのボリュームがあります。したがって、ほとんど学習をしていない科目を残したまま試験日を迎えることがないように、**10科目をバランスよく学習していくことが**重要です。そのためには、**計画的に学習を進めていかなければなりません。**

　そこで、学習スケジュールですが、**インプット**（テキスト等で知識を取り入れる）及び**アウトプット**（問題演習を繰り返す）の学習をバランスよく行えるように設定する必要があります。標準的な学習スケジュールは、次のとおりです。

★標準的な学習スケジュール

　試験日は、例年**8月第4日曜日**となっています。まずは、この日に向けての長期的な計画を考えてみましょう。上図のポイントは、**アウトプット中心**の期間を**最低3ヵ月**は取ってほしいという点です。試験では当然に「問題」が出題されますから、数多くの問題を繰り返し解くトレーニングを積むことで合格がグッと近づきます。インプットを完璧にこなす必要はなく（そもそも完璧にこなすことは困難）、**できるだけ早い時期にアウトプットに移行し、問題を解きながら知識を定着させる**ことが理想的です。

★それぞれの学習段階でのポイント

<table>
<tr><td rowspan="4">インプット中心期</td><td colspan="2">① 全体像・基礎知識の定着（1〜2ヵ月）</td></tr>
</table>

① 全体像・基礎知識の定着（1〜2ヵ月）

- 本書の第1章〜第10章を中心に学習し、**全科目の全体像**を頭に入れる。全体像を捉えると後の学習がスムーズに進む。
- 最低2回、できれば3回、本書を繰り返し読む。

② 各科目の全項目の学習＋過去問の論点の確認（4〜5ヵ月）

- より詳細なテキスト（速習レッスンなど）を精読し、各科目の全項目を一通り学習する。**赤字・太字の理解**が中心でよい。2〜3回は読む。
- 同時にこの時期において、科目ごとに**過去問**も確認（すぐに解答を見てもよい。過去問を読むイメージ。）し、その**論点を確認**しておく。

③ 問題演習の繰返しが中心（2〜3ヵ月）

- 問題演習（過去問その他の問題集）を学習の中心に据えて、インプットで蓄積された知識を定着させる。最初の段階では不正解でも気にしない。
- 最低3回以上繰り返す。必要に応じて、テキスト等の復習も行う。
- 苦手科目、各科目の苦手分野を洗い出しておき、その強化を行う。

④ 弱点補強・横断整理等（1ヵ月）

- 上記③の問題演習と並行して、直前の1ヵ月間に**弱点補強**と知識の横断整理を行う。また、**本書で基本知識の再確認**を行うとよい。
- 数字要件と改正事項の再確認も行う。

無理のない学習計画を立てるコツってありますか？

そうだね。長期（全体）→中期（1ヵ月）→短期（1週間、1日）と考えていくとよいと思うよ。

6ヵ月でインプットを終了させる➡1ヵ月で「労基」「安衛」を終了させる➡1日3レッスン学習する

❶

最後の横断整理って何のことでしょうか？

学習が進んでくると、複数の法律の類似する事項がごちゃごちゃになってしまうので、それを整理することだよ。

❷

❷ テキストの取り組み方

　社労士試験では、例年、選択式・択一式ともに**基本事項からの出題が70%程度を占めています**。したがって、テキスト学習では、全ページ・全分野の完全制服を目指す必要はありません。**70%程度の理解と記憶を目指せば十分**です。試験で出題されているやや細かい内容については、問題演習を通じて押さえることができるため、テキスト学習では、**赤字・太字部分の徹底理解**を心掛けてください。

★学習スピードと情報の一元化について

① 学習スピードを意識すること

　皆さんの学習時間は限られているはずです。1つの項目に長い時間をかけずに、分からない部分はとりあえず付箋でも貼って飛ばしてしまい、**すばやく全科目を回す**ことを意識してください。テキストは、時間をかけてゆっくり読むよりも、回転数を意識して**何度も繰り返し読むこと**が大切です。

② 情報を一元化すること

　テキストには記載のない次のような情報がある場合は、テキスト該当項目に要点を書き込んで**情報を1冊にまとめる**と効率的に学習が進められます。

- ●過去問などの**問題演習**を行った際に新たに知った情報や論点
- ●**法改正**に関する新たな情報
- ●覚え方などの**受験学習に役立つ情報**

★試験問題における「ひっかけ部分」を意識してテキストを理解・記憶する

　社労士試験（択一式）では、結局、「誤りの問題の誤りの部分（ひっかけ部分）」を指摘することができれば正解にたどり着くことができます。過去の試験問題における誤りの問題の「ひっかけ部分」としては、次のようなものが多くなっています。**テキスト学習の際には、これらを意識して理解・記憶すると効率的です**。

数字関係	数字そのもののほか、「前月」「翌月」といった**数的要素**も意識
主語・対象	各規定で登場する**行政機関や規定の対象者・対象項目**を意識
結論部分	結論が逆に書いてある問題も多いため、**各規定の結論**を意識

❸ 問題集の取り組み方

　問題集に限らず、皆さんが取り組むすべての問題について行ってほしいのは、**最低3回は繰り返す**ということです。問題は1回解いただけでは、なかなか身につきません。「**人間は忘れる生き物**」であり、試験対策は「**忘却との戦い**」です。特に間違えた問題に関しては、3回以上繰り返さないと本番で同じミスを繰り返してしまう可能性が高いといえます。最終的には、**間違えた問題や理解が曖昧な問題**（これが「**弱点**」です。）は、**5回以上繰り返す**方がよいでしょう。

　問題集の取り組み方のポイントをまとめると、次のとおりです。

① 最終的に繰り返すのは、間違えた問題中心でOKです。つまり、4回目、5回目に**繰り返す問題数はかなり減ってくる**はずですので、ご安心ください。

② 選択式の問題は、できる限り、**20個ある選択肢を見る前に、空欄に入る語句を考えてみましょう**。何も思い浮かばない空欄は要注意です。

③ 択一式の問題は、A〜Eの選択肢を**1肢1肢丁寧に検証**しましょう。誤りの選択肢は、**どこ（誤りの箇所）をどのように変えれば正しくなるのか**まで考えてみましょう。その指摘が不適切である選択肢は要注意です。

④ **択一式試験は時間との戦い**です。普段から問題を解く際には、スピードを意識しましょう。択一式は、**10問あたり25分以内**に解けるとベストです。

⑤ **弱点を把握**するためにも、問題を解く際には何らかの「しるし」をつけながら解きましょう。「しるし」がたくさんついている問題があなたの弱点です。たとえば、間違えた＝「☆」、理解が曖昧＝「△」などをつけておきましょう。

★問題は1肢1肢に「しるし」をつけて解く

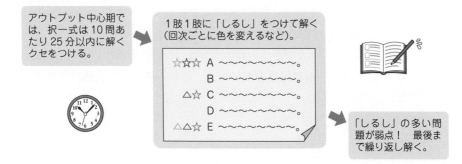

アウトプット中心期では、択一式は10問あたり25分以内に解くクセをつける。

1肢1肢に「しるし」をつけて解く（回次ごとに色を変えるなど）。

☆☆☆ A 〜〜〜〜〜〜〜〜。
　　　 B 〜〜〜〜〜〜〜。
△☆　 C 〜〜〜〜〜〜〜〜。
　　　 D 〜〜〜〜〜〜〜〜。
△△☆ E 〜〜〜〜〜〜〜〜。

「しるし」の多い問題が弱点！　最後まで繰り返し解く。

❹ 合格「できる人」と「できない人」の差はどこで生じる？

　近年の社労士試験において、合格者と不合格者の得点状況などを分析してみると、得点状況に**大きな差が生じている**問題（合格者の正解率が高く、不合格者の正解率が低い問題）が多数存在します。このような差が生じているのは、次のことが理由になっていると考えられ、これらは「**合格の心得**」ともいえるものです。

理由①　合格者は「基本事項」に関する学習量・定着度が違う。

☞　合格のためには**基本事項の徹底**で十分です。合格者は、苦手科目・苦手分野を作らないよう、**確実な知識を1つでも増やすための学習**を積み重ねています。社労士試験は、**努力が報われる試験**です。

理由②　合格者は「難問」「奇問」にこだわっていない。

☞　難問・奇問については、**正解率にほとんど差が見られない**ため、恐れたり、こだわる必要はありません。易しいレベルの問題を確実に得点し、普通レベルの問題の正解率を上げることが何よりも重要です。

理由③　合格者は「過去問」をしっかりとこなしている。

☞　どのような試験でも、「過去問」の攻略が合格へのカギです。社労士試験では、**過去問の焼直し問題が多く出題**されています。最終的に8割以上の正解率が得られるようになれば、合格が見えてきます。

理由④　合格者は「社会保険科目」に多くの学習時間を充てている。

☞　通常は学習の後期に取り組むことが多い「健保」「国年」「厚年」の**社会保険科目で正解率に大きな差**が生じています。社会保険科目に多くの学習時間を充てることができるスケジュールを意識しましょう。

理由⑤　合格者は「改正事項」をしっかりと把握している。

☞　**「改正事項」からの出題が多い**ことも社労士試験の特徴です。改正事項のチェック及びその内容の理解は、合格に必須といえます。最新のテキストや問題集を使用して、新しい情報には敏感になりましょう。

3 社労士の役割と業務

❶ 社労士の役割

　社労士は、国のお墨付きをもらって、**労働や社会保険に関する業務を行うプロフェッショナル**です。

　社労士が専門領域とする**労働社会保険諸法令**は、すべて「**人**」を守るためのものです。その内容は、多岐にわたり、また、社会の発展に伴って、年々拡大・複雑化しています。社労士には、これらの法令の専門家として、これを**円滑に実施する**ための重要な役割が期待されています。一例を挙げると次のとおりです。

企業において

> ★**労働・社会保険に関する手続き**……人の採用から退職までの間には、様々な労働保険や社会保険に関する手続きが必要です。しかし、これらの手続きには専門的な知識が必要であり、企業にとって大きな負担となっています。社労士は、**専門知識を活かして**、労働保険や社会保険の複雑・多岐にわたる**手続きを、企業に代わって的確に行っています**。
>
> ★**人事・労務管理**……企業の健全な発展のためには、労働者がいきいきと働ける環境作りが大事です。たとえば、良好な労使関係を維持するためのルール作り（就業規則の作成・見直し）や、労働者が納得して能力を発揮できるようにするための賃金制度の構築などです。社労士は、**人事・労務管理の専門家として**、これらに関する**適切なアドバイスを行っています**。

個人において

> ★**年金相談**……日本は国民皆年金として、原則すべての人が公的年金制度に加入しています。しかし、複雑で分かりにくい制度であるため、本来受けられるはずの年金を受けられないといったことも起こっています。社労士は、**公的年金に関する唯一の国家資格者として**、年金に関する権利を守る立場から、**個人からの相談に応じたり、手続きの代行をしたりしています**。

※特定社会保険労務士のみ

❷ 社労士になるには？

　ここからの内容は、試験対策にもなります。ぜひ、頭に入れておきましょう。

　社労士になるためには、次の①～③がこの順番で必要です（②の実務経験は試験前後不問）。詳しくは、第10章レッスン4（➡P272）でも説明します。

> ① 社会保険労務士試験（受験資格あり）に合格すること。
> ② 通算して**2年以上の実務経験**があるか、又は**事務指定講習**（通信指導課程（4ヵ月間）とeラーニング講習との組合せ）を修了すること。
> ③ 全国社会保険労務士会連合会に備える**社会保険労務士名簿に登録**を受けること。

　登録を受けると、社会保険労務士証票が交付され、晴れて「社会保険労務士」と名乗ることができます。

❸ 社労士の分類

　社労士は、法律上、次のように分類することができます。これらは登録の際に選択することになります。

| 開業社会保険労務士（開業社労士） | ▶ | **独立開業して**、社労士の業務を行う。誰からでも、有償で業務の委託を受けることができる。主に中小企業経営者のパートナーとして顧問契約を結び、労働・社会保険の諸手続き、人事・労務管理の相談・指導などを行う。 |

| 勤務社会保険労務士（勤務社労士） | ▶ | 企業の人事・労務管理部門や開業社労士などの**事務所に勤務して**、社労士の業務を行う。開業の場合とは異なり、勤務先である1つの企業での業務に専従する。 |

| 社会保険労務士法人（社労士法人） | ▶ | 社労士の業務を行うことを目的として、**社労士が設立した法人**（1人での設立も可能）。法人を設立することで、社会的信用が得られやすくなり、また、事務所を複数設けて広範囲に活動できるなどのメリットがある。 |

　社労士の資格の活かし方は、上記以外にもたくさんあります。次に例を挙げますが、これらは登録を受けなくてもできる場合があります。

★その他の社労士資格の活かし方（例）

- **専門機関での就労**……日本年金機構、全国健康保険協会、健康保険組合、労働保険事務組合といった労働・社会保険に関する専門機関で就労するものです。即戦力としての活躍が期待されます。
- **相談業務（コンサルタント）**……専門知識を活かして、労働や社会保険に関する相談に応ずる業務です。
- **行政協力**……労働保険料の手続きの受付業務や労働相談・年金相談など、本来であれば行政機関が行うべき業務の一部を社労士が代わって行うものです。各都道府県の社会保険労務士会などを通じて依頼があります。
- **執筆、講演**……労働社会保険諸法令の専門家として、記事・書籍の執筆、講演・セミナーなどを行います。
- **受験指導**……社労士試験合格を目指す方々に対して受験指導を行います。受験指導機関に勤務して、又は受験指導機関からの依頼を受けて行うことが多いようです。

❹ 社労士の業務

社労士（社労士法人を含む。以下同じ。）の業務には、次の種類があります。

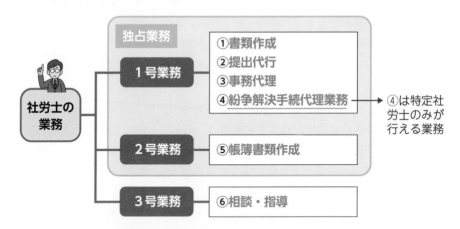

上記のうち、**1号業務**と**2号業務**は、社労士の**独占業務**です。つまり、社労士だけが、これらの業務を**報酬を得て**（有償で）行うことができます。一方、3号業務は、社労士でない者も自由に行うことができます。

また、1号業務の中の「**④紛争解決手続代理業務**」は、一定の試験に合格した**特定社会保険労務士**（特定社労士）だけが行うことができます。

では、それぞれの業務について、もう少し具体的に説明しましょう。

① 書類作成

労働社会保険諸法令に基づき行政機関等に提出する**申請書等**を**作成**する業務です。たとえば、労働保険や社会保険に関する届出書、労働関係法令によって義務づけられた報告書、各種助成金に関する申請書などを作成する業務（提出までは含まない。）がこれに該当します。

② 提出代行

申請書等（作成者を問わない。）について、その**提出に関する手続き**を**代行**する業務です。これには、行政機関等に対して説明を行い、その質問に対し回答し、又は提出書類について必要な補正を行うなどの行為が含まれます。

③ 事務代理

労働社会保険諸法令に基づく**申請等**について、又は行政機関等の調査・処分に関して、行政機関等に対してする**主張**や**陳述**について、**代理**する業務です。前記②の提出代行との違いは、主張や陳述を行うこと（行政機関等に対して意見を述べ、事実関係の説明を行うこと）ができる点です。

（1号業務の続き）

④紛争解決手続代理業務 **（特定社労士のみが行える）**

個別労働関係紛争（労働組合ではなく、個々の労働者と使用者との間のトラブル）について、その解決のための次の手続き（**紛争解決手続**）において**紛争の当事者を代理**する業務です。詳しくは後で説明します。

紛争解決手続

- 都道府県労働局や都道府県労働委員会における個別労働関係紛争の**あっせんの手続き**
- 都道府県労働局における障害者雇用促進法、男女雇用機会均等法、労働者派遣法、育児・介護休業法等の**調停の手続き**
- 労働紛争解決センターが行う**民間紛争解決手続**（紛争価額が120万円を超える事件については、弁護士との共同受任が必要）

2号業務

⑤帳簿書類作成

労働社会保険諸法令に基づく**帳簿書類**（1号業務の①書類作成とは異なり、行政機関等に提出しないもの）を作成する業務です。たとえば、労働者名簿や賃金台帳といったものは、使用者にその作成と保存が義務づけられていますが、行政機関等への提出までは通常求められていません（何かあったときに提出を求められることがある。）。このような帳簿書類を作成する業務です。

3号業務

⑥相談・指導

労務管理その他の**労働及び社会保険**に関する事項について**相談**に応じ、又は**指導**する業務（いわゆるコンサルタント業務）です。たとえば、企業からの人事・賃金・労働時間や人材育成に関する相談、個人からの年金に関する相談を受けたり、適切なアドバイスをしたりする業務がこれに該当します。労働争議に関する相談や指導を行うこともできます。

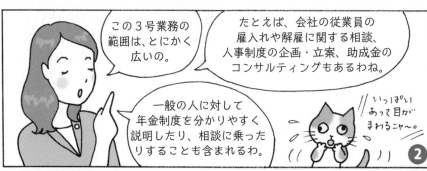

❺ 紛争解決手続代理業務とは？

　近年、雇用形態の多様化、不安定化などを背景として、**個別労働関係紛争**が増加しています。このような職場のトラブルについては、これまで裁判で解決するのが一般的でしたが、裁判は長い時間と多くの費用がかかるうえ、使用者と労働者との間に「勝った」「負けた」の関係を生み出してしまいます。

　そこで、最近は、裁判によらない解決手段として、ＡＤＲ（裁判外紛争解決手続）が活用されています。ＡＤＲは、当事者同士の話合いにより、両者が納得する形で解決を目指す制度です。

　社労士は、このＡＤＲのうちの個別労働関係紛争に係る**紛争解決手続**（➡P36）において、**当事者の一方を代理**する業務を行うことができます。これが「**紛争解決手続代理業務**」です。紛争解決手続代理業務には次の事務が含まれます。

① 紛争解決手続について**相談に応ずる**こと。
② 紛争解決手続の開始から終了に至るまでの間に**和解の交渉**を行うこと。
③ 紛争解決手続により成立した**和解における合意**を内容とする**契約を締結**すること（和解契約の締結）。

　なお、紛争解決手続代理業務は、**特定社会保険労務士**（特定社労士）だけが行うことができます。

　特定社労士になるには、厚生労働大臣が定める研修を修了し、**紛争解決手続代理業務試験**に合格した後に、全国社会保険労務士会連合会に備える社会保険労務士名簿にその旨の**付記**を受けなければなりません。

❻ 補佐人制度とは？

　職場のトラブルをＡＤＲによっても解決できない場合は、当事者（依頼者）が裁判による解決を望むこともあるかもしれません。補佐人制度は、社労士が、その裁判にかかわることのできる制度です。

　社労士は、**補佐人**として、労働社会保険に関する行政訴訟の場面や、個別労働関係紛争に関する民事訴訟の場面で、**弁護士である訴訟代理人とともに**裁判所に**出頭**し、陳述をすることができます。

　依頼者は、相談の段階から支援を受けてきた社労士が、補佐人として裁判にかかわることで、安心して裁判による解決を選択できるようになります。

4 実際の活動を知ろう！

　ここでは、社労士の実際の活動について、現役の社労士3名のお話を聞いてみましょう。

❶ 開業社労士　～　早川 幸男 先生

> 　皆さん、こんにちは。開業社労士の早川 幸男と申します。
>
> 　私は、平成17年度の試験に合格しました。実務経験がありませんでしたので、登録するために必要な講習を修了後、平成19年1月に開業しました。
>
> 　行政機関への単なる手続代行だけではなく、**3号業務を中心**に、法律に携わる実務家の立場から**正義を徹底的に追求**していくことが私の理念です！

★社労士の仕事って何？

　社労士法では1号業務から3号業務まで大きく3つの業務を定めています。

　要約すると、各種書類を作って行政機関へ提出したり、立入調査において行政官とやり取りしたり、労使トラブルで一方の代理を務めたり、労務相談を受けたりと、これら様々な業務が社労士の仕事ということになるわけです。

　企業の多くも、これらの業務の中から自社が必要とするものを社労士にアウトソーシング（外部委託）してきますから、そのような実情を踏まえ、私の事務所では、手続パック、給与計算パック、さらにはトータルパックなどといった顧問契約のラインナップを数種類用意して、企業のリクエストに対応できるようにしています。

　さて、契約に基づいた定型業務をきっちりこなすことは当然のことですが、さらに**期待以上のこと**を提供することができれば、それなりのお金を支払ってアウトソーシングする企業にとって、これほど嬉しいことはありません。

　その**期待以上のこと**というのは、ズバリ、**ヒト的側面からその企業の増収増益につながる何らかの提案を行うこと**です。

　社労士の立場で企業本来の売上や利益を直接的に増加させるのはなかなか難しいことですが、実は、

期待以上のこと

早川
先生

信頼
できる！

我々社労士の領域には、間接的に支援できることがたくさんあります。

　実際に私の事務所では、助成金の活用によって、**営業売上とは異なる収入をもたらしたり**、働く人のモチベーションを高めるための人事評価制度を導入し、退職者を減らすことにより採用コストを抑え、結果的に**利益の増加に寄与したり**するなど、企業の増収増益につながるご支援・ご提案を数多く実施しています。

★やりがいを感じるとき＝感謝の言葉をいただいたとき

　私には、助成金の申請依頼をきっかけに、ずっとお付き合いしているクライアントがいます。

　依頼の当初、**先方の労務管理は全くなされておらず、助成金の申請どころではない状況**でした。私は、いく度となく次の話を社長にお伝えしました。

　「助成金などに振り回されずに、まずはしっかりと労務基盤を固め、いずれその時が来たら助成金を申請しましょう。それまで一緒に頑張りましょう！」

　そして、お付き合いを始めてから2年くらい経ったころ、助成金の支給決定通知書を握りしめながら社長がおっしゃった言葉を私は忘れません。

　―早川先生に知り合えてよかった。これからもずっと頼りにしています！

🕐 ある1日のスケジュール

- **9:00** 業務開始。メールをチェックし、本日の行動予定を確認。
- **9:15** 翌月のセミナー内容について、依頼者に電話で確認。
- **10:00** A社の社長が事務所を来訪。助成金のご相談を受ける。
　　　　 ビジネスのお話だけでなく、世間話にも花が咲きます。
- **11:30** 先ほどのご相談の提案内容をまとめ、A社の社長へメールを送信。
　　　　 速やかなフィードバックで、お客様のハートを射止めます。
- **13:30** 事務手続のため、労働基準監督署へ。
- **14:30** 移動時間を利用し、ファミレスでランチ。
- **16:00** 顧問先B社を訪問し、フレックスタイム制の導入に関する打合せを実施。
- **19:00** 事務所に戻り、書類の整理等を実施。
- **20:30** 翌日以降のスケジュールを確認し、業務終了。
　　　　 今日も熱く燃えた1日でした！

毎日、熱く
仕事して
いるニャ！

❷ 勤務社労士　〜　久守 由紀 先生

　皆さん、こんにちは！　久守 由紀と申します。

　ユーキャンの通信講座と教室講義で学習して、平成27年度の試験に合格しました。現在は、社労士事務所（社労士法人の事務所）において、勤務社労士として働いています。

　顧問先の企業に私たち社労士が関わることで、従業員さまも安心して働くことができると思います。事業主さまと従業員さまの両方にとって、より良い職場環境となるようなお手伝いができることに、とてもやりがいを感じています。

★企業の成長する姿を近くで見ることができる！

　私は、社労士法人の事務所で、主に顧客の窓口担当として、新規顧客対応や既存顧問先さまの相談業務、就業規則や各制度等の社内整備、手続き、給与計算、助成金申請等の様々な業務を行っています。最近は特に、新たに開業する方のお手伝い（開業支援）をさせていただくことが多いです。

　ある日、懇意にしている税理士の先生から、「近々開業する歯科医院の先生がいるので、雇用に関する相談に乗ったり手続きの手伝いをしたりしてほしい」と連絡をいただきました。

　そこで、実際に開業される先生とお会いして、先生がどのような医院を目指しているのか等をおうかがいし、従業員さんの勤務時間や給与額、働く上での条件などを一緒に決めていきました。そして、その内容をもとに、就業規則（会社のルール）や労働条件通知書等を作成しました。従業員さんもご自身が働く上でのルールや条件がはっきり分かっていると安心して働けますよね。

　実際に従業員さんが働くことになれば、労働保険や社会保険への加入手続きを行います。この手続きは、社労士が代行します。今は電子申請でスピーディーにできますよ。

　その医院さんは、最初は従業員さんが1人だったのが、1年、2年と経つにつれて、5人、10人と増えていきました。このように、企業が成長し、人手が足りなくなり、次の採用に繋がっていく姿を間近で見ることができます。そのたびに、**働きやすい職場環境があるからこそ人が集まる**ことを実感します。そのような

久守
先生

職場環境づくりのお手伝いをできることがとても嬉しく、やりがいを感じているところです。

★勤務社労士のよいところ

社労士事務所で勤務することのよいところは、**いつでも相談できる仲間がいる**ことです。

お客様からのご相談や手続きなどで、分からないことや困ったことがあれば、すぐに周りの人に相談できます。私が勤務する社会保険労務士法人アシストでは、社内のチャットワークがあり、相談事を投げかけると複数名から経験談や対応方法等の回答が得られます。一人で悩むことなく、すぐに相談に乗ってくれる人がいるだけで、心強いですよね。

また、社労士の分野は、毎年のように法改正があります。通常の業務に加えて、法改正等の情報収集やその対応などを一から一人でするとなると、とても大変です。このようなことも、みんながそれぞれ得た情報を社内で共有し、対応策を一緒に考えることで、スピーディーにお客様に情報をお伝えでき、スムーズに手続き等の対応をすることができます。

そういった積み重ねから、**お客様との信頼関係**も深まっていくように思います。

🕘 ある1日のスケジュール

9:30 オフィスに出社したら、まずはスケジュールを確認。 メールをチェックすると顧問先さまから従業員入社のご連絡。 保険関係の手続きを行います。

> 電子申請なので、スピーディーです。

12:30 お昼休みはしっかりご飯を食べて、午後からのエネルギーをチャージ！

13:30 新規顧問先さまとの打ち合わせ。

> 税理士の先生からのご紹介でご縁をいただきました！

15:00 打合せ内容の整理、給与計算や手続きの準備をします。

> 企業の成長のお手伝いができると嬉しいです。

> 仕事とプライベートのバランスがとれるニャ！

16:30 業務終了！ 社会保険労務士法人アシストは、勤務時間が1日6時間です。

> プライベートの時間も充実！

❸ 社労士法人の社員　〜　中尾 友美 先生

皆さん、こんにちは！　中尾 友美(なかお ともみ)と申します。

ユーキャンの通信講座と教室講義で学習して、平成26年度の試験に合格しました。社労士法人で勤務社労士として働いて人事・労務の実務経験を積んだあと、現在は勤務先の社労士法人の社員となって、経営にも携わっています！

社労士は「人」に関するエキスパート。日々、クライアントと真剣に向き合うことで、私自身が成長させていただいていることを実感しています。

★人とのつながりを実感できるから、やりがいがあります！

社労士法人の業務には様々なものがあります。労働保険・社会保険関係の手続代行、給与計算、就業規則の作成・届出、労務相談、助成金の支給申請代行、などなど。どの業務にも共通して言えることは、「**人**」に関わることだということです。

あるとき、こんなことがありました。クライアント先の従業員さんが妊娠され、仕事を休むことになりました。法律では、産前産後休業や育児休業を取ることが認められています。ですが、仕事を休むとその分収入が減ってしまいますよね。仕事を休んでいる間の所得保障として、「育児休業給付金」が従業員さんに支給されるのですが、この給付金の支給申請を社労士が代行します。

育児休業給付金が支給されると、従業員さんはとても喜んでくださります。従業員さんが喜ぶと、クライアントである事業主さんも喜びます。従業員さんと事業主さんに喜んでもらえると、私自身もうれしい。**みんなが幸せになれるんです。**

事業主さんと従業員さんの関係がよければ、その会社はよい会社です。**社労士は、よい会社を作るお手伝いができる仕事です。**事業主さんと従業員さんと社労士。人とのつながりを実感できたとき、これ以上の喜びはありません。社労士になってよかったと思う瞬間です。

★クライアントの理解者＝パートナーとしての存在

社労士法人の社員になって強く感じたこと。それは、私自身が自社の経営に携

わることで、経営者である**クライアントのお悩みがより深く理解できるように
なった**ということです。

　いつも一生懸命頑張ってくれている従業員さんが働きやすい職場環境を整える
ため、残業を減らす仕組を考えたり、年次有給休暇を取りやすくする工夫をし
たり、昇給やボーナスで利益の還元をしたり・・・。経営者は日々考えています。
でも、そんな経営者の思いが従業員さんに伝わらないことも、多々あります。「**な
ぜ自分の思いが伝わらないのだろう？**」というお悩みを多くの経営者が抱えてい
ます。

　でも、実はこれって従業員さんの立場からも同じことが言えるんですよね。従
業員さんがどんなことを考えているのか。知らない経営者も意外と多くいます。
そして従業員さんは「会社は私の意見なんて聞いてくれない。」と思っています。
つまり、お互いに相手の思いに気付いていないのです。ここで、社労士の出番で
す！

　社労士は第三者であるからこそ、従業員さんの思いにも気付けることがあります。経営者のお悩みは十分理解しているからこそ！必要があれば敢えて従業員さ
ん側の思いを代弁することもあります。クライアントの**理解者**として、**パートナー**
として、**言わなければいけないことはきちんと伝えることも必要なのです。**

🕐 ある１日のスケジュール

9:00　業務スタート。まずはスケジュールとメールをチェック。　メールの内
　　　　容は、労務相談や社会保険制度に関する問合せなど。
　　　　9:30 からは朝礼。みんなの予定を共有し合います。

10:00　社内プロジェクトミーティング。売上や社内業務の改善、広報など、様々
　　　　な社内プロジェクトを立ち上げて役割を分担しています。

13:00　顧問先のお客様を定期訪問。労務相談を受けます。

　　　　「ありがとう」と言っていただけた
　　　　ときが、一番うれしい瞬間です！

15:00　オフィスワーク。　社会保険関係の手続きや助成
　　　　金の申請書類作成など。
　　　　社内スタッフが作成した書類もチェック。

仲間が
いっぱいで楽し
そうニャ！

17:00　週に１度の経営会議。社労士法人の社員メン
　　　　バーで 会社の方針について議論、決定します。

18:00　業務終了！早めの帰宅を心がけています。

第 1 章

労働基準法

- この科目の体系樹
- この科目の特徴／ここだけチェック！！

この科目 **労基** の体系樹

休業手当

支払5原則

平均賃金

賃金

割増賃金

雑則

就業規則等

罰則

年少者・妊産婦等

※体系樹は、各科目を大きな樹木にイメージ化したものです。出題の中心は「枝葉」と「幹」の部分です。「根」や「土」の部分は、立法趣旨や背景など理解の土台になるものです（以下同じ。）。

概要

使用者と労働者との個別的な労働関係に関する根本法規、それが労働基準法です。その特徴は、労使対等の原則に立ち、労働実態では弱者としての地位に甘んじなければならない労働者の立場を強化していることにあります。学習上の重要部分かつ試験対策としてのポイントは、まさにこの点にあります。

枝葉

①**労働時間等**……法定労働時間、休憩・休日のほか、時間外・休日労働、高度プロフェッショナル制度、みなし労働時間制、変形労働時間制など幅広い規定が置かれています。

②**賃金**……賃金支払5原則と例外、休業手当、割増賃金、平均賃金が中心となります。

③**年次有給休暇**……発生要件、付与日数、与える時季などのルールが定められています。

④**年少者・妊産婦等**……いわゆる労働弱者である年少者・妊産婦等については、労働時間等に関して、特別の保護規定が置かれています（優先適用される。）。

⑤**就業規則**……職場の規律である就業規則については、その作成義務と手続き、制裁規定の制限などが定められています。

根

　戦前のわが国では、**労働者を保護する労働法の整備が不十分**でした。このため、労働者は過酷な労働条件で拘束されるなど、悲惨な状態にありました。また、統一的・根本的な労働に関する法令も存在していませんでした。この点を打開するため、**昭和22年に憲法が制定されたことを受け、労働基準法が立法**されました。これにより、労働者の権利の保護が徹底され、人間性を無視した労働条件に基づく労働の提供を強制されることもなくなったのです。

①**基本7原則**……訓示的な規定である「労働条件の原則」「労使対等の原則」、差別待遇を禁止した「均等待遇」「男女同一賃金の原則」、戦前の封建的悪慣習を排除するための「強制労働の禁止」「中間搾取の排除」「公民権行使の保障」が定められています。

②**労働者と使用者**……労働基準法の保護の対象となる「労働者」と、規制・罰則の対象となる「使用者」の定義が明確にされています。

③**労働契約**……契約締結時の規制として契約の効力、契約期間の上限、労働条件の明示、契約の禁止事項が、契約終了時の規制として解雇制限、解雇の予告等が定められています。

労働者

労働契約

契約の効力／契約期間の上限／労働条件の明示／解雇の予告等

使用者

みなし労働時間制

休憩・休日

労働時間等

時間外・休日労働

変形労働時間制等

高度プロフェッショナル制度

年次有給休暇

基本7原則

労働条件の原則／労使対等の原則／均等待遇／男女同一賃金の原則／強制労働の禁止など

労働者の保護の徹底

生存権の保障
契約自由の原則の修正
弱い立場の労働者を保護

　憲法25条1項では、生存権を規定し、国民すべてに「健康で文化的な最低限度の生活」を保障しました。さらに、憲法27条2項では「勤労条件の基準は法律で定める」としました。両規定を根拠として立法されたのが労働基準法です。

　たとえば、法の根本原則の1つに当事者間で自由に契約内容を定めてよいとする「契約自由の原則」がありますが、労働契約については労働基準法により大きく修正されており、当事者間の合意があっても法の規定に反する特約をすることができません。つまり、労働者の権利を保護するために強制的な側面も持っているのです。

この科目 **労基** の特徴

配点 (➡ P18) (出題数)	◆ 選択式〔40点満点中〕**3点**（安衛2点とセットで出題） ◆ 択一式〔70点満点中〕**7点**（安衛3点とセットで出題）		
難易度	普通〜難しい	学習比重度 (➡ P16)	★★★★★

他の科目と比べて、**行政解釈（通達）や判例からの出題が多い傾向にあり**ます。基本から細かな点まで幅広く出題されます。学習の手順としては、**どのような規制（ルール）**があるのかという法律本体の基本事項を確実に理解し、その後で通達や重要判例の理解に進むとよいでしょう。

本編で取り上げていない **項目・用語の**
『ここだけチェック!!』

ここでは、前ページの体系樹を補完するものとして、本編で取り上げていない「その他の項目」や「用語」について、概要と押さえてほしいポイントを示しています。

☑ 基本7原則

労働基準法1条〜7条に定められている法の根本理念を定めた7つの原則です。

①労働条件の原則	● 労働条件 = **人たるに値する生活**を営むための必要を充たすべきもの。 ● 本法の労働条件の基準 = **最低**のもの。この基準を理由とした労働条件の低下は禁止（向上を図るように努めなければならない。）。《**罰則なし**》
②労使対等の原則	● 労働条件 = 労働者と使用者（労使）が**対等**の立場で決定すべきもの。 ● 労使双方に労働協約・就業規則・労働契約の遵守義務あり。《**罰則なし**》
③均等待遇	● 使用者は、労働者の**国籍、信条又は社会的身分**を理由として、**すべての労働条件**について、**差別的取扱い**をしてはならない。
④男女同一賃金の原則	● 使用者は、労働者が**女性**であることを理由として、**賃金**について男性と差別的取扱いをしてはならない。《**③④は有利な取扱いも禁止**》
⑤強制労働の禁止	● 暴行、脅迫、監禁その他精神又は身体の自由を不当に拘束する手段による労働者の意思に反する強制労働は禁止。《**最も重い罰則が適用**》
⑥中間搾取の排除	● 何人も、法律に基づいて許される場合のほか、業として他人の就業に介入して利益を得てはならない。《**労働者派遣はこの規定の対象外**》
⑦公民権行使の保障	● 労働者が**労働時間中**に選挙権その他公民権行使等のために必要な時間を請求した場合には、**拒んではならない**。《**時刻の変更は認められる**》

☑ 労働条件の明示義務

　使用者は、トラブル防止のために、労働契約の締結に際し、**すべての労働者**に対して、次の6つの労働条件（絶対的明示事項）を必ず明示しなければなりません。⑤の昇給以外の事項は、**書面の交付**等による明示が必要です。

使用者

必ず明示

↓

全労働者

❶労働契約の**期間**

❷有期労働契約を**更新する場合の基準**（通算契約期間（➡ 労一P154）又は更新回数に上限の定めがある場合は当該**上限**を含む。）

❸就業の**場所・**従事すべき**業務**（これらの**変更の範囲**を含む。）

❹始業・終業の時刻、残業の有無、休憩時間、休日、休暇等（**労働時間、休憩、休日関係**）

❺賃金の決定・計算・支払方法等、**昇給**

❻退職に関する事項（解雇の事由を含む。）

補足1
無期転換申込権が発生する契約更新時には、「無期転換申込機会」と「無期転換後の労働条件」も明示。

補足2
④〜⑥（④の残業の有無を除く。）は、就業規則に必ず記載しなければならない事項（就業規則の**絶対的必要記載事項**）にも該当。

☑ 就業規則

　就業規則とは、統一的な労働条件などを定めた「職場のルールブック」のことです。**常時10人以上の労働者**を使用する使用者に作成・届出義務があります。

就業
規則

▶事業場単位での作成と**行政官庁**（所轄労働基準監督署長）へ**届出**が必要。
▶作成・変更にあたっては労働者の**過半数代表者等**からの**意見聴取**が必要。
▶**労働者に周知**させる手続きをとることで効力（拘束力）が発生。

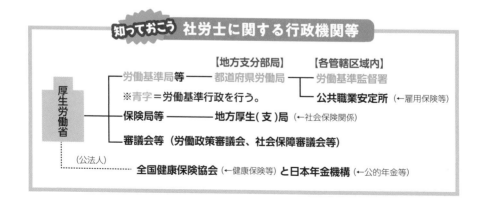

知っておこう　社労士に関する行政機関等

【地方支分部局】　【各管轄区域内】

労働基準局等 ──── 都道府県労働局
※青字＝労働基準行政を行う。
　　　　　　　　　　　　　　　　労働基準監督署
　　　　　　　　　　　　　　　　公共職業安定所（←雇用保険等）

厚生労働省

保険局等 ──── 地方厚生(支)局（←社会保険関係）

審議会等（労働政策審議会、社会保障審議会等）

（公法人）
全国健康保険協会（←健康保険等）と日本年金機構（←公的年金等）

労働基準法の目的・適用等

Point

◎ 本法は、「労働条件の最低基準」を定めた労働者を保護するための法律です。
◎ 本法は、「労働者」を1人でも使用する事業に強制的に適用されます。
◎ 労働条件は、「労働協約、就業規則又は労働契約」で決定します。

■1 労働基準法とは？

　本法を一言で言えば、**労働者を保護するための法律**です。具体的には、「労働時間は1日8時間まで」などといった**労働条件の最低基準**を定めて、これを使用者に守らせる **■** ことによって、労働者を保護しています。

　ちなみに、法1条1項では「労働条件は、労働者が**人たるに値する生活**を営むための必要を充たすべきものでなければならない。」としています。

■2 労働基準法の適用

　本法は、**労働者を1人でも使用する事業 ■** であれば、強制的に適用されます。法9条では、**労働者**は、「**事業に使用される者で、賃金を支払われる者**」と定義されており、実質的にこれに該当すれば、当然に保護の対象となります。

　一方、**使用者**は、法10条で次の**3種類**に定義されています。つまり、本法上の義務者及び違反時の責任者となるべき使用者が幅広く設定されているのです。

　① **事業主**……法人経営なら法人そのもの **■**、個人経営なら個人事業主
　② **事業の経営担当者**……法人の代表者や取締役など
　③ **事業主のために行為をするすべての者**……いわゆる中間管理職者など

■3 労働条件を決定するもの

　さて、具体的な労働条件は、何において定めるのでしょうか。通常は、個々の労働者と使用者が締結する**労働契約**において定めます。労働契約以外にも、使用

者が作成する**就業規則**（➡ 労基P51）や労働者が団結して組織する労働組合と使用者が締結する**労働協約**（➡ 労一P165）**4** においても定めることができます。

労働契約、就業規則及び労働協約で定められた労働条件は、違法なものでない限り、**労使双方を拘束する（権利や義務が発生する）**ことになります。

それぞれの特徴は、次表のとおりです。

種類	締結・作成	形式	効力の発生
労働協約	**労働組合**と使用者が締結	書面	原則として、労働組合の組合員のみ
就業規則	事実上、**使用者が一方的に作成可能** ※**常時10人以上の場合に作成義務**	書面	**事業場の全労働者**
労働契約	**個々の労働者**と使用者が締結	口頭でも有効	その労働者のみ

なお、上記に定められた労働条件が、労働基準法などの法令に反してはならないことは言うまでもありません。どの条件が優先して適用されるのかについては、「**法的効力の順位**」が次図のように明確にされています。

優先 　**法令** ＞ **労働協約** ＞ **就業規則** ＞ **労働契約** **劣後**
（※下位の定めが上位の定めに抵触→上位の定めが優先的に適用される）

たとえば…

　労働組合の組合員であるAさんについて、1日の所定労働時間が、①労働契約では8時間、②就業規則では7時間、③労働協約では6時間と定められていました。さて、Aさんはどの条件に従って働くのでしょうか？
　この場合には、Aさんの所定労働時間は、③の「6時間」となります。ちなみに、もしAさんが労働組合に加入していなければ、②の「7時間」となります。

1 本法を使用者に守らせるための手段として、ほとんどの規定に「罰則」が設けられています。また、本法違反の労働契約は、その部分が無効となり本法の基準に自動的に修正されます。

2 本法は、「企業」単位ではなく、独立性のある「事業」単位で適用されます。たとえば、ある企業に本社・支店などがあれば、それぞれが別個の事業として本法の適用を受けます。

3 たとえば、U株式会社という法人であれば、U株式会社そのものが「事業主」となります。

4 労働組合は1つの事業場に複数存在することもあり、この場合には、労働協約もその数だけ存在することになります。反対に、労働組合がない事業場には労働協約は存在しません。

1 労基
2 安衛
3 労災
4 雇用
5 徴収
6 労一
7 健保
8 国年
9 厚年
10 社一
11 横断①
12 横断②

労働契約の期間等

- 本法は「強行法規」であり、本法違反の契約はその部分が自動修正されます。
- 労働契約の期間の定めをするかしないかは、労使当事者の「自由」です。
- 有期労働契約の期間の上限は、原則「3年」ですが、例外があります。

1 本法違反の労働契約はどうなるのか?

　本法には、**強行法規**であるという性質があり、たとえ労使の合意があった場合であっても、本法に反する労働条件を定めた労働契約は認められません。

　法13条では、最低基準である本法の基準に**達しない（劣悪である）**労働条件を定める労働契約は、**その部分について無効**とし、その無効となった部分を**本法の基準で補充（自動的に修正）する**ことが定められています。

(ある労働契約…)　　　違反部分

労働時間	1日12時間 ✕
休憩	1日1時間
休日	週2日　など

自動修正！

労働時間	1日8時間 ○
休憩	1日1時間
休日	週2日　など

2 契約期間の定めの「ある・なし」

　次は労働契約の期間についてです。労働契約には、定年になるまで働くことができる**期間の定めのないもの**（正社員などに多い。）と、「契約期間を△年△月△日〜○年○月○日とする。」といった**期間の定めのあるもの**（パートタイム労働者などに多い。）とがあります。どちらの契約とするかは完全に**自由**です。

　期間の定めのない労働契約は、いつでも**解約することができます。** **1**

　一方、期間の定めのある労働契約は、労使当事者がその契約内容に拘束されるため、原則として、その期間内は**解約することができません。** **2**

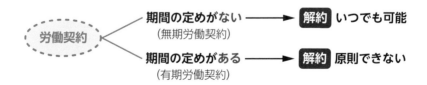

労働契約

期間の定めがない ―――→ 解約 いつでも可能
（無期労働契約）

期間の定めがある ―――→ 解約 原則できない
（有期労働契約）

❸ 契約期間の上限

　有期労働契約については、長期の契約期間を認めてしまうと、不当な人身拘束の弊害が生じる可能性が高くなります。そこで本法では、労働者を保護するため、契約期間の上限（最長期間）を原則として**3年**としています。

　ただし、これには**例外**があり、次の①②については**終期までの期間**、③④については**5年**が、それぞれの契約期間の上限となっています。

　① 土木建築など**一定の事業の完了に必要な期間**を定める労働契約

　② 長期の訓練期間を要する一定の**職業訓練生**に係る労働契約

　③ 契約締結時に**満60歳以上の労働者**との労働契約

　④ **専門的知識等 ❸** を有する労働者（当該専門的知識等を必要とする業務に就く者に限る。）との労働契約

　なお、契約期間の上限が原則の3年とされる労働者は、契約期間の途中であっても、契約期間の初日から**1年を経過した日以後**において、使用者に申し出ることにより、いつでも退職することが認められています。 **❹**

	対象	契約期間	期間途中の任意退職
原則	下記以外	上限3年	可能(1年経過日以後)
例外	① 一定の事業の完了に必要な期間	終期まで	不可
	② 職業訓練生		
	③ 満60歳以上の労働者	上限5年	
	④ 専門的知識等を有する労働者		

❶ 使用者側からの解約（解雇）には、本法の規定により30日前までの予告が必要です。一方、労働者側からの解約（辞職）は、民法の規定により申入れ日から2週間を経過すると効力が発生します。

❷ 有期労働契約についても「やむを得ない事由」がある場合には、労働契約法上、解約（解雇）が可能です。ただし、解約により相手方に損害が生じた場合には、その損害を賠償する義務を負います。

❸ 「専門的知識等」には、博士の学位、一定の国家資格（例：公認会計士、医師、弁護士、一級建築士、税理士、社会保険労務士）などが該当します。

❹ この規定は「任意退職規定」と呼ばれ、例外の①〜④の労働者には適用されません。

1 労基
2 安衛
3 労災
4 雇用
5 徴収
6 労一
7 健保
8 国年
9 厚年
10 社一
11 横断①
12 横断

解雇 （1）

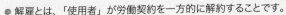

● 解雇とは、「使用者」が労働契約を一方的に解約することです。

● 解雇が禁止される期間を「解雇制限期間」といい、2つの期間が該当します。

● 解雇制限期間中であっても「解雇することができる例外」があります。

1 解雇とは？

　普段何気なく使われる**退職**と**解雇**という言葉ですが、本法ではその意味の違いを押さえることが重要です。労働契約が終了する場合を広く「退職」といいますが、これには、①契約期間の満了、②定年年齢への到達、③死亡、④労働者の申出に基づく退職■、そして⑤解雇が含まれます。

　解雇とは、使用者が労働契約を将来に向かって一方的に解約することです。本法では、解雇に関する規定（法19条〜21条など）において、退職のうち、労働者にとって重大な不利益を与える「解雇」のみをその規制の対象としています。

　たとえば、労働契約を更新しないという「雇止め」は、契約期間の満了に基づく退職であり、「解雇」ではないため、解雇制限等の規定は適用されません。

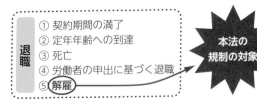

2 解雇制限

（1）解雇制限の原則（解雇制限期間）

　使用者は、次の①②の期間中にある労働者を解雇してはなりません。これらの者は、解雇により生活に大きな支障をきたすと考えられているためです。

① 業務上負傷し、又は疾病にかかり療養のために**休業**する期間及び**その後30日間**（＝略して【業務上休業＋30日】と覚える。）

② 産前産後の女性が法65条の規定によって**休業**する期間■及び**その後30日間**（＝略して【産前産後休業＋30日】と覚える。）

1 労基

2 安衛

3 労災

4 雇用

5 徴収

6 労一

7 健保

8 国年

9 厚年

10 社一

11 横断①

12 横断②

【業務上休業＋30日】

業務上傷病　　　　　　　治ゆ（出勤した日）

療養のために休業する期間	30日間

← 解雇制限期間 →

【産前産後休業＋30日】

　　　　　出産
6週間 ▼ 8週間

産前休業	産後休業	30日間

← 解雇制限期間 →

　解雇制限期間は、上記２つの期間のみです。**通勤災害**による休業期間や**育児・介護休業期間**は、含まれていそうですが、解雇制限期間ではありません。なお、休業後の「**30日間**」が解雇制限期間に含まれている点には、注意しましょう。

たとえば…

　労働者Aさんが業務上負傷したものの、１日も休業をしないでがんばって出勤していたとします。使用者は、Aさんを負傷の治ゆ前に解雇することができるでしょうか？
　答えは…、解雇することができます。解雇制限の対象となるのは、１日でも「休業」をした場合に限られています。Aさんの場合は１日も休業をしていないので、解雇制限の対象とならず、解雇することができるのです。

（2）解雇制限の例外

　次の場合は、解雇制限期間中の労働者であっても例外的に解雇することができます。「業務上休業＋30日」の場合は例外が**２つ**、「産前産後休業＋30日」の場合は例外が**１つ**です。

	業務上休業＋30日	産前産後休業＋30日
例外	① 使用者が**打切補償** 3 を支払う場合	――
	② **天災事変**その他やむを得ない事由のために**事業の継続が不可能**となった場合▶**行政官庁**（所轄 4 **労働基準監督署長**）の認定が必要	

1　いわゆる辞職や合意退職などのことです。本法の解雇に関する規制は適用されないため、解雇予告などの規定は適用されません。

2　法65条により、女性には、産前６週間（双子以上の多胎妊娠の場合は14週間）・産後８週間の休業が認められています。➡P302

3　労働者の療養開始後３年を経過した場合に、使用者が平均賃金の1,200日分を支払うことを打切補償といいます。これを支払った後は、解雇制限期間中の労働者を解雇することができます。

4　「所轄――」とは、「その事業場の所在地を管轄する――」という意味です。

解雇（2）

労基
Lesson
4

Point

● 解雇の予告等の方法には、「予告・手当・併用」の3種類があります。

● 解雇予告の除外認定を受けて即時解雇が可能となる「例外が2つ」あります。

● 日々雇い入れられる者など解雇予告制度の「適用除外者」が4種類います。

◼ 解雇の予告等

（1）解雇予告の原則（予告等の方法）

使用者から「明日から会社に来なくていい！」というように突然に解雇されると、労働者が生活に困窮してしまうことが予想されます。そこで、本法では、いわゆる**抜き打ち解雇を禁止**するため、労働者に**30日分**の時間的又は金銭的余裕を与える趣旨で、使用者に対して解雇の予告等をすることを義務づけました。

使用者は、次のいずれかの方法で解雇の予告等をしなければなりません。

方法	① 解雇予告	少なくとも**30日前にその予告**をしなければならない。※30日以上の予告期間があればよい。
	② 解雇予告手当	30日前に予告をしない使用者は、**30日分以上の平均賃金** 🔖 を支払わなければならない。
	③ 上記の併用	上記①の予告の日数は、1日について平均賃金を支払った場合には、**その日数を短縮**することができる。

★予告期間のとり方について

前表では、①の解雇予告について、「予告期間のとり方」の理解が重要です。

予告期間は、**解雇日を含んで丸30日間**とることが必要です。具体的には、「**予告日の翌日から解雇日までの期間**」が丸30日間とれるように予告をしなければなりません。ちなみに、「解雇日」とは何のことでしょうか。解雇日とは、**労働契約の最終日**となる日のことです。したがって、予告期間に含まれるのです。

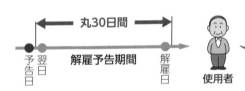

なるほど。それなら、たとえば、**解雇日が9/30**なら、8/31までに予告をする必要があるんだ。

使用者

★併用について

前表③の**併用**とは、予告期間が30日に満たない場合に不足する日数を予告手当で穴埋めする方法で、「**予告日数＋予告手当＝計30日分**」になるようにします。

【例】

| 14日前に予告 | ➡ | 30日に16日不足 | ➡ | 16日分の予告手当を支払う | ➡ | 計30日分なのでOK！ |

（2）解雇予告の例外（解雇予告の除外事由）

次の場合は、例外的に解雇予告が不要となり、**即時に解雇する**ことができます。

例外	① 天災事変その他やむを得ない事由のために事業の継続が不可能となった場合	▶①②ともに、**行政官庁**（所轄労働基準監督署長）の**認定が必要**
	② 労働者の責めに帰すべき事由 **2** に基づいて解雇する場合	

2 解雇予告制度の適用除外者

次表の①～④の臨時的性質の労働者は、解雇予告制度そのものが適用除外とされており、随時かつ即時に解雇することができます。ただし、次表の右欄に該当した場合に、その日以後に解雇するときは、解雇予告が必要となります。

解雇予告が必要ない者	例外（解雇予告が必要となる場合）
① 日々雇い入れられる者	1ヵ月を超えて引き続き使用されるに至った場合
② 2ヵ月以内の期間を定めて使用される者	所定の期間 **3** を超えて引き続き使用されるに至った場合
③ 季節的業務に4ヵ月以内の期間を定めて使用される者	
④ 試みの使用期間中の者	14日を超えて引き続き使用されるに至った場合 **4**

1「平均賃金」とは、簡単に言うと、「過去3ヵ月間の賃金総額÷その3ヵ月間の総日数」による額のことです。つまり、過去3ヵ月間の1生活日あたりの賃金額ということになります。

2 ①事業場内での横領など刑法犯に該当する行為、②重大な経歴詐称、③2週間以上の正当な理由のない無断欠勤などが該当します。行政官庁の認定を受ければ即時解雇が可能です。

3「所定の期間」とは、労働契約で定めた契約期間のことをいいます。たとえば、50日契約の労働者であれば、51日目以降も引き続き使用されている場合には、解雇予告が必要となります。

4 たとえ試みの使用期間を3ヵ月としている場合でも、15日目以降は解雇予告が必要となります。

1 労基
2 安衛
3 労災
4 雇用
5 徴収
6 労一
7 健保
8 国年
9 厚年
10 社一
11 横断①
12 横断②

労基
Lesson
5

賃金

Point
● 賃金とは、「労働の対償」として「使用者」が支払うものをいいます。
● 賃金の支払いについては、「5つの原則」が定められています。
● 通貨払いには「例外が3つ」、全額払いには「例外が2つ」あります。

1 本法上の賃金とは?

　労働者にとって賃金は、生活の安定を図るための最も重要な労働条件です。法11条において、賃金とは、「**名称のいかんを問わず、労働の対償****として使用者が労働者に支払うすべてのもの 2 をいう。**」と定義されています。「労働の対償」という難しい用語がありますが、これは「労働に対する見返り（対価）」という意味です。この用語は雇用保険法など他の法律でも使われています。

2 賃金支払5原則

　労働者に対して、賃金が確実に支払われるようにするため、本法ではその支払いに関して、**5つの原則**が定められています。

　賃金は、①**通貨**で、②**直接労働者**に、③その**全額**を支払わなければならず、また、④**毎月1回以上**、⑤**一定の期日**を定めて支払わなければなりません。

賃金支払5原則				
通貨	直接	全額	毎月1回以上	一定期日

たとえば…

　上記①の「通貨」とは、日本国で強制通用力のある貨幣（10円銅貨等の鋳造貨幣や日本銀行券）のことで、外国通貨は含まれません。
　上記③の「全額」とは、労働した部分の賃金の全額という意味です。
　上記⑤の「一定の期日」とは、「毎月25日」や「月の末日」など周期的に到来する期日のことです。たとえば、支払日を「毎月15日から20日までの間」や「毎月第2水曜日（月によって最大で7日の幅が生じる支払日）」のように定めることは、一定の期日を定めたことにはなりません。

　賃金支払5原則には、次表のようにそれぞれ例外があります。これらの中では特に、**通貨払いに関する3つの例外**と**全額払いに関する2つの例外**が重要です。

1 労基
2 安衛
3 労災
4 雇用
5 徴収
6 労一
7 健保
8 国年
9 厚年
10 社一
11 横断①
12 横断②

5原則	例外
通貨払い	(1) **法令**に別段の定めがある場合（現在、このような法令はない。） (2) **労働協約**に別段の定めがある場合（労働組合がある事業場のみ） ▶【例】労働組合員の賃金の一部を通勤定期券等で支払うことが可能 (3) **厚生労働省令**で定める次の方法による場合（すべて前提として、**労働者の同意を得ることが必要**） **通常の賃金** ① 金融機関の**預貯金口座への賃金の振込み** ② 証券総合口座への賃金の払込み ③ 資金移動業者口座（△△Payなどの口座）への賃金の資金移動（**賃金のデジタル払い**）**3** **退職手当のみ** 上記①〜③のほか、次の方法も認められる。 ④ 金融機関を支払人とする**小切手の交付** ⑤ 金融機関の支払保証小切手の交付 ⑥ ゆうちょ銀行が発行する普通為替証書等の交付
直接払い	法文上の**例外はない**。**4**
全額払い	(1) **法令**に別段の定めがある場合（社会保険各法等に定めがある。） ▶【例】社会保険料や所得税等を賃金から控除することが可能 (2) **労使協定**が締結されている場合（届出は不要） ▶【例】福利厚生費、組合費等を賃金から控除することが可能
毎月1回以上払い 一定期日払い	(1) 臨時に支払われる賃金又は**賞与** (2) **1ヵ月を超える期間**の出勤成績等を基礎として支給される精勤手当、勤続手当、奨励加給又は能率手当

　全額払いの例外②にある**労使協定**とは、事業場の労働者の過半数代表者等と締結する書面による協定のことです。詳しくは、P65で学習します。

---

1 「就業規則等に定めがない結婚祝金、死亡弔慰金など」の任意・恩恵的なものや「制服の貸与、出張旅費など」の実費弁償的なものは、労働の対償ではないため、賃金に該当しません。

2 第三者から直接支払われるチップ等は、使用者が支払うものでないため、賃金に該当しません。

3 デジタル払いを行う場合は、預貯金口座への振込み又は証券総合口座への払込みによる賃金支払を「選択」できるようにするとともに、労働者にデジタル払いに関する「説明」をする必要があります。

4 法文上の例外はありませんが、行政通達では、①使者に支払うこと（病欠中に妻に取りに行かせるなど）、②派遣労働者の賃金を派遣先の使用者を通じて支払うことは、認められています。

労働時間・休憩・休日の原則

Point
- 法定労働時間は、原則として「週40時間・1日8時間」とされています。
- 休憩時間には、「途中付与・一斉付与・自由利用」の3原則があります。
- 法定休日は、毎週1回の「週休制」を原則としています。

1 労働時間

　労働時間は、賃金と並んで最も重要な労働条件です。法32条では、その最長限度を、「**休憩時間を除き 1**、1週間について40時間、1日について8時間」と定めています。この時間を超える労働（時間外労働）は、原則禁止です。

　また、次の①～④の事業のうち**常時10人未満**の労働者を使用するものについては、その事業の特殊性から、1週間について**44時間**、1日について**8時間**という**労働時間の特例**の対象となっています。

　① **商業の事業**……商店等の小売業、卸売業、理美容業など
　② **映画・演劇の事業（映画の製作の事業を除く。）**……映画館、演劇業など
　③ **保健衛生の事業**……病院、診療所、浴場業など
　④ **接客娯楽の事業**……旅館、飲食店、ゴルフ場、公園・遊園地など

法定労働時間	**原則**	★ 週40時間 ★ 1日8時間
	特例	★ 週44時間 ★ 1日8時間

（特例対象事業）
…… 常時10人未満の商業などの4事業

　本法で定められている最長限度となる労働時間を**法定労働時間**といい、その範囲内で個々の事業場で定められる労働時間を**所定労働時間**といいます。

2 休憩

（1）休憩時間の長さ

　休憩時間とは、疲れを癒すために**労働から離れることが労働者の権利として保障**されている時間です。労働時間ではないため、賃金の支払義務はありません。

　本法では、次表のように労働時間の長さに応じた休憩時間の付与が義務づけられています。たとえば、労働時間が8時間ちょうどなら45分の休憩が必要です。

労働時間（1勤務あたり）の長さ	付与すべき休憩時間
① 6時間以下	**不要**（付与する義務はない）
② 6時間を超え8時間以下	少なくとも**45分**
③ 8時間を超える（どんなに長時間でも）	少なくとも**1時間**

（2）休憩時間の3原則

　休憩時間は、①労働時間の**途中**に、②全労働者に**一斉**に付与しなければならず、③**自由**に利用させなければなりません。なお、②については、**労使協定**を締結したとき（**届出は不要**）は、交替休憩も可能となります。 **2**

休憩時間の3原則	① **途中付与の原則** ……出社直後や退社直前の付与ではダメ
	② **一斉付与の原則** ……労使協定による例外あり
	③ **自由利用の原則** ……事業場内で自由に休息できればよい **3**

3 休日

　休日とは、労働契約において**労働義務を負わない日**をいいます。本法で定める休日（**法定休日**）の規定は、次のように非常にラフな内容となっています。

　① **毎週少なくとも1回の休日を与えなければなりません。【週休制の原則】**

　② **4週間を通じ4日以上の休日を与える場合は、上記①の週休制の原則は適用されません。【変形休日制】 4**

　本法では、毎週土日を休日にするなどの週休2日制は義務づけられていません。週1回（又は4週間を通じ4日）の休日を与えればよいのです。また、本法では、休日をいつにするのかを特定することや日曜・祝祭日を休日とすることも、特に要求していません。

---

1 休憩時間は、労働時間に含まれません。これに対し、来客待ちなどのいわゆる「手待（てまち）時間」は、使用者の指揮命令から完全には解放されていないため、労働時間に含まれます。

2 このほかに、商業や一定のサービス業などについて当然に休憩を一斉に与えなくてもよいという特例や警察官、消防吏員などについて自由利用の保障がされない特例などもあります。

3 事業場内で自由に休息し得れば、休憩時間中の外出を許可制とすることも許されています。

4 4週間の起算日を定めて、その4週間において休日を4日与えればよいという趣旨です。たとえば、第1週に4日の休日を与え、第2週～第4週は休日を与えないなどでも構いません。

1 労基
2 安衛
3 労災
4 雇用
5 徴収
6 労一
7 健保
8 国年
9 厚年
10 社一
11 横断①
12 横断②

時間外・休日労働、労使協定

Point →
- 適法に時間外・休日労働をさせるには、36協定の締結・届出等を要します。
- 36協定に基づく時間外労働には、月45時間などの上限があります。
- 労使協定とは、「免罰効果」を発生させるために締結するものです。

1 時間外・休日労働を「適法」に行わせるには?

時間外労働とは「**法定労働時間を超える労働**」のことで、休日労働とは「**法定休日における労働**」のことです。 **1** 時間外・休日労働は、原則禁止です。ただし、次の場合には、適法に時間外・休日労働をさせることを認めています。

① **災害等**による臨時の必要がある場合（非常災害時）
② **公務**のために臨時の必要がある場合（公務員）
③ **36協定の締結・届出**をした場合 ← これが主要な方法

2 36協定に基づく時間外・休日労働

36協定とは、「法36条に規定する労使協定」のことです。法36条に根拠があることから、こう呼ばれています。適法に時間外・休日労働をさせるためには、36協定の締結及び行政官庁（所轄労働基準監督署長）への届出が必要です。

36協定に基づいて時間外労働又は休日労働をさせる場合には、当該36協定において、対象期間（1年間に限る。）における、①1日、②1ヵ月、③1年の3種類の期間について労働時間を延長して労働させることができる時間又は労働させることができる休日の日数などを定めなければなりません。

★時間外労働の上限規制

時間外労働については、次の上限があります（罰則あり）。 **2**

原則（限度時間）	特例（臨時的な特別な事情がある場合）
1ヵ月 45 時間以内 **1年 360 時間以内** → 通常予見することのできない業務量の大幅な増加等に伴い臨時的に原則の限度時間を超えて労働させる必要がある場合(36協定にその旨を定める。)	①**年間の時間外労働は 720 時間以内**とする。 ②単月では、**休日労働を含めて、100 時間未満**とする。 ③（1年を通じて）**2ヵ月、3ヵ月、4ヵ月、5ヵ月及び6ヵ月**の期間のいずれにおいても、**休日労働を含めて、月平均で 80 時間以内**とする。 ④時間外労働が月 45 時間を超える月数は、1年について**6ヵ月以内**とする（特例の適用は年6回を限度）。

1 労基

2 安衛

3 労災

4 雇用

5 徴収

6 労一

7 健保

8 国年

9 厚年

10 社一

11 横断①

12 横断②

3 労使協定とは？

（1）労使協定の効力

ここで労使協定について説明しましょう。労働協約と似た用語ですが、性質は異なります。本法上の労使協定の効力は、**本来は法違反となる行為をしても違反にしない（罰せられない）という免罰効果のみを発生**させるというものです。

つまり、労使協定は、労使当事者に権利義務を発生させるためのものではなく、違法なものを適法なものとするために締結するものです。 **3**

本法では、本来違法である事項のうち、時間外・休日労働などの**14事項**について、労使協定によって規制を緩和し、適法に行うことを認めています。

| ✕ 本来違法（14事項） | → 労使協定の締結 | ○ 適法（免罰効果） |

※事業場の全労働者について、免罰効果が発生する。

残業命令に労働者を従わせるためには何が必要でしょうか？ 答えは…、①36協定の締結・届出と②就業規則等の定めの両方が必要となります。

36協定のみでは、労働者に時間外労働を義務づけることができません。労働者にこのような義務を発生させるためには、36協定とは別に、権利義務を発生させる効力のある「労働契約、就業規則又は労働協約」（➡ 労基P52〜53）のいずれかにおいて、時間外労働をさせる旨を定めることが必要です。

（2）労使協定の締結当事者

労使協定は、使用者と「労働者の**過半数で組織する労働組合**、このような労働組合が**ない**場合には**労働者の過半数代表者**」とが書面により締結します。 **4**

【例】ある事業場…

全労働者数100人	A労働組合	組合員45人
	B労働組合	組合員30人
	その他	非組合員25人

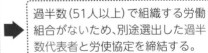

→ 過半数（51人以上）で組織する労働組合がないため、別途選出した過半数代表者と労使協定を締結する。

1 法定労働時間内での残業（所定労働時間を超える労働）は時間外労働にあたらず、また、法定休日以外の所定休日（週休2日制における1日の休日）における労働は休日労働にあたりません。

2 時間外労働の上限規制は、研究開発業務については適用除外とされています。また、自動車運転の業務、医業に従事する医師等については、特例により、規制が一部緩和されています。

3 権利義務を発生させるには、別途、労働契約、就業規則又は労働協約の定めも必要となります。

4 事業場に労働者の過半数で組織する労働組合が「ある」場合には、その労働組合とだけ、有効な労使協定を締結することができます。過半数で組織する労働組合を絶対的に優先します。

労基 Lesson 8 割増賃金

Point →
- 割増賃金の対象は、「時間外労働・休日労働・深夜労働」です。
- 割増賃金率は、「時間外25%・休日35%・深夜25%」を基本とします。
- 割増賃金の算定の基礎から除外される賃金が「7種類」あります。

❶ 割増賃金の支払いが必要な労働とは?

　本法では、本来は好ましくない**時間外労働、休日労働**及び**深夜労働**（午後10時から午前5時までの労働）に対して、使用者に割増賃金の支払いを義務づけることによって、これらの労働を抑制することにしています。**❶**

　割増賃金の支払いが必要な労働とその割増賃金率は、次表のとおりです。

割増賃金の支払いが必要な労働	割増賃金率
① 時間外労働	25%以上
② 休日労働	35%以上
③ 深夜労働	25%以上
④ 時間外労働が深夜時間帯に及んだ場合	50%以上 （①＋③）
⑤ 休日労働が深夜時間帯に及んだ場合	60%以上 （②＋③）

【例】時間外労働に関する割増賃金率

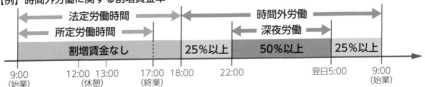

❷ 割増賃金の算定の基礎

　割増賃金の額は、大まかに言えば、賃金を**時間給に換算❸**して、これに時間外労働等の時間数と割増賃金率を乗じて計算します。たとえば、時間給1,000円の者が時間外労働を2時間行った場合の割増賃金の額は、「1,000円×2時間×25%＝500円」となります。当然に、労働した2時間分の本来の賃金（2,000円）も支払われますので、この2時間に係る賃金額は合計2,500円となります。

1 労基

2 安衛

3 労災

4 雇用

5 徴収

6 労一

7 健保

8 国年

9 厚年

10 社一

11 横断①

12 横断②

　なお、次の賃金は、**割増賃金の算定の基礎から除外**されます。①～⑤は労働者の個人的事情により差が生じるもので基礎に算入すると不公平となるため**4**、⑥は通常の賃金ではないため、⑦は基礎に算入することが困難であるためです。

割増賃金の 除外賃金（7種類）	① 家族手当 ② 通勤手当 ③ 別居手当 ④ 子女教育手当 ⑤ 住宅手当 ⑥ 臨時に支払われた賃金 ⑦ 1ヵ月を超える期間ごとに支払われる賃金

3 時間外労働に係る割増賃金率等の特例

（1）月60時間を超える時間外労働の割増賃金率

　労働者に1ヵ月について**60時間を超えて**時間外労働（休日労働は含まれない。）をさせた場合には、60時間に達した時点より後に行われた時間外労働の割増賃金率は、**50%以上**（深夜時間帯に行われた場合には**75%以上**）の率となります。

（2）代替休暇の付与
<ruby>代替休暇<rt>だいたいきゅうか</rt></ruby>

　使用者は、**労使協定を締結したとき**（届出は不要）は、60時間を超える時間外労働を行った労働者に対して、法定割増賃金率の引上げ分（原則25%以上の率）の割増賃金の支払いに代えて、**通常の労働時間の賃金が支払われる休暇（代替休暇）**を付与することができます。つまり、50%の割増賃金率のうち、25%は割増賃金として支払い、残りの25%を休暇として与えることができます。**5**

　代替休暇として付与できる時間数は、原則として、次のように計算されます。

代替休暇として 付与できる時間数	=	60時間を超える 時間外労働の時間数	×	25% （原則）

【例】時間外労働が92時間▶代替休暇は「32時間×25%」＝8時間分の付与が可能

　なお、上記（1）（2）の特例は、**企業規模を問わずに適用されます。**

1 36協定の締結・届出等をせずに行わせた「違法な」時間外・休日労働に対しても、割増賃金の支払義務は発生します。この場合には、割増賃金の支払いのほか、罰則の適用も受けます。

2 休日労働が1日8時間を超える場合であっても、割増賃金率は「35%以上」の率で足ります。

3 たとえば、月給の場合は、「月給額÷月の所定労働時間」が時間給に換算した額となります。

4 通勤手当などは仕事と無関係の個人的事情（家と会社の距離等）に応じて支払われるものです。遠距離に住んでいるだけで「通勤手当が高い＝割増賃金も高い」となるのは不公平となります。

5 代替休暇の単位は「1日又は半日」です。また、代替休暇を与えることができる期間は、「時間外労働が1ヵ月60時間を超えた当該1ヵ月の末日の翌日から2ヵ月以内」とされています。

年次有給休暇（1）

● 年休権は、「継続勤務と出勤率」の要件を満たせば、誰にでも発生します。

● 出勤率は、「出勤した日÷全労働日」によって計算されます。

● 時季変更権は、「事業の正常な運営を妨げる場合」にのみ認められます。

1 年次有給休暇の発生要件は？

　使用者が「あなたはアルバイトだから年次有給休暇はあげないよ。」などと取り扱うことは、本法に違反します。年次有給休暇の権利（年休権）は、本法の要件を満たした場合には、**誰に対しても、法律上当然に発生**するものなのです。

　具体的には、使用者は、①**6ヵ月間の継続勤務**と②**8割以上の出勤率**という2つの要件を満たした労働者に対して、継続し、又は分割した**10労働日**の年次有給休暇を与えなければなりません。🔳

労働者

① 雇入れの日から起算して6ヵ月間継続勤務

② 全労働日の8割以上出勤

**10労働日の
年休権発生**

たとえば…

　労働日というのは、労働契約上「労働義務がある日」のことをいいます。年次有給休暇は、労働義務がある日にしか取得することができません。たとえば、所定の休日、休職期間、休業申出後の育児休業を取得する期間は、労働義務がない日であるため、年次有給休暇を取得することができないのです。

　本法では、付与日数を「10労働日」のように表現していますが（「10日」でも間違いではない。）、上記の趣旨を明確にするため、「労働日」の語を用いています。

2 継続勤務と出勤率

（1）継続勤務とは？

　さて、「継続勤務」とは何のことでしょうか。継続勤務とは、**労働契約の存続期間（在籍期間）**をいいます。継続勤務に該当するか否かは、**実質的に判断**されます。たとえば、パートタイム労働者から正社員に契約を切り替えた場合などは実質的に継続勤務と判断され、勤務年数に通算されます。

（2）出勤率の計算

　出勤率は、次のように計算します。**2** なお、出勤率は、初年度のみが**6ヵ月**間を対象として計算し、その後は**1年間**ずつを対象として計算します。

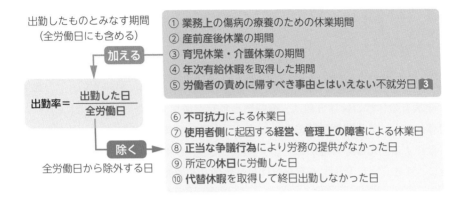

出勤したものとみなす期間
（全労働日にも含める）

加える

出勤率＝ 出勤した日／全労働日

除く

全労働日から除外する日

① 業務上の傷病の療養のための休業期間
② 産前産後休業の期間
③ 育児休業・介護休業の期間
④ 年次有給休暇を取得した期間
⑤ 労働者の責めに帰すべき事由とはいえない不就労日 **3**

⑥ **不可抗力**による休業日
⑦ 使用者側に起因する**経営、管理上の障害**による休業日
⑧ **正当な争議行為**により労務の提供がなかった日
⑨ 所定の**休日**に労働した日
⑩ **代替休暇**を取得して終日出勤しなかった日

3 年次有給休暇を与える時季等

（1）労働者の「時季指定権」と使用者の「時季変更権」

　年次有給休暇を取得する時季 **4** については、労働者に選択権（**時季指定権**）が与えられており、使用者は、原則として**労働者の請求する時季**にこれを与えなければなりません。ただし、**事業の正常な運営を妨げる場合**に限り、使用者には、その時季を変更する権利（**時季変更権**）が認められています。

（2）年次有給休暇中の賃金

　年次有給休暇は文字どおり「有給」の休暇ですから、賃金が支払われます。その賃金は、就業規則等で次のいずれかを選択したものとなります（③が最優先）。

① **平均賃金**

② 所定労働時間労働した場合に支払われる**通常の賃金** ◀━━ これが一般的

③ **健康保険の標準報酬月額の30分の1**（**労使協定**の締結要。届出は不要）

---

1 年次有給休暇は、初年度のみが6ヵ月経過日の時点、その後は1年ごとに1年経過日の時点で新たな権利が発生します。付与日数も1年ごとに増加します（➡ 労基P70）。

2 特に「出勤したものとみなす期間」と「全労働日から除外する日」が重要です。

3 全労働日から除外する日の⑥～⑧に該当する場合を除きます。なお、具体的には、解雇が無効となった場合（不当解雇）の解雇日から復職までの不就労日などがこれに該当します。

4 「時季」とは、「季節と具体的時期」の双方を含む概念です。本法では、△月×日といった具体的時期のほか、「季節」を指定した上で、労使の調整を経て具体的時期を決定することを想定しています。

1 労基
2 安衛
3 労災
4 雇用
5 徴収
6 労―
7 健保
8 国年
9 厚年
10 社―
11 横断①
12 横断②

年次有給休暇 (2)

労基 Lesson 10

Point
- 付与日数は、6ヵ月経過後は「継続勤務年数1年ごと」に増えていきます。
- 比例付与の対象となるのは、「週4日以下かつ30時間未満」の労働者です。
- 時間単位年休や計画的付与を採用する場合は、「労使協定」が必要です。

■1 年次有給休暇の付与日数 (原則的な付与日数)

　年次有給休暇の付与日数は、継続勤務年数が増加するごとに増えていきます。具体的には、6ヵ月間継続勤務した後は、**継続勤務年数1年ごと**に、次表の付与日数による**新たな年休権**が発生します。ただし、**6年6ヵ月以上継続勤務した場合**に、1年ごとに発生する新たな付与日数は、**20労働日が限度**となります。

継続勤務年数	新たな付与日数	補足　時効と翌年度への繰越し
6ヵ月	10労働日	年次有給休暇の請求権は、**2年を経過したとき**は、**時効によって消滅します。** 　したがって、新たに発生した年次有給休暇を、その後の1年間ですべて消化しきれなかった場合には、その未消化であった日数分は、**翌年度までに限り、繰越しが認められています。**
1年6ヵ月	11労働日	
2年6ヵ月	12労働日	
3年6ヵ月	14労働日	
4年6ヵ月	16労働日	
5年6ヵ月	18労働日	
6年6ヵ月以上	20労働日	

【例】付与日数の加算

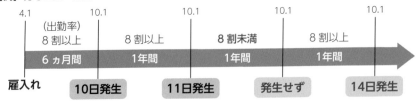

　8割以上の出勤率は、年休権の発生要件の1つですが、**付与日数の増加（加算）の要件ではありません**（加算の要件は**継続勤務のみ**）。つまり、付与日数が何日となるのかは、継続勤務年数のみで判断されます。

② 所定労働日数等が少ない労働者の付与日数（比例付与）

　本法では、労働者間の公平性に配慮して、パートタイム労働者など所定労働日数等が少ない者の年次有給休暇の付与日数については、週の所定労働日数に応じて、通常よりも少ない日数とされます。これを**比例付与**といいます。

比例付与の対象者
① 週所定労働日数が４日以下
　　かつ
② 週所定労働時間が30時間未満

➡

比例付与による付与日数
原則的な　　　　その者の週所定労働日数
付与日数　×　──────────────
　　　　　　　　　　　5.2日
※計算後の端数は切り捨てる。

【例】週４日かつ20時間で勤務する者が６ヵ月継続勤務した場合（＝比例付与の対象）
　　▶「10日×４日÷5.2日」≒7.69日▶「７日」の付与日数となる。

③ 付与の単位と計画的付与

（1）付与の単位

　年次有給休暇の付与の単位は、原則として１労働日単位（**日単位**）です。ただし、**労使協定を締結したとき**（届出は不要）は、使用者は、**１年に５労働日**を限度として、**時間単位**で年次有給休暇（**時間単位年休**）を付与することができます。

（2）計画的付与

　本法では、たとえば、「８月15日から17日までの３日間は夏休みとして、全労働者に年次有給休暇を取得させる。」といった処理が可能です。これを**計画的付与**といいます。具体的には、**労使協定を締結し**（届出は不要）、年次有給休暇を与える時季に関する定めをしたときは、その日数のうち**５日を超える部分**③について、計画的付与によって年次有給休暇を与えることができます。

（3）年次有給休暇の取得促進（使用者の付与義務）

　使用者は、10労働日以上の年次有給休暇が付与される労働者に対し、そのうちの**５日**について、毎年、**時季を指定**して与えなければなりません（労働者の時季指定や計画的付与により取得された日数分は、時季の指定を要しない。④）。

■1 たとえば、７年６ヵ月以上継続勤務している者については、繰越分を含めて、最大で40労働日（前年度の繰越分20日＋新たな発生分20日）の年休権を有することがあります。

■2 比例付与に関しては、「比例付与の対象者」をしっかりと理解することが重要です。比例付与による付与日数の計算方法については、参考として確認しておけばよいでしょう。

■3 「５日を超える部分」とは、たとえば年次有給休暇の残日数が15日である労働者であれば、「15日－５日＝10日」となります。労働者が自由に取得可能な日数を５日残すという趣旨です。

■4 たとえば、労働者が自ら「２日」取得した場合は、使用者は「３日」の時季指定をすれば足ります。

1 労基
2 安衛
3 労災
4 雇用
5 徴収
6 労一
7 健保
8 国年
9 厚年
10 社一
11 横断①
12 横断②

該当レッスン	Let's チャレンジ ○×問題・穴うめ問題
Lesson 1 労働基準法の目的・適用等	**○×** **1** 労働基準法には、労働条件の最低基準が定められている。
	穴うめ **2** 労働基準法における使用者には、事業主、（A）及び事業主のために行為をするすべての者が該当する。
Lesson 2 労働契約の期間等	**○×** **3** 労働基準法違反の労働契約は、違反する部分のみが無効となる。
	穴うめ **4** 満（B）以上の労働者との労働契約については、その契約期間の上限が5年とされている。
Lesson 3·4 解雇	**○×** **5** 使用者は、女性労働者が産前産後休業をする期間及びその後30日間は、例外なく、解雇してはならない。
	○× **6** 30日前に予告をしない場合であっても、30日分以上の平均賃金を支払えば、解雇の予告等の義務を果たしたこととなる。
	穴うめ **7** 試みの使用期間中の者が、（C）引き続き使用されるに至った場合には、その者の解雇について、解雇予告が必要となる。
Lesson 5 賃金	**○×** **8** 労使協定に別段の定めがある場合には、賃金を通貨以外のもので支払うことができる。
	○× **9** 賃金を弁護士などの代理人に支払うことは認められていない。
Lesson 6 労働時間·休憩·休日の原則	**○×** **10** 常時30人未満の労働者を使用する保健衛生の事業においては、1週間について44時間まで労働させることができる。
	穴うめ **11** 1日の労働時間が（D）である場合には、休憩時間を付与する必要はない。
Lesson 7 時間外·休日労働、労使協定	**○×** **12** 36協定は、所轄労働基準監督署長に届け出ることが必要である。
	穴うめ **13** 本来は労働基準法違反となる行為をしても違反にしないという労使協定の効力のことを、一般に（E）という。
Lesson 8 割増賃金	**○×** **14** 8時間を超える休日労働の割増賃金率は、60%以上の率である。
	○× **15** 臨時に支払われた賃金は、割増賃金の算定の基礎から除外する。
Lesson 9·10 年次有給休暇	**○×** **16** 年次有給休暇の出勤率の計算において、正当な争議行為により労務の提供がなかった期間は、出勤したものとみなして計算する。
	○× **17** 時間単位年休を付与するには、労使協定の締結が必要である。
	穴うめ **18** 週所定労働日数が（F）、かつ、週所定労働時間が（G）である労働者は、年次有給休暇の比例付与の対象となる。

解答 **1**○ **2**（A）**事業の経営担当者** **3**○ **4**（B）**60歳** **5**× 例外はある（天災事変その他やむを得ない事由のために事業の継続が不可能となった場合）。 **6**○ **7**（C）**14日を超えて** **8**× 「労使協定」ではなく「労働協約」である。 **9**○ **10**× 「30人未満」ではなく「10人未満」である。 **11**（D）**6時間以下** **12**○ **13**（E）**免罰効果** **14**× 「35%以上の率」で足りる。 **15**○ **16**× 「全労働日から除外」するのである。 **17**○ **18**（F）**4日以下**（G）**30時間未満**

第2章

労働安全衛生法

- この科目の体系樹
- この科目の特徴／ここだけチェック！！

概要

労働安全衛生法は、職場における労働者の安全と健康を守ることを目的として、労働災害防止のための最低基準や責任のあり方、労働者の健康管理などについて規定しています。労働基準法から分離独立して制定されたため、労働基準法とは親（労基法）と子（本法）の関係にあります。

作業管理等

就業制限等

安全衛生教育等

作業環境測定

枝葉

① **労働者の危害防止措置**……労働者に対して、事業者が講ずべき安全面（労働者の危険を防止する）・衛生面（労働者の健康障害を防止する）・環境面（健康、風紀及び生命を保持する）に関する必要な措置などが定められています。

② **安全衛生教育**……労働者の安全と衛生に関する教育のことです。基本的に雇入れ時及び作業内容の変更時に行います。これ以外にも、危険有害業務に就く労働者には特別教育を、労働者を指導監督する者には職長等教育を行います。

③ **監督等**……建設業などの仕事についてはその計画の届出等が義務づけられています。また、事業場などで事故が発生したときは、報告等が義務づけられています。

根

労働安全衛生法は、労働災害防止のための①**危害防止基準の確立**、②**責任体制の明確化**、③**自主的活動の促進の措置**を講ずること等、労働災害防止に関する総合的・計画的な対策を推進することにより、職場における**労働者の安全と健康を確保する**とともに、**快適な職場環境の形成**を促進することを目的としています。

① **安全衛生管理体制**……一般事業場におけるものと下請混在の作業現場におけるものが定められています。重要なのは**一般事業場**におけるものであり、選任すべき者として、総括安全衛生管理者（統括管理する者）、安全管理者・衛生管理者（いずれも、技術的事項を管理する者）、産業医（労働衛生の専門家である医師）などがあります。

② **機械・有害物等に関する規制**……特に危険な作業を必要とする機械等を**特定機械等**と位置づけ、製造等において、厳しい規制を設けています。また、重度の健康障害を生ずる有害物については、製造等が禁止されるなどの規制を設けています。

③ **健康診断、面接指導等**……健康診断には、大きく分けると**一般健康診断**と有害業務従事者の健康診断があります。さらに、精神疾患等の発症を予防するための**長時間労働者に対する面接指導やストレスチェック制度**の規定が置かれています。

労働者の危害防止措置

安全面

衛生面

環境面

報告等

罰則

監督等

計画の届出等

① **安全衛生管理体制**
- **一般事業場**
- **下請混在の作業現場**

② **機械・有害物等に関する規制**

③ **健康診断、面接指導等**

労働者の安全と健康の確保

快適な職場環境の形成

労働災害の防止
職場環境の整備
脳・心臓疾患、精神疾患の予防

　労働安全衛生法は、**労働災害の防止**や**職場環境の整備**を目的として、昭和47年に労働基準法の内容をさらに充実させて制定されました。その後、労働者の脳血管疾患・心臓疾患・精神疾患の発生が問題視されるようになり、これらを予防することを主眼に、健康診断を中心とした規定が相次いで改正されてきました。特に健康診断は、労災保険法の二次健康診断等給付の基礎となっています。

配点 （➡ P18） (出題数)	◆ 選択式〔40点満点中〕**2点** （労基3点とセットで出題） ◆ 択一式〔70点満点中〕**3点** （労基7点とセットで出題）		
難易度	やや難～難しい	学習比重度 （➡ P16）	★ ☆ ☆ ☆ ☆

全科目中で最も出題数が少ないことから、学習に時間をかけるべき科目ではありません。選択式・択一式ともに最低1点の確保を目指せばよいでしょう。暗記科目であり、特に数字要件やこの科目独自の専門用語については、直前期でもよいので、積極的に覚えるようにしてください。

本編で取り上げていない 項目・用語の 『ここだけチェック!!』

ここでは、前ページの体系樹を補完するものとして、本編で取り上げていない「その他の項目」や「用語」について、概要と押さえてほしいポイントを示しています。

☑ 機械等に関する規制

　本法では、特に危険な作業を必要とする機械等は、**特定機械等**と位置づけられており、製造・流通の段階からの厳しい規制の対象とされています。

　特定機械等については、①製造しようとする者は、あらかじめ、**都道府県労働局長の許可**を受けなければならず、②製造後においても、所定の構造規格に適合しているかをチェックするための各種の**検査**が行われます。

特定機械等（8種類）	①ボイラー（小型ボイラー等を除く。） ②第1種圧力容器（小型圧力容器等を除く。）	▶ 爆発する危険
	③つり上げ荷重が3トン以上の**クレーン** ④つり上げ荷重が3トン以上の**移動式クレーン** ⑤つり上げ荷重が2トン以上の**デリック**※	▶ 転倒等の危険
	⑥積載荷重が1トン以上の**エレベーター** ⑦ガイドレールの高さが18メートル以上の**建設用リフト** ⑧**ゴンドラ**※	▶ 落下等の危険

※ 「デリック」とは、物をつり上げるためのクレーンに類似した機械のことです。
※ 「ゴンドラ」とは、窓ガラス清掃等に使用される昇降設備等のことです。

☑ 有害物等に関する規制

本法では、特定の有害物等について、次の規制が設けられています。

❶労働者に重度の健康障害を**生ずる物**（黄りんマッチ、ベンジジン等）については、**製造・輸入・譲渡・提供・使用が禁止**されています。
❷労働者に重度の健康障害を**生ずるおそれのある物**（ジクロルベンジジン等）については、製造にあたって、**厚生労働大臣の許可**が必要です。
❸一定の危険物・有害物については、危険情報などの**ラベル表示等**や**危険性又は有害性等の調査（リスクアセスメント）**が義務づけられています。

☑ 安全衛生教育

知識不足等を原因とする労働災害を防止するために、事業者には、労働者に対する次の**安全衛生教育**が義務づけられています。**《十分な知識・技能を有する労働者については、その教育項目の省略が可能》**

種類	対象業種と対象労働者	記録の保存
①雇入れ時及び作業内容変更時の安全衛生教育	**全業種・すべての労働者**（臨時に使用される者を含む。）	義務なし
②特別教育 （※50種類を超える業務）	特定の**危険有害業務**（例：最大荷重1トン未満のフォークリフトの運転等）に就かせる労働者	**3年間保存**
③職長等教育 （※リーダー教育のこと）	建設業、機械修理業等で**新たに職務に就く**こととなった職長等（**作業主任者を除く。**）	義務なし

知っておこう 用語の理解／許可・認可・承認・認定

①許可	法令によって**本来は禁止**されている行為を、一定の場合・人・場所などについて解除することをいいます。**例** 特定機械等の製造の許可
②認可	本来は自由な行為に、公益などの見地から、行政庁が**同意**を与えて法律上の効果を完成させるものです。認可を受けない行為は**無効**となります。**例** 健康保険の任意適用事業所に係る認可（➡ 健保P173）
③承認	事務処理上の特別な取扱いを行政が**正式に認める**場合に用いています。**例** 労災保険の特別加入の承認（➡ 労災P91）
④認定	認可と似ていますが、その効果が特定の相手方に対して一方的に発生する場合に用いています。**例** 労働基準法の解雇予告除外認定（➡ 労基P59）

労働安全衛生法の目的等

● 本法は、労働者の「安全と健康を確保する」ことを目的としています。
● 本法には、「快適な職場環境の形成を促進する」という目的もあります。
● 本法では、「使用者」ではなく、「事業者」という用語を使います。

1 労働安全衛生法の目的とは?

労働者は、誰であっても「健康で働き続けたい」と願うものです。本法は、「**職場における労働者の安全と健康を確保すること**」を目的としています。

安全衛生に関する最低基準は、かつては労働基準法で定められていましたが、この部分が昭和47年に分離独立する形で本法が制定されました。つまり、本法は、労働基準法と一体としての関係（親子関係）にある法律なのです。**1**

さらに、本法には、労働基準法よりも一歩進んだ「**快適な職場環境の形成を促進すること**」という特有の目的もあります。

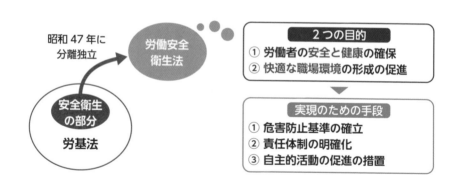

なお、法１条では、２つの目的を実現するための手段を３つ掲げています。これらの手段により、労働災害防止対策を総合的計画的に講ずることとしています。

① **危害防止基準の確立**……事業者等が守るべき「機械等による危険の防止」及び「有害物等による健康障害の防止」のための最低基準が定められています。労働安全衛生規則など数多くの規則に、細かな内容が示されています。

② **責任体制の明確化**……**安全衛生管理体制**に関する規定が整備されています。

③ **自主的活動の促進の措置**……労働者の健康管理に関する規定等があります。

1 労基

2 安衛

3 労災

4 雇用

5 徴収

6 労一

7 健保

8 国年

9 厚年

10 社一

11 横断①

12 横断②

2 知っておきたい用語の定義

（1）労働災害

労働災害とは、「業務に起因する**労働者の負傷、疾病又は死亡**」のことをいいます。**2** つまり、爆発などの事故そのものを指す用語ではなく、その事故の結果生じた労働者の被害を指す用語です（労災保険の「業務災害」も趣旨は同じ。）。

（2）労働者と事業者

本法の保護の対象となる**労働者**は、「**労働基準法9条に規定する労働者**」と定義されています。つまり、労働基準法の労働者と同じです。

一方、**事業者**は、「**事業を行う者で、労働者を使用するもの**」と定義されています。法人経営なら法人そのもの、個人経営なら個人事業主が該当します。**3**

（3）元方事業者と特定元方事業者

本法には、元方事業者という特殊な用語があります。**元方事業者**とは、「**同一の場所で行う仕事の一部を下請負人に請け負わせ、仕事の一部は自らも行う事業者のうち、最先次のもの**」をいいます。一般には元請負人と呼ばれます。

元方事業者には、本法を守らせるために関係請負人と関係請負人の労働者を**指導**し、法違反があったときは違反是正の**指示**をすることが義務づけられています。

さらに、**建設業又は造船業における元方事業者のこと**を**特定元方事業者**といいます。特定元方事業者に該当すると、本法の規制がより厳しくなります。**4**

1 法1条の目的条文では、「労働基準法と相まって」と記述されており、安全衛生対策は、本法と労働基準法とが一体となって進められるべきことが明らかにされています。

2 なお、本法では、労働災害の原因を、①労働者の就業に係る建設物、設備、原材料、ガス、蒸気、粉じん等の「物的条件」と、②労働者の作業行動といった「人的条件」に大別しています。

3 労働基準法では「使用者」の用語を使って責任主体を広く捉えているのに対し、本法では安全衛生上の責任が事業の経営主体にあることを明確にするため、「事業者」の用語を使っています。

4 特定元方事業者には、元方事業者の義務にさらに上積みされた義務が課せられます。たとえば、協議組織の設置・運営、作業間の連絡・調整、作業場所の巡視などが義務づけられています。

安全衛生管理体制 (1)

Point

- 試験では、「一般事業場の安全衛生管理体制」がよく出題されます。
- 「総括安全衛生管理者」などの名称は覚える必要があります。
- 「安全管理者・衛生管理者・産業医」には作業場の巡視義務があります。

1 安全衛生管理体制の全体像

本法の目的条文には、「責任体制の明確化」が明記されており、これを受けて**安全衛生管理体制**に関する規定が設けられています。安全衛生管理体制には、大きく分けて「**一般事業場**」と「**下請混在の作業現場**」におけるものがあります。

一般事業場

① 総括安全衛生管理者…安全衛生の最高責任者
② 安全管理者…………安全面の技術的管理者
③ 衛生管理者…………衛生面の技術的管理者
④ 産業医………………アドバイザー的な医師
⑤ 安全衛生推進者 ┐…┌②③の選任義務がない
　又は衛生推進者 ┘　└小規模事業場で選任
⑥ 作業主任者…………危険有害作業のリーダー

下請混在の作業現場

① 統括安全衛生責任者
② 元方安全衛生管理者
③ 安全衛生責任者
④ 店社安全衛生管理者

調査審議機関

① 安全委員会
② 衛生委員会

試験では、「**一般事業場の安全衛生管理体制**」が出題の中心となります。以下、本書では、上図の左側①〜⑥の管理者等に絞って説明していきます。

2 それぞれの役割 (職務) は?

(1) 総括安全衛生管理者

その事業場における**トップの者**（工場長、作業所長など）であり、安全衛生の最高責任者となる者です。事業者は、総括安全衛生管理者に安全衛生業務を**統括管理**させ、安全管理者及び衛生管理者の**指揮**をさせなければなりません。

(2) 安全管理者

事業場の**安全に関する技術的事項**を管理する実務者です。原則として、一定の**実務経験**を有し、厚生労働大臣が定める**研修を修了した者**であることが必要です。

（3）衛生管理者

　事業場の**衛生に関する技術的事項**を管理する実務者です。原則として、都道府県労働局長の**免許 2** を受けた者であることが必要です。

（4）産業医

　事業者又は総括安全衛生管理者に対して**勧告**し、衛生管理者に対して**指導又は助言**をする医師（労働衛生に関する専門的な知識を有する医師 **3** ）です。通常は、事業者が外部の医師と契約します（産業医契約の締結）。

（5）安全衛生推進者・衛生推進者

　安全管理者及び衛生管理者の選任義務がない**中小規模の事業場**において、安全衛生（衛生推進者は衛生のみ）に関する技術的事項を担当する実務者です。一定の**講習修了者**又は一定の**実務経験**を有する者でなければなりません。

（6）作業主任者

　ボイラー取扱作業など（約30種類）の**危険有害作業を指揮するリーダー**です。都道府県労働局長の**免許**（又は技能講習）を受けた者であることが必要です。

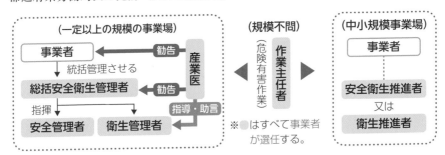

3 作業場の巡視義務がある者

　職務の一環として**作業場の巡視義務**が課せられている者は、①**安全管理者**（頻度の定めはないが、**常に巡視**すべきものと解されている。）、②**衛生管理者**（少なくとも**毎週1回**）及び③**産業医**（少なくとも**毎月1回 4** ）です。**5**

1 ①～⑥のほか、一定の化学物質（リスクアセスメント対象物）を製造し、又は取り扱う事業場においては、「化学物質管理者」や「保護具着用管理責任者」の選任も義務づけられています。

2 第1種衛生管理者免許、第2種衛生管理者免許及び衛生工学衛生管理者免許があります。

3 一定の研修を修了しているなど、労働衛生に関する専門的知識を有する医師であることが必要です。

4 一定の情報の提供を受けて、事業者の同意を得ているときは「2ヵ月に1回」となります。

5 このほか、店社安全衛生管理者にも「少なくとも毎月1回」の巡視義務が課せられています。

1 労基
2 安衛
3 労災
4 雇用
5 徴収
6 労一
7 健保
8 国年
9 厚年
10 社一
11 横断①
12 横断②

安衛
Lesson
3

安全衛生管理体制 （2）

Point

- 一般事業場では、「業種と規模」により選任すべき管理者等が異なります。
- 衛生管理者と産業医については、「複数の者」を選任すべき場合があります。
- 安全管理者、衛生管理者、推進者は、「専属」の者であることが必要です。

■1 選任義務がある事業場の 「業種」 と 「規模」

　一般事業場においては、その業種と規模によって、選任すべき管理者等が異なります。業種の区分は、次表のとおりです（A〜Cの区分は本書特有の表記）。

危険有害度	業種	該当するもの
高い	A	林業、鉱業、建設業、運送業、清掃業 ■1
中程度	B	製造業、電気・ガス・水道・熱供給業、通信業、一定の小売業（デパート等）・卸売業、旅館業、ゴルフ場業、自動車整備業、機械修理業
低い	C	その他の業種

（イメージ）

　次に、管理者等を選任すべき規模（常時使用する労働者数）の要件は、次表のとおりです。

対象	業種A 林業等	業種B 製造業等	業種C その他
①総括安全衛生管理者	100人以上	300人以上	1,000人以上
②安全管理者	50人以上		選任不要
③衛生管理者	50人以上 （全業種）		
④産業医	50人以上 （全業種）		
⑤安全衛生推進者	10人以上50人未満		選任不要
衛生推進者	選任不要		10人以上50人未満
⑥作業主任者	規模は不問であり、危険有害作業を行う場合に選任 （全業種）		

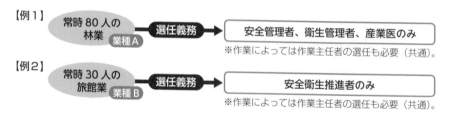

【例1】常時80人の林業 業種A ━選任義務━▶ 安全管理者、衛生管理者、産業医のみ
※作業によっては作業主任者の選任も必要（共通）。

【例2】常時30人の旅館業 業種B ━選任義務━▶ 安全衛生推進者のみ
※作業によっては作業主任者の選任も必要（共通）。

82

1 労基
2 安衛
3 労災
4 雇用
5 徴収
6 労一
7 健保
8 国年
9 厚年
10 社一
11 横断①
12 横断②

2 選任すべき人数は何人か？

　各種の管理者等の選任人数は、**基本的に１人で構いません**（作業主任者については、作業区分ごとに選任する。）。ただし、**衛生管理者と産業医**については、次表のように、事業場の規模に応じて**複数の者**を選任する必要があります。

事業場の規模	衛生管理者数	産業医数
50人以上200人以下	1人	
200人を超え500人以下	2人	
500人を超え1,000人以下	3人	1人
1,000人を超え2,000人以下	4人	
2,000人を超え3,000人以下	5人	
3,000人を超える	6人	2人

たとえば…

　上記の表では、「以上」「以下」「超える」の部分に注意してください。「超える」というのは、その数は「含まない」でそれよりも多い数を指します（➡徴収P139）。つまり、「3,000人を超える」とは、言い換えれば「3,001人以上」のことになります。
　たとえば、常時3,000人ぴったりの労働者を使用する事業場では、衛生管理者を「5人」、産業医を「1人」選任しなければなりません。

3 「専属」とは何か？

　専属というのは、「通常の勤務時間をその事業場にだけ勤務する」（つまり、常勤）という意味です。①**安全管理者**、②**衛生管理者**、③**安全衛生推進者・衛生推進者**は、原則として、その事業場に専属の者であることが必要です。**3**

　また、似たような用語に**専任**があります。これは「通常の勤務時間をもっぱらその業務にだけ費やす」という意味です。**安全管理者と衛生管理者についてのみ、専任とすることが必要な場合**（要件は細かい。）があります。**4**

1 最低限、「業種A」に含まれる５つの業種は、覚えておく必要があります。ここには「製造業」が含まれていない点に注意してください。

2 本試験では、事例問題が出るため、この表の人数要件は完全に頭に入れておく必要があります。

3 産業医は、原則として、専属の者とする必要はありません。外部の産業医と契約すれば足ります。ただし、1,000人以上の規模の事業場等では、例外的に専属の産業医が必要となります。

4 たとえば、1,000人を超える規模の事業場等では、専任の衛生管理者が１人必要となります。

健康診断、面接指導等

- ●「一般健康診断」は5種類、「有害業務従事者の健康診断」は2種類あります。
- ● 一定の要件に該当する労働者には、「面接指導」を行わなければなりません。
- ● 1年以内ごとに1回、定期の「ストレスチェック」が義務づけられています。

1 健康診断

　労働者が健康で働き続けるためには、その健康状態を的確に把握し、その結果に基づく健康管理を適切に行うことが重要です。このため、本法では、事業者に次の健康診断の実施と実施後に各種措置を講ずることを義務づけています。1

★**一般健康診断**……労働者の一般的な健康状態の把握のために行う。

★**有害業務従事者の健康診断**……有害業務（身体の特定部分にダメージが蓄積するような業務）に着目した一般健康診断とは異なる項目について行う。

	種類	実施時期	対象者
一般健康診断	①雇入れ時の健康診断	雇入れの際	**常時使用する労働者** ※パート等は、**1年以上使用見込み＋週所定労働時間が通常の労働者の4分の3以上の者**
	②定期健康診断	**定期（1年以内ごとに1回）**	
	③特定業務従事者の健康診断	配置替えの際及び**定期（6ヵ月以内ごとに1回）**	**特定業務（深夜業、坑内労働等）**に常時従事する労働者
	④海外派遣労働者の健康診断	海外に派遣する際及び帰国した際	海外に**6ヵ月以上派遣**しようとする労働者及び派遣した労働者
	⑤給食従業員の検便	雇入れの際及び配置替えの際 ※**定期に行う必要はない。**	事業に附属する食堂等で給食の業務に従事する労働者
有害業務従事者の健康診断	①特殊健康診断	雇入れの際、配置替えの際及び**定期（6ヵ月以内ごとに1回）**	次の業務に常時従事する労働者 （高圧室内業務、潜水業務、放射線業務、石綿業務、四アルキル鉛等業務など）
	②歯科医師による健康診断	雇入れの際、配置替えの際及び**定期（6ヵ月以内ごとに1回）**	塩酸、硝酸、硫酸など**歯又はその支持組織に有害な物**のガス等を発散する場所における業務に常時従事する労働者

1 労基
2 安衛
3 労災
4 雇用
5 徴収
6 労一
7 健保
8 国年
9 厚年
10 社一
11 横断①
12 横断②

たとえば…　事業者の義務である健康診断実施後の措置には、主に次のものがあります。
① 健康診断個人票を作成し、「5年間保存」すること。
② 遅滞なく、その結果を労働者に「通知」すること。
③ 「異常の所見」があると診断された労働者に関して、健康診断が行われた日から3ヵ月以内に医師等から意見を聴き、必要な措置を講ずること。

2 面接指導等

（1）長時間労働者に対する面接指導

長時間労働は、医学的に脳・心臓疾患や精神障害との関連性が強いとされています。これらの疾病の発生の予防を目的として、事業者は、原則として、次の要件に該当する労働者に対し、**医師による面接指導**を行わなければなりません。

時間外・休日労働時間が月80時間を超える

かつ

疲労の蓄積が認められる

労働者　申出　事業者

面接指導の実施
- 結果の記録（5年間保存）
- 医師からの意見聴取
- 必要な事後措置の実施

（2）心理的な負担の程度を把握するための検査（ストレスチェック）

近年、仕事上のストレスを感じている労働者が多くなっています。そこで、本法では、メンタルヘルス（心の健康）の不調を未然に防止するため、**医師、保健師、厚生労働大臣が定める研修を修了した歯科医師、看護師、精神保健福祉士又は公認心理師**による労働者の**心理的な負担の程度を把握するための検査（ストレスチェック）**を事業者に義務づけています。 **2 3**

① 検査は常時使用する労働者に対して**1年以内ごとに1回**、定期に行います。
② 事業者は、検査結果が通知された労働者（**高ストレス者**）の申出に応じて、**医師による面接指導を実施**（結果の記録は**5年間保存**）し、その結果に基づき、医師の意見を聴いた上で必要な事後措置を講ずる義務があります。

1 病院等に支払う受診費用は、事業者が負担すべきものです。一方、その受診時間は、特殊健康診断は労働時間となりますが、一般健康診断は労働時間とすることが「望ましい」とされています。

2 常用労働者数50人未満の事業場では、当分の間、ストレスチェックの実施は努力義務です。

3 ストレスチェック及び面接指導の費用は、事業者が負担すべきものです。ただし、その時間に係る賃金の支払いは、当然には事業者が負担すべきものではありません（負担が望ましい）。

安衛 ▶ 理解度 Check!

該当レッスン	Let's チャレンジ ○×問題・穴うめ問題
Lesson 1 労働安全衛生法の目的等	**○×** **1** 労働安全衛生法の目的の1つとして、「快適な作業環境の形成を促進すること」が掲げられている。
	○× **2** 事業者とは、事業を行う者で、労働者を使用するものである。
	穴うめ **3** 労働安全衛生法第1条では、目的を達成する手段として、(A)の確立、責任体制の明確化及び(B)の措置が掲げられている。
Lesson 2・3 安全衛生管理体制	**○×** **4** 産業医は、事業者に対し、労働者の健康管理等について必要な勧告をすることができる。
	○× **5** 衛生管理者は、少なくとも毎月1回作業場を巡視する義務を負う。
	○× **6** 常時150人の労働者を使用する運送業に属する事業の事業場においては、総括安全衛生管理者を選任する義務はない。
	○× **7** 常時200人の労働者を使用する事業の事業場においては、少なくとも2人の衛生管理者を選任しなければならない。
	穴うめ **8** 安全衛生推進者又は衛生推進者を選任すべき規模の事業場は、常時(C)の労働者を使用する事業場である。
Lesson 4 健康診断、面接指導等	**○×** **9** 特定業務従事者の健康診断は、特定業務への配置替えの際及び3ヵ月以内ごとに1回定期に、行わなければならない。
	○× **10** 事業者は、面接指導の結果に基づき、当該面接指導の記録を作成して、これを5年間保存しなければならない。
	穴うめ **11** 事業者は、常時使用する労働者に対し、(D)ごとに1回、定期に、医師、保健師等による(E)の程度を把握するための検査(ストレスチェック)を行わなければならない。

解答 **1**× 「職場環境」である（作業環境より広い概念）。 **2**○ **3**（A）**危害防止基準**（B）**自主的活動の促進** **4**○ **5**× 「毎月1回」ではなく「毎週1回」である。 **6**× 選任する義務はある。 **7**× 労働者が200人ちょうどの事業場における衛生管理者の選任人数は「1人」で足りる。 **8**（C）**10人以上50人未満** **9**× 「6ヵ月以内ごとに1回」である。 **10**○ **11**（D）**1年以内**（E）**心理的な負担**

第3章

労働者災害補償保険法

- この科目の体系樹
- この科目の特徴／ここだけチェック！！

この科目 「労災」 の体系樹

概要

この法律は、労働者が仕事中（業務上）や通勤途上などにおいてケガ等をした場合に補償される給付の内容を定めています。他の社会保険制度の給付に比べてその内容は手厚いものとなっています。原則として、労働者を1人でも使用している事業であれば、法律上当然にこの制度の適用を受けます。

枝葉

① **給付基礎日額**……原則として労働基準法の平均賃金に相当する額で、保険給付の額の計算の基礎となります。

② **社会復帰促進等事業**……保険給付の上乗せとして支給される**特別支給金**が重要です。

③ **特別加入**……労災保険の適用労働者に該当しない者であっても、保護に値すべき人（中小事業主など）については、労災保険に特別に加入することができます。

④ **費用**……懲罰的に徴収される**事業主からの費用徴収**の規定や通勤災害に係る一部負担金（休業給付の額から200円を控除して徴収されるもの）の規定があります。

（枝の部分）
罰則
時効
不服申立て等
社会復帰促進等事業（特別支給金）
給付基礎日額
保険給付の通則
諸制度との調整等
支給制限等

根

労災保険の守備範囲は、労働者の「業務上の事由」「複数事業労働者の2以上の事業の業務を要因とする事由」又は「通勤」による負傷、疾病、障害、死亡等です。これらに該当しない負傷等は、この制度ではなく「健康保険」などの医療保険制度の対象となります。被災労働者の社会復帰までを保護の範囲としているため、保険給付のほか、付帯事業である**社会復帰促進等事業**によってその充実が図られています。

① **傷病の治ゆ前の保険給付**……指定病院等において無料で治療を受けることができる**療養（補償）等給付**が行われ、療養期間中の所得保障給付である**休業（補償）等給付**が支給されます。休業（補償）等給付は、傷病の程度が重度で、長期（1年6ヵ月以上）に及ぶ場合は**傷病（補償）等年金**に切り替えられます。

② **傷病の治ゆ後の保険給付**……**障害（補償）等給付**が支給されます。障害の程度に応じて、重い場合は「年金」として、軽い場合は「一時金」として支給されます。

③ **死亡に関する保険給付**……遺族の所得保障給付である**遺族（補償）等給付**と葬祭に係る費用を支給する**葬祭料等（葬祭給付）**があります。

④ **その他**……介護費用を原則として実費で支給する**介護（補償）等給付**と業務上の疾病（脳血管疾患・心臓疾患）の発生を予防するための**二次健康診断等給付**があります。

保険者＝政府

保険給付

① 療養　② 休業
③ 傷病　④ 障害
⑤ 遺族　⑥ 葬祭
⑦ 介護　⑧ 二次健康診断等

保険事故
●**業務災害** ●**通勤災害**
●**複数業務要因災害**

適用事業

目　的
●業務上の事由等による負傷・疾病・障害・死亡等
⇒保険給付を行う。
●社会復帰の促進、労働者や遺族の援護、労働者の安全及び衛生の確保
⇒社会復帰促進等事業を行う。

事業主の災害補償責任の
確実な履行＝国による補償代行

特別加入

一定の者に特別に加入を認める

費　用

事業主からの費用徴収

労働保険徴収法

この法律は、労働基準法と同時期である昭和22年に施行されました。労働者の業務上の災害補償については労働基準法（船員については、船員法）において使用者にその責任がある旨が規定されていますが、使用者の補償能力いかんによっては、労働者に十分な補償が行われない危険性があります。労災保険では、**国が事業主から保険料を徴収し、被災労働者に対して直接保険給付を行うことにより、被災労働者に確実に災害補償が行われる仕組み**をとっています。

配点 (➡ P18) (出題数)	◆ 選択式〔40点満点中〕**5点** ◆ 択一式〔70点満点中〕**7点**（徴収3点とセットで出題）
難易度	普通～難しい　　学習比重度（➡ P16）　★★★★☆

通常の順序で学習を進めた場合の最初の社会保険科目です。業務災害・通勤災害及び保険給付の内容を中心に、幅広い項目から出題されます。労災保険は、社会保険制度の1つのひな形となっている制度であるため、きちんと理解すれば、他の社会保険科目の攻略にも必ずつながります。

本編で取り上げていない 項目・用語の

『ここだけチェック!!』

ここでは、前ページの体系樹を補完するものとして、本編で取り上げていない「その他の項目」や「用語」について、概要と押さえてほしいポイントを示しています。

☑ 特別支給金

　特別支給金は、**保険給付の上乗せ分**として、**申請**により支給されるものです。①保険給付の水準が一般に被災前の賃金に比べて低い水準であることを補う「**一般の特別支給金**」及び②保険給付の額に反映されないボーナス（被災日以前1年間の特別給与）の額を反映するための「**ボーナス特別支給金**」があります。

関連する保険給付	一般の特別支給金	ボーナス特別支給金
休業(補償)等給付 ➡ P101	休業特別支給金 ⇒給付基礎日額の 20%を上乗せ支給　保険給付と合わせて80%支給	なし
傷病(補償)等年金 ➡ P101	傷病特別支給金 ⇒114万円～100万円の定額支給	傷病特別年金
障害(補償)等給付 ➡ P102	障害特別支給金 ⇒342万円～8万円の定額支給	障害特別年金 障害特別一時金 障害特別年金差額一時金
遺族(補償)等給付 ➡ P108	遺族特別支給金 ⇒一律300万円の定額支給	遺族特別年金 遺族特別一時金

原則過去1年間のボーナス1日あたりの額を関連する保険給付に同じ日数分、上乗せ支給《共通》

　なお、上記の4種類**以外**の保険給付には、特別支給金は**存在しません**。

☑ 事業主からの費用徴収

　次の場合は、**事業主に対する一種のペナルティー**として、給付額の一定割合の費用が徴収されます。労働者に責任はないため、**保険給付は全額支給**されます。

被災労働者　　事業主

保険給付　　　費用徴収
（全額支給）　（給付のつど）
　　　　政府

① 保険関係成立届の未提出期間中に生じた事故
　⇒故意に未提出 ＝『給付額×100%』を徴収
　⇒重大な過失により未提出 ＝『給付額×40%』を徴収

② 一般保険料の滞納期間中に生じた事故
　⇒『給付額×滞納率』を徴収（滞納率は40%を限度）

③ 事業主の故意又は重大な過失による業務災害
　⇒『給付額×30%』を徴収

☑ 特別加入

　特別加入とは、**適用労働者に該当しない者**にも、労災保険の加入を特別に認めるものです。次の者（その事業の家族従事者等を含む。）は、事業主等が申請し、**政府の承認**を受けることにより、労災保険に特別加入することができます。

第1種特別加入者	中小事業主等	● 常用労働者数が原則として300人以下 ● 労働保険事務組合（➡P139）に事務処理を委託
第2種特別加入者	一人親方等	● 特定の自営業者（個人タクシー、大工等） ● 一人親方等の団体を通じて申請
第3種特別加入者	海外派遣者	

知っておこう 社会保険の守備範囲（保険事故）

社会保険にはそれぞれ守備範囲があり、次の保険事故を給付の対象としています。

主な対象者	社会保険	守備範囲（保険事故）
民間の会社員等	労災保険	業務上の事由等の負傷、疾病、障害、死亡等➡P93
	雇用保険	失業、雇用継続困難、教育訓練、育児休業等➡P116
	健康保険	業務災害以外の疾病、負傷、死亡、出産➡P172
	厚生年金保険	老齢、障害、死亡（業務上外は不問）➡P232
自営業者等	国民健康保険	疾病、負傷、死亡、出産➡P268
	後期高齢者医療	疾病、負傷、死亡➡P268
	国民年金	老齢、障害、死亡（業務上外は不問）➡P199
	介護保険	要介護状態、要支援状態➡P270

労働者災害補償保険法の目的等

労災
Lesson
1

Point
- 労災保険には、事業主の災害補償責任を「政府が代行」する役割があります。
- 労災保険は、「労働者」を1人でも使用する事業に強制的に適用されます。
- 保険事故は、業務上の事由等による「負傷、疾病、障害、死亡等」です。

1 労災保険の役割とは？

　本来、労働者の業務災害については、労働基準法上、事業主に補償をする責任（災害補償責任）があります。労災保険は、被災労働者の補償が確実に行われるようにするため、**事業主の災害補償責任を政府が代行する**という制度です。このため、**事業主が保険料の全額を負担する**強制加入の制度となっています。

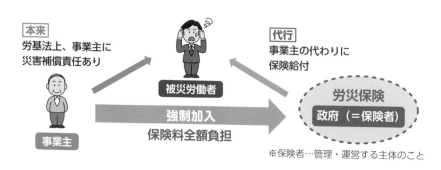

2 労災保険の適用

（1）適用事業

　労災保険は、**労働者を1人でも使用する事業**②であれば、自動的かつ強制的に適用されます（強制適用事業）。ただし、次の例外があります。

① **適用除外**……国の直営事業③及び官公署の事業については、公務員に係る災害補償制度が適用されるため、労災保険が適用除外とされています。

② **暫定任意適用事業**……事業の実態の把握が困難などの理由から、当分の間、**常時5人未満の労働者を使用する**個人経営の農林水産の事業の一部については、労災保険の適用が、強制とはされず、事業主の任意とされています。

（2）適用労働者

　労働基準法9条の労働者に適用されます（パート、アルバイト等にも適用）。

1 労基
2 安衛
3 労災
4 雇用
5 徴収
6 労一
7 健保
8 国年
9 厚年
10 社一
11 横断①
12 横断②

3 労災保険の守備範囲（保険事故）

法1条では、労災保険は、「業務上の事由、複数事業労働者 **4** の2以上の事業の業務を要因とする事由又は通勤による労働者の**負傷、疾病、障害、死亡等**に対して**迅速かつ公正な保護**をするため、必要な保険給付」を行うとしています。

労災保険の守備範囲（保険事故）は、業務上の事由等による負傷等であり、これらに該当しない負傷等は、健康保険などの医療保険制度でカバーされます。

また、労災保険の保険事故に「死亡等」とあるのは、いわゆる過労死の原因となる業務上の事由による脳血管疾患・心臓疾患を「**予防**」するための**二次健康診断等給付 5** を行うことを含んでいるためです。

なお、労災保険の保険給付は、大きく分けると次の4種類となります。

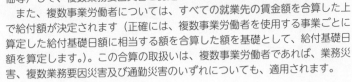

保険給付

① 業務災害に関する保険給付
② 複数業務要因災害に関する保険給付（①を除く。）
③ 通勤災害に関する保険給付

負傷、疾病、障害又は死亡の事由が発生した後に行う「事後給付」
※各7種類ある。➡労災P95、97、99

④ 二次健康診断等給付

業務上の疾病の「予防給付」

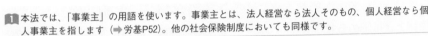

たとえば…

複数業務要因災害とは、「複数事業労働者の2以上の事業の業務を要因とする負傷、疾病、障害又は死亡」のことです。複数事業労働者については、①個別の就業先の業務上の負荷のみでは業務災害と認定されない場合に、②すべての就業先での業務上の負荷を総合的に評価（時間外労働を合算して評価等）して、複数業務要因災害と認定されれば保険給付が行われます。

また、複数事業労働者については、すべての就業先の賃金額を合算した上で給付額が決定されます（正確には、複数事業労働者を使用する事業ごとに算定した給付基礎日額に相当する額を合算した額を基礎として、給付基礎日額を算定します。）。この合算の取扱いは、複数事業労働者であれば、業務災害、複数業務要因災害及び通勤災害のいずれについても、適用されます。

1 本法では、「事業主」の用語を使います。事業主とは、法人経営なら法人そのもの、個人経営なら個人事業主を指します（➡労基P52）。他の社会保険制度においても同様です。

2 労働基準法と同様に、本法は「企業」単位ではなく、「事業」単位で適用されます。

3 国の直営事業には、現在、該当するものはありません。

4 事業主が同一人でない2以上の事業に使用される労働者（副業・兼業をする労働者）のことです。

5 二次健康診断等給付とは、労働安全衛生法の定期健康診断等において血圧の測定などの4項目のすべてに異常の所見がある場合に、無料で受けることができる精密検査等のことです。

業務災害

- ◉「業務遂行性」と「業務起因性」を満たす災害が業務災害となります。
- ◉ 休憩中の災害は、原則として「業務外（業務災害以外の災害）」となります。
- ◉ 本来の業務に附随する行為中の災害は、原則として「業務上」となります。

1 業務災害とは？

　業務災害に該当すれば、業務災害に関する保険給付 **1** が行われます。

　業務災害とは、「労働者の**業務上の負傷、疾病、障害又は死亡**」をいいます。そして、業務災害と認められるためには、一般に、①労働者が被災時に事業主の支配下にあったという**業務遂行性**を満たした上で、②災害が業務に起因して（業務をしていたことが原因で）発生したという**業務起因性**を満たす必要があります。

業務遂行性あり　➡　業務起因性あり　➡　業務災害と認定！
（事業主の支配下にある）　（業務に起因して災害発生）

2 「事業主の支配下にある場合」の3類型

　次表の①〜③は、「事業主の支配下にある場合」の３類型とされており、いずれの場合も**業務遂行性が認められる**ことになります。

事業主の支配下にある場合の３類型	典型例	原則的な判断
① 施設管理下にあり、業務に従事している場合	作業中	業務上
② 施設管理下にあるが、業務に従事していない場合	休憩中	業務外
③ 施設管理下にはなく、業務に従事している場合	出張中	業務上

　上記②の**休憩中**などは、業務に従事していないことから業務起因性が否定され、**業務上とは認められません**。ただし、事業場の施設・設備に欠陥があることなどが原因で災害が発生した場合には、例外的に**業務上と認められます**。 **2**

　上記③の**出張中**などは、その移動中や私的行為（飲食、宿泊等）に際して生じた災害であっても、それが出張等に通常伴う範囲内のものであれば、一般に業務起因性が認められ、**業務上と認められます**。 **3**

❸ 知っておきたい業務起因性の判断のポイント

（1）そもそも「業務」とは？

　業務に起因して発生した災害が業務災害となりますが、ここでいう「業務」にはどの程度のものまでが含まれるかというと、次のように捉えられています。

　つまり、本来の業務に附随する行為中の災害も**業務上と認められる**のです。

> **業務** ──
> ① **本来の業務**
> ② **本来の業務に附随する行為**
> ● **準備行為・後始末行為**……手洗い、更衣、機械の整備など
> ● **生理的行為**………………トイレや水を飲みに行くなど
> ● **反射的行為**………………風に飛ばされた帽子を拾うなど
> ● **必要かつ合理的行為**………作業に必要な眼鏡を取りに行くなど
> ● **緊急行為**…………………同一作業場での人命救助など

（2）業務起因性が否定される場合とは？

　業務起因性は、簡単に言えば、「**その業務をしていれば、誰であっても同様の災害が発生したと考えられる場合**」に「あり」と判断されます。したがって、次のような場合には、一般に業務起因性が否定され、**業務上とは認められません**。

　① 業務とは関係のない恣意的・私的行為が原因となっている場合
　② 個人的なうらみなどにより**他人から暴行を受けた場合** 4
　③ 暴風雨、地震、落雷、噴火などの**天災地変**によって被災した場合

たとえば…

> 　天災地変の場合は、仮に業務に従事していなくても被災するものと考えられるため、業務起因性が否定されます。ただし、事業場の立地条件や作業環境等により、天災地変に際して「災害を被りやすい事情」にあるときは、例外的に業務上と認められます。たとえば、土砂崩れが起きやすい場所で運行するバスの運転手が、土砂崩れに巻き込まれた場合などは、**業務上と認められ**ます。

1️⃣ 業務災害に関する保険給付には、①療養補償給付、②休業補償給付、③傷病補償年金、④障害補償給付、⑤遺族補償給付、⑥葬祭料及び⑦介護補償給付の7種類があります。

2️⃣ たとえば、昼食休憩中に事業場内の食堂の照明が落下してきて負傷した場合や食堂の給食で食中毒になった場合は、事業場の施設・設備の欠陥が原因であるため、業務上と認められます。

3️⃣ 出張中の食事で中毒死した場合や旅館の火災により焼死した場合なども業務上と認められます。なお、出張外で催し物を見物するなど積極的な私的行為を行う場合は、業務外となります。

4️⃣ 警備員が暴漢に襲われるなど他人の暴行を受けやすい業務の場合は、業務上と認められます。

1 労基
2 安衛
3 労災
4 雇用
5 徴収
6 労一
7 健保
8 国年
9 厚年
10 社一
11 横断①
12 横断②

通勤災害

- 通勤に該当する移動には、「3パターン」あります。
- 逸脱・中断の原則・例外、ささいな行為は、通勤となる部分が異なります。
- 「通勤の定義」及び「逸脱・中断」は、試験でよく出題されます。

1 通勤災害とは?

通勤災害に該当すれば、通勤災害に関する保険給付 **1** が行われます。

通勤災害とは、「労働者の**通勤による負傷、疾病、障害又は死亡**」をいいます。「通勤による」とは、**通勤に通常伴う危険が具体化したこと**を指します。たとえば、駅の階段で転倒する、自動車にひかれるなどが「通勤に通常伴う危険」です。

2 通勤の定義

法7条2項では、「**通勤とは、労働者が、就業に関し、次の①~③に掲げる移動を合理的な経路及び方法により行うことをいい、業務の性質を有するものを除く。**」と定義しています。通勤に該当する移動には、**3パターン**あります。

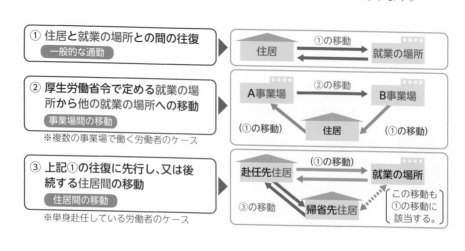

★「就業に関し」とは

移動行為が**業務に就くため**、又は**業務を終えたことにより**行われるものであることが必要であるという意味です。 **2**

★「合理的な経路及び方法」とは

　一般に労働者が用いるものと認められる経路及び方法のことです。通常利用することが考えられる経路が複数ある場合には、いずれも合理的な経路となります。

★「業務の性質を有するもの」とは

　次の場合は通勤から除かれ、その移動中の災害は**業務災害**となります。 **3**

① 事業主の提供する**専用バス等**を利用して通勤する場合

② 休日又は休暇中に呼出しを受け、予定外に**緊急出勤**する場合　など

■3 逸脱・中断とは？

（1）逸脱・中断（原則）

　通勤途中に映画館に行くなど合理的な経路をそれたり（**逸脱**）、通勤途中にある居酒屋で長時間腰をおちつけてお酒を飲むなど通勤と関係のない行為（**中断**）をする場合は、逸脱又は中断の**間**及び**その後**の移動は、**通勤となりません。**

（2）逸脱・中断（例外）

　逸脱又は中断が、**日常生活上必要な行為 4** であって厚生労働省令で定めるものをやむを得ない事由により行うための**最小限度**のものである場合は、逸脱又は中断の**間を除き**、合理的な経路に**戻った後**の移動は、**通勤と認められます。**

（3）ささいな行為

　通勤経路上の店でごく**短時間**お茶やビール等を飲むことなどの**ささいな行為**は、そもそも逸脱・中断に該当しません。**その行為の間も通勤に該当します。**

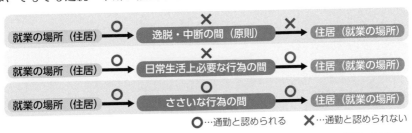

○…通勤と認められる　✕…通勤と認められない

1 通勤災害に関する保険給付には、①療養給付、②休業給付、③傷病年金、④障害給付、⑤遺族給付、⑥葬祭給付及び⑦介護給付の7種類があります。これらには「補償」の文字が使われていません。

2 たとえば、休日に会社の運動施設を利用しに行く場合や出勤途中に気分が悪くなって帰宅する場合は、就業との関連性が認められないため、通勤には該当しません。

3 業務の性質を有する移動行為は、事業主の支配下にあるとされ、業務災害の保護の対象です。

4 日常生活上必要な行為には、①「日用品」の購入等、②「職業訓練」の受講等、③「選挙権」の行使等、④「病院」等での受診等、⑤一定の親族（対象家族➡労−P163）の「介護」が該当します。

1 労基
2 安衛
3 労災
4 雇用
5 徴収
6 労一
7 健保
8 国年
9 厚年
10 社一
11 横断①
12 横断②

傷病に関する保険給付 （1）

- 労災保険には、内容の異なる保険給付が「8種類」あります。
- 療養（補償）等給付には、「療養の給付」と「療養の費用の支給」があります。
- 「指定病院等」において無料で治療等を受けられるものが療養の給付です。

1 保険給付の全体像

　労災保険では、内容の異なる保険給付が大きく**8種類**あります。ただし、業務災害、複数業務要因災害（➡ 労災P93）又は通勤災害（業務災害等）という災害の違いにより、その**名称が異なります**（給付内容は同じ。）。たとえば、病院等で治療を受ける場合の保険給付は、「業務災害＝**療養補償給付**」「複数業務要因災害＝**複数事業労働者療養給付**」 **1** 「通勤災害＝**療養給付**」となります。

　以下、本書では、次図のように、これら3つの事由（災害）に関する保険給付をあわせて「**療養（補償）等給付**」のように記載します。

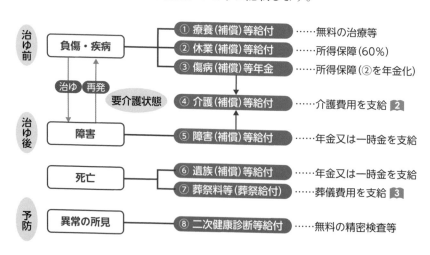

　「**治ゆ**」とは、傷病が完全に回復した状態だけでなく、医療効果が期待できなくなった状態（**症状固定の状態**）を含みます。「**再発**」とは、治ゆ後に再び療養が必要となった場合を指し、この場合には再び治ゆ前の保険給付が行われます。

　なお、保険給付は、請求に基づいて支給されますが、上記③の**傷病（補償）等年金のみは請求が不要**です（労働基準監督署長の職権に基づいて支給される。）。

2 療養（補償）等給付

（1）療養（補償）等給付の種類

業務災害等の被災労働者は、その傷病が**治るまで**（たとえ退職後であっても）、**無料**で治療を受けることができます。これが**療養（補償）等給付**です。

これには、①**療養の給付**、②**療養の費用の支給**の２種類があります。

（2）「療養の給付」と「療養の費用の支給」

労災保険を取り扱う病院等である**指定病院等 4** で治療を受ける場合には、**現物給付**である「**療養の給付**」が行われます。なお、現物給付とは、現金ではなく、治療行為やサービスそのものを提供する形で給付を行うというものです。

一方、例外として、労災保険を取り扱っていない病院等で治療を受けた場合には、治療費をいったん病院等の窓口で全額自己負担し、後でその費用を返してもらうという**現金給付**である「**療養の費用の支給**」が行われます。

	種類	形式	受ける病院等	所轄労働基準監督署長への請求
原則	療養の給付	現物	指定病院等	指定病院等を経由する
例外	療養の費用の支給	現金	上記以外の病院等	直接所轄労働基準監督署長へ

たとえば…　療養の費用の支給は、近くに指定病院等がないなど、①療養の給付をすることが困難な場合、②療養の給付を受けないことについて労働者に相当の理由がある場合に限り、行われます。たとえば、「お気に入りの医師がいる」などの理由で指定病院等以外の病院で治療を受ける場合は、行われません。

（3）療養の給付の範囲

その範囲は幅広く、①**診察**、②**薬剤・治療材料**（包帯など）**の支給**、③**処置・手術**その他の**治療**、④**居宅**における療養上の**管理**等、⑤**病院・診療所への入院**等、⑥**移送**となっています。ただし、**政府が必要と認めるもの**に限られます。

1 複数業務要因災害に関する保険給付には、①複数事業労働者療養給付、②複数事業労働者休業給付、③複数事業労働者傷病年金、④複数事業労働者障害給付、⑤複数事業労働者遺族給付、⑥複数事業労働者葬祭給付、⑦複数事業労働者介護給付の7種類があります。

2 要介護状態にある傷病（補償）等年金又は障害（補償）等年金の受給権者（傷病等級・障害等級が第1級又は第2級である者）について、原則として「介護費用の実費」を支給するものです。

3 葬祭を行う者に対して、葬儀費用として「315,000円＋給付基礎日額の30日分（最低保障額は給付基礎日額の60日分）」を支給するものです（給付基礎日額についてはP101を参照）。

4 指定病院等には、①政府（独立行政法人に委託）が設置・運営する病院・診療所（労災病院等）と②都道府県労働局長の指定を受けた病院・診療所・薬局・訪問看護事業者が該当します。

1 労基
2 安衛
3 労災
4 雇用
5 徴収
6 労一
7 健保
8 国年
9 厚年
10 社一
11 横断①
12 横断②

傷病に関する保険給付 (2)

● 休業（補償）等給付は、「通算して3日間」の待期期間中は支給されません。
● 休業（補償）等給付の額は、原則として「給付基礎日額×60%」です。
● 傷病（補償）等年金は、「療養開始後1年6ヵ月経過日」以後に支給されます。

■1 3種類の「傷病に関する保険給付」の関係

　休業（補償）等給付及び傷病（補償）等年金は、所得を保障するための給付です。労働不能となった被災労働者には、まず休業（補償）等給付が支給され、療養が長期間（1年6ヵ月以上）にわたる場合で傷病が重い状態に該当するときは、休業（補償）等給付に代えて、傷病（補償）等年金が支給されます。■1

　なお、休業（補償）等給付と傷病（補償）等年金は、目的が同じ所得保障給付であるため、同時に受ける（併給する）ことはできません。ただし、治療等が目的である療養（補償）等給付とは目的が異なるため、併給することができます。

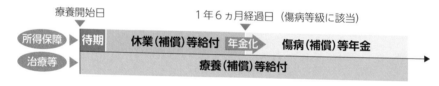

■2 休業（補償）等給付

（1）支給要件

　休業（補償）等給付は、次の4つの要件を満たした労働者の請求に基づいて支給されます。下記④の要件により休業した日の第4日目から支給されます。

① 療養していること。

② 労働することができないこと（労働不能）。

③ 賃金を受けない日（休業した日）があること。

④ 通算して3日間の待期期間を満たしていること。

【例】

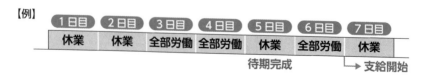

（2）支給額（1日あたりの額）

　休業（補償）等給付の額は、1日につき「**給付基礎日額×60％**」です。給付基礎日額とは、原則として、労働基準法の**平均賃金**に相当する額のことです。 **2**

　なお、午前は出社し、午後は通院のため休業する場合など**所定労働時間の一部分についてのみ労働する日又は賃金が支払われる休暇**（これを「**部分算定日**」という。）にも、休業（補償）等給付は支給されます。この場合の額は、「**（給付基礎日額 − 部分算定日に対して支払われる賃金の額）×60％**」となります。

【例】

被災労働者

給付基礎日額 8,000円	休業（補償）等給付の額
部分算定日の賃金額 2,000円	＝（8,000円−2,000円）×60％ ＝ 6,000円×60％ ＝ 3,600円

3 傷病（補償）等年金

（1）支給要件

　傷病（補償）等年金は、労働者が**療養の開始後1年6ヵ月を経過した日**（又は同日後）において、次のいずれにも該当することとなったときに支給されます。

① 傷病が**治っていない**こと。

② 傷病による障害の程度が**傷病等級（第1級〜第3級）**に該当すること。

（2）支給の決定

　支給要件に該当したときは、**所轄労働基準監督署長の職権**により、傷病（補償）等年金の支給決定が行われます。つまり、**労働者からの請求は不要**です。 **3**

（3）支給額（1年あたりの額）

　傷病（補償）等年金の額は、傷病等級に応じて、次の額となります。

傷病等級	第1級	給付基礎日額の313日分
	第2級	給付基礎日額の277日分
	第3級	給付基礎日額の245日分

重い（障害の程度）

なお、年金は年6回に分けて偶数月に支払われる（以下同じ）。 ➡ P293

---

1 休業（補償）等給付は、1ヵ月ごとにそのつど請求することが一般的です。この手続的負担を軽くするために、これを年金化し、傷病（補償）等年金として自動的に支給することとしています。

2 簡単に言うと、「過去3ヵ月間の賃金総額÷その3ヵ月間の総日数」により計算します。

3 ただし、傷病の状態等を把握するために、所轄労働基準監督署は、被災労働者から療養開始後1年6ヵ月を経過した日以後1ヵ月以内に「傷病の状態等に関する届書」を提出させます。

1 労基
2 安衛
3 労災
4 雇用
5 徴収
6 労一
7 健保
8 国年
9 厚年
10 社一
11 横断①
12 横断②

障害（補償）等給付 （1）

Point
- 障害（補償）等給付は障害等級に応じて「年金」か「一時金」が支給されます。
- 障害等級の第1～7級が「年金」、第8～14級が「一時金」の支給対象です。
- 同一の事由により複数の障害が残ったときは、「併合」の対象となります。

1 障害（補償）等給付とは?

（1）障害（補償）等給付の種類

被災労働者の傷病が「治ゆした後」に、障害等級に該当する程度の障害が残ったときは、その労働者の請求に基づいて、**障害（補償）等給付**が支給されます。

障害（補償）等給付は、**全14等級**ある障害等級（第1級が最も重く、第14級が最も軽い。）に応じて、**年金**又は**一時金**として支給されます。

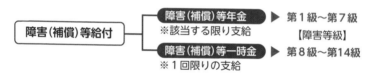

（2）支給額

障害（補償）等給付の額は、障害等級に応じて、次表の額となります。一時金は1回だけ支給されるものであるため、年金よりも日数が多い等級もあります。

障害（補償）等年金	第1級	第2級	第3級	第4級	第5級	第6級	第7級
	313日分	277日分	245日分	213日分	184日分	156日分	131日分
障害（補償）等一時金	第8級	第9級	第10級	第11級	第12級	第13級	第14級
	503日分	391日分	302日分	223日分	156日分	101日分	56日分

※「△△日分」とは、すべて「給付基礎日額」の日数のこと。以下同じ。

2 障害等級の決定①：原則と準用

被災労働者に残った障害が障害等級の第何級に該当するかは、原則として、厚生労働省令で定められている**障害等級表**1に当てはめて決定します。【原則】

障害等級表に定められていない障害については、障害等級表にある**同程度の障害**に準じて（似たような障害を基準として）、障害等級が決定されます。【準用】

1 労基
2 安衛
3 労災
4 雇用
5 徴収
6 労一
7 健保
8 国年
9 厚年
10 社一
11 横断①
12 横断②

3 障害等級の決定②：併合

（1）併合・原則

　障害については、身体の複数の箇所（部位）に複数の障害が残ることもあります。本法では、**同一の事由**（災害）により複数の障害が残ったときは、これらの障害を**併合**して、**全体として1つの障害等級を決定**することとしています。**2**

同一の事由により
複数の障害が残った

併合

全体として1つの
障害等級を決定！

　同一の事由により障害が2以上残った場合には、原則として、**重い方の障害等級**をもって全体の障害等級とします。**3** ただし、この原則によるのは、一方の障害が**第14級**である場合に限られます（例：第14級＋第10級→第10級に決定）。

（2）併合・繰上げ

　次表のように第13級以上の障害が2以上残った場合には、**重い方の障害等級**を**1級〜3級繰り上げ**て障害等級を決定します。

障害の状態	繰上げの処理
① 第13級以上の障害が2以上	**重い方を1級繰上げ**
② 第8級以上の障害が2以上	**重い方を2級繰上げ**
③ 第5級以上の障害が2以上	**重い方を3級繰上げ**

【例】
第7級 ＋ 第12級
左表①に該当 **4**
➡ 重い方(第7級)を
　1級繰り上げる
➡ 第6級 に決定

たとえば…　併合による障害等級の決定の具体例は、次のとおりです。
第4級と第14級の障害が残った ………重い方で決定　　　【第4級に決定】
第4級と第13級の障害が残った ………重い方を1級繰上げ【第3級に決定】
第4級と第8級の障害が残った ………重い方を2級繰上げ【第2級に決定】
第4級と第5級の障害が残った ………重い方を3級繰上げ【第1級に決定】

1 たとえば、障害等級表には、「両眼が失明したもの」は「第1級」、「両眼の視力（きょう正視力）が0.1以下になったもの」は「第6級」のように定められています。

2 なお、「異なる事由」により「異なる部位」に複数の障害が残った場合（全く異なる災害の場合）には、それぞれの障害について別々の障害（補償）等給付が支給されます。

3 障害が3以上残った場合には、重い方の2つの障害のみで判断します（併合において共通）。

4 「第7級」と「第12級」では、第8級以上の障害が第7級の1つしかありません。したがって、表の②には該当しません。一方、第13級以上の障害は2つありますので、表の①に該当します。

障害（補償）等給付（2）

- 加重障害とは、「同一の部位」の障害をさらに重くしたものを指します。
- 加重障害による給付額は、加重前の給付額を「差し引いた額」となります。
- 障害等級の変更の取扱いは、「年金」の受給権者にしか認められません。

1 障害等級の決定③：加重障害

さて、前レッスンで「原則と準用」「併合」を説明しましたが、ここでは障害等級の決定の方法の最後として「加重障害」について説明します。

たとえば、すでに左眼が見えない者が業務災害でさらに右眼も失明した場合など、すでに障害のあった労働者が、**新たな業務災害等**により**同一の部位**について**障害をさらに重くした（加重した）**場合には、加重障害として、その障害等級は、重くなった後（加重後）の障害の当てはまる障害等級となります。

加重障害による障害（補償）等給付の額は、加重後の障害等級に応じた額から、加重前の障害等級に応じた額を差し引いた額（差額）となります（次表）。

【例】

業務災害等で
同一の部位の障害を加重

第7級 → 第4級

新たに支給される年金額
▶ 第4級の額－第7級の額

加重障害のパターン	新たに支給される障害（補償）等給付の額
① 加重前・後の障害がともに年金（第7級以上）の場合	**単純な差額** 加重後の年金額 － 加重前の年金額 【例】加重前が第7級（131日分）、加重後が第4級（213日分） 　　　年金額＝213日分－131日分＝**82日分**
② 加重前・後の障害がともに一時金（第8級以下）の場合	**単純な差額** 加重後の一時金の額 － 加重前の一時金の額 【例】加重前が第13級（101日分）、加重後が第10級（302日分） 　　　一時金の額＝302日分－101日分＝**201日分**
③ 加重前が一時金（第8級以下）、加重後が年金（第7級以上）の障害の場合	**！注意！** 加重後の年金額 － （加重前の一時金の額÷25） **1** 【例】加重前が第8級（503日分）、加重後が第5級（184日分） 　　　年金額＝184日分－（503日分÷25）＝**163.88日分**

1 労基

2 安衛

3 労災

4 雇用

5 徴収

6 労一

7 健保

8 国年

9 厚年

10 社一

11 横断①

12 横断②

　つまり、加重障害の場合には、加重前の既存障害は補償の対象外となり、新たな業務災害等によって**障害が重くなった分（差額分）**についてのみ給付が行われます。なお、次図のように加重前の既存障害が業務災害等によるものであれば、加重前に受けていた年金は引き続き支給されます。 **2**

【例】

| 通勤災害で第7級の年金（131日分）を受けていた。 | ▶ | 新たな業務災害で同一の部位を加重し第4級となった。 | ▶ | ① 既存障害の年金（131日分）は、引き続き支給 ② 加えて**加重障害による年金として82日分を支給** |

2 障害等級の変更

　障害（補償）等**年金**を受ける者（受給権者）の障害の程度が、**自然経過的に増進し、又は軽減した場合**は、障害等級が変更され、その後は、新たな障害等級に応ずる障害（補償）等年金又は障害（補償）等一時金のみが支給されます。

　一方、障害（補償）等**一時金**を受けた者の障害の程度が自然経過的に変更した場合は、上記の対象外であり、新たな障害（補償）等給付は支給されません。 **3**

3 障害（補償）等年金の特殊な支給形態

　ちなみに、障害（補償）等**年金**には、次の2つの特殊な支給形態があります。

① **障害（補償）等年金前払一時金**……受給権者が希望すれば、次表の額を限度として、将来の年金の前払いを受けることができるというものです。 **4**

② **障害（補償）等年金差額一時金**……受給権者が早期に死亡した場合に、死亡前に支給された年金の合計額が次表の額に達していなかったときは、その差額が一定の遺族に対して支給されるというものです。

第1級	第2級	第3級	第4級	第5級	第6級	第7級
1,340日分	1,190日分	1,050日分	920日分	790日分	670日分	560日分

1 「年金額」から「一時金の額」は、単純には差し引けません。そこで、年金の平均的な受給期間が「25年」であることから、一時金の額を25で割って年金額に換算して計算します。

2 既存障害が、生まれつきの障害（先天的な障害）である場合など、業務災害等によるものでない場合には、加重障害による差額分のみ（【例】の②の額のみ）が支給されます。

3 一時金を受けた段階でその障害に対する補償がすべて終わったものと考えられるためです。

4 具体的には、表の額を限度として「200日きざみ」で額を選択します。たとえば、第7級であれば、560日分・400日分・200日分の中から受ける前払一時金の額を選択することができます。

遺族（補償）等給付（1）

- 遺族（補償）等給付には、「年金」と「一時金」があります（年金が原則）。
- 遺族の基本的な範囲は、「配偶者、子、父母、孫、祖父母、兄弟姉妹」です。
- 年金を受けるために必要なのは「生計維持要件＋年齢要件・障害要件」です。

1 遺族（補償）等給付とは？

（1）遺族（補償）等給付の種類

業務上の事由等により労働者が**死亡した場合**■には、その遺族の請求に基づいて、**遺族（補償）等給付**が支給されます。

遺族（補償）等給付は、**年金**として支給することを原則とします。その例外として、年金を受けることができる遺族が１人もいない場合には、給付基礎日額の**1,000日分**を最低保障するという趣旨で、**一時金**が支給されます。

（2）遺族の基本的な範囲

遺族（補償）等給付を受けることができる遺族の基本的な範囲と順位は、①**配偶者**（事実婚を含む。）、②**子**、③**父母**、④**孫**、⑤**祖父母**、⑥**兄弟姉妹**です。

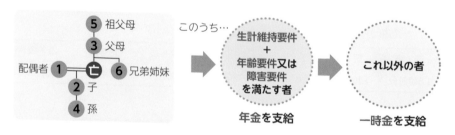

（3）「受給資格者」と「受給権者」とは？

遺族（補償）等給付を受ける資格（可能性）がある者を**受給資格者**といい、このうち実際に給付を受けることができる者を**受給権者**といいます。受給資格者には順位があり、**受給資格者のうち最先順位者のみが受給権者**となります。 **2**

1 労基
2 安衛
3 労災
4 雇用
5 徴収
6 労一
7 健保
8 国年
9 厚年
10 社一
11 横断①
12 横断②

2 遺族（補償）等年金①：受給資格者の範囲

遺族（補償）等年金の受給資格者となるためには、労働者の**死亡の当時**において、次の①②の要件を満たしていなければなりません。**3**

① 生計維持要件……**遺族全員**が必ず満たさなければならない要件です。労働者の収入によって生計の一部でも維持していれば足ります。**4**

② 年齢要件又は障害要件……**妻以外の者**が満たさなければならない要件です。なお、障害要件とは、**第5級以上の障害**がある状態等を指します。

遺族の順位・年齢要件等をまとめると、次表のとおりです。**5**

順位	遺族		生計維持要件以外の要件（年齢要件・障害要件）		
1	配偶者	妻	特になし（妻は、生計維持要件のみを満たせばよい。）		
		夫	60歳以上 又は 障害状態にある		
2	子		18歳年度末まで 又は 障害状態にある		
3	父母		60歳以上 又は 障害状態にある		
4	孫		18歳年度末まで 又は 障害状態にある		
5	祖父母		60歳以上 又は 障害状態にある		
6	兄弟姉妹		60歳以上か18歳年度末まで 又は 障害状態にある		
7	夫		55歳以上60歳未満（障害状態にない）	受給権者となっても60歳まで年金が支給停止とされる。※若年停止者という。	
8	父母		55歳以上60歳未満（障害状態にない）		
9	祖父母		55歳以上60歳未満（障害状態にない）		
10	兄弟姉妹		55歳以上60歳未満（障害状態にない）		

労働者の死亡の当時その収入により生計を維持していた「55歳の夫」、「20歳の子」、「60歳の兄」（いずれも障害状態にない。）がいる場合には、誰が遺族（補償）等年金の受給資格者となるのでしょうか？

答えは…、「夫」と「兄」が受給資格者となります。「子」は年齢要件を満たしていないため受給資格者となりません。なお、この場合は、「夫」は上表の第7順位、「兄」は第6順位の者に該当するため、最先順位者である「兄」が受給権者となります。

1 即死の場合だけでなく、業務上の事由等による傷病が悪化したことが原因で死亡した場合も含まれます（たとえば、業務上の疾病にかかり、10年後にそれが原因で死亡するなど）。

2 子が3人いる場合など、最先順位者が複数いる場合には、その全員が受給権者となります。

3 したがって、労働者が死亡した後に（たとえば、死亡してから5年後に）、一定の年齢に達したり、障害状態に該当したとしても、年齢要件・障害要件を満たしたことにはなりません。

4 生計の「一部」でも維持していれば足りるので、いわゆる「共働き」の場合も含まれます。

5 表中の「18歳年度末まで」とは、「18歳に達する日以後の最初の3月31日まで」のことです。

遺族（補償）等給付（2）

- ● 遺族（補償）等年金の額は、「遺族の数」に応じて決定されます。
- ● 遺族（補償）等年金の失権・失格事由には、「6事由」があります。
- ● 遺族（補償）等年金には、受給権が次順位者に移る「転給」の制度があります。

1 遺族（補償）等年金②：年金額

遺族（補償）等年金の額は、遺族の数に応じて次表の額となります。遺族の数は、「**受給権者の数**」＋「**受給権者と生計を同じくする受給資格者の数 1**」によって計算します。なお、**若年停止者**は、60歳に達するまで**遺族の数に含めません**。

遺族の数	年金額　（※△△日分とは、給付基礎日額の日数のこと）
1人	153日分　（55歳以上又は障害状態にある妻の場合は175日分）
2人	201日分
3人	223日分
4人以上	245日分

> 遺族の数にカウントできるのが「妻1人のみ」の場合の加算の特例

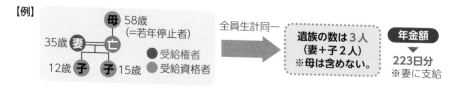

【例】

母 58歳（＝若年停止者）
35歳 妻　亡
12歳 子　子 15歳
● 受給権者
● 受給資格者

全員生計同一 → 遺族の数は3人（妻＋子2人）※母は含めない。

年金額 ▼ 223日分 ※妻に支給

なお、**受給権者が複数いる場合**には、その**人数で除して得た額**が受給権者1人あたりの支給額となります（例：受給権者が子3人の場合→年金額を3で割る。）。

2 遺族（補償）等年金③：失権・失格と転給

（1）失権・失格

遺族（補償）等年金の受給権は、受給権者が次の①〜⑥のいずれかに該当したときは消滅します（**失権**）。受給資格者の受給資格も同様に喪失します（**失格**）。

① **死亡**した

② **婚姻**をした（事実婚を含む。）

③ **直系血族又は直系姻族以外の者**の養子となった（事実上の養子を含む。）

1 労基
2 安衛
3 労災
4 雇用
5 徴収
6 労一
7 健保
8 国年
9 厚年
10 社一
11 横断①
12 横断②

> 直系血族……ここでは自分と血縁関係にある真上の世代のこと（父母・祖父母など）
> 直系姻族……直系血族の配偶者（父母の再婚相手など）及び配偶者の直系血族（配偶者の父母など）のこと　**これらの者の養子 → 失権しない**

④ **離縁**（養子縁組の解消）によって、死亡労働者との親族関係が終了した

⑤【**子、孫又は兄弟姉妹の場合**】**18歳年度末が終了した**（労働者の死亡当時から引き続き障害要件を満たしているときを除く。）

⑥【**妻以外の遺族の場合**】障害要件を満たす者が**障害状態に該当しなくなった**（労働者の死亡当時から引き続き年齢要件を満たしているときを除く。）

（2）転給（てんきゅう）とは？

　受給権者（すべての最先順位者）が**失権**すると、遺族（補償）等年金の受給権は、次順位者を最先順位者として**次順位者に移り**ます。これを**転給**といい、**労災保険に特有の制度**です。転給は年金の受給資格者が存在する限り、行われます。**2**

3 その他の遺族（補償）等給付

（1）遺族（補償）等年金前払一時金

　受給権者が希望すれば、**給付基礎日額の1,000日分を限度**に（200日きざみで額を選択する。）、将来の年金の前払いを受けることができるというものです。

（2）遺族（補償）等一時金

　年金の受給資格者が**1人もいない**ときに、一定の遺族**3**に給付基礎日額の**1,000日分**が支給されるものです。また、年金の受給権者がいた場合でも、すべての受給権者が失権し、他に受給資格者がなく、すでに受けた年金の合計額が1,000日分に達していないときは、その**差額が支給**されます。**4**

1「生計を同じくする」とは、1個の生計単位の構成員であること（同居など）を指します。

2 たとえば、受給権者である妻が再婚等により失権したときに、18歳年度末までの間にある子がいれば、子に受給権が移ります。国民年金や厚生年金保険にはない、本法に特有の制度です。

3 年金の年齢要件を満たしていない「55歳未満の夫、父母、祖父母、兄弟姉妹」や「18歳年度末が終了した子・孫・兄弟姉妹」などが遺族（補償）等一時金の支給対象となります。

4 たとえば、年金の受給権者である妻が、年金200日分のみを受けて再婚して失権した場合に、他に年金の受給資格者がないときは、1,000日分－200日分＝800日分の一時金が支給されます。

労災 ▶ 理解度 Check!

該当レッスン	Let's チャレンジ ○×問題・穴うめ問題
Lesson 1 労働者災害補償保険法の目的等	**○×** **1** 労災保険は、公務員を含めた労働者を1人でも使用する事業に適用される。
	穴うめ **2** 労災保険は、業務上の事由、複数事業労働者の（A）を要因とする事由又は通勤による労働者の負傷、疾病、（B）、死亡等に対して迅速かつ（C）な保護をするため、必要な保険給付を行う。
Lesson 2・3 業務災害と通勤災害	**○×** **3** 昼食休憩中については、業務遂行性は認められない。
	○× **4** 労働者が業務時間中にトイレに行き、トイレのドアに指が挟まれて負傷した場合には、業務上の災害と認められる。
	○× **5** 厚生労働省令で定める就業の場所から他の就業の場所についても、通勤災害保護制度の対象となる通勤に該当する。
	穴うめ **6** 逸脱又は中断が、（D）であって厚生労働省令で定めるものをやむを得ない事由により行うための（E）のものである場合は、当該逸脱又は中断の間を除き、その後の移動は通勤と認められる。
Lesson 4・5 傷病に関する保険給付	**○×** **7** 療養の給付とは、指定病院等で治療を受けた際の現金給付である。
	○× **8** 休業補償給付を受けるためには、通算して4日間の待期期間を満たすことが必要とされる。
	穴うめ **9** 傷病補償年金は、療養の開始後（F）を経過した日において、傷病による障害の程度が（G）に該当する場合等に支給される。
Lesson 6・7 障害（補償）等給付	**○×** **10** 障害等級が第7級の場合には、障害補償一時金の支給対象となる。
	○× **11** 同一の事由により、障害等級の第11級と第6級に該当する程度の障害が残った場合には、その者の障害等級は第4級に決定される。
	穴うめ **12** すでに障害のあった労働者が、新たな業務災害等により（H）について、障害をさらに重くすることを加重障害という。
Lesson 8・9 遺族（補償）等給付	**○×** **13** 遺族補償年金は、労働者の配偶者の父母に対しては支給されない。
	○× **14** 遺族補償年金を受けることができる遺族が60歳の妻のみである場合の当該遺族補償年金の額は、給付基礎日額の175日分である。
	穴うめ **15** 遺族補償年金の受給権は、その受給権者が（I）又は（J）以外の者の養子となったときは、消滅する。

解答 **1** ✕ 公務員は含めない。公務員が勤務する官公署の事業は適用除外とされている。 **2** (A) 2以上の事業の業務 (B) 障害 (C) 公正 **3** ✕ 業務遂行性は認められる。 **4** ○ **5** ○ **6** (D) 日常生活上必要な行為 (E) 最小限度 **7** ✕ 「現物」給付である。 **8** ✕ 待期期間は「3日間」である。 **9** (F) 1年6ヵ月 (G) 傷病等級 **10** ✕ 障害補償「年金」である。 **11** ✕ 「第5級」に決定される。 **12** (H) 同一の部位 **13** ○ **14** ○ **15** (I) 直系血族 (J) 直系姻族

第4章

雇用保険法

・この科目の体系樹
・この科目の特徴／ここだけチェック！！

概要

現在の雇用保険の給付は、①失業、②雇用の継続が困難となる事由の発生、③職業に関する教育訓練の受講、④子を養育するための休業及び所定労働時間を短縮することによる就業（育児休業等）に対して、幅広く支給されます。①〜③については「失業等給付」、④については「育児休業等給付」の支給対象となっています。

枝葉

雇用保険の適用を受けるのは、適用事業に雇用される労働者ですが、**年齢**や**就労形態**により、次の4種類に分類されます。それぞれ、支給される求職者給付が異なります。

①**一般被保険者**……②〜④に該当しない者です。一般の労働者が該当します。**基本手当**などが支給されます。

②**高年齢被保険者**……65歳以上の者です。就労形態は、一般被保険者と同じです。**高年齢求職者給付金**が支給されます。

③**短期雇用特例被保険者**……季節的に雇用される者で、出稼ぎ労働者等が該当します。**特例一時金**が支給されます。

④**日雇労働被保険者**……日々雇用される者と30日以内の期間雇用の者が該当します。**日雇労働求職者給付金**が支給されます。

幹

罰則
時効
不服申立て等
適用事業
費用
適用除外
雇用保険の適用
被保険者の定義等

土

雇用保険法の前身である、「失業保険法」が施行されたのは昭和22年です。当初は、戦後の混乱期の失業者救済策として、「失業」した場合にだけ給付が行われました。昭和50年に雇用保険法に改称され、平成7年には雇用継続給付が創設され、失業以外の事故にも給付を行うようになりました。その後、さらに教育訓練給付や就業促進手当の創設などにより、現在では、**雇用に関する総合的な保険制度**となっています。

根

雇用保険事業とは、**失業等給付及び育児休業等給付**と雇用保険二事業の総称です。失業等給付及び育児休業等給付は、労働者の「**生活及び雇用の安定**」を図り、「**就職を促進する**」ことを目的としています。一方、雇用保険二事業は、「職業の安定」に資するため、**雇用安定事業及び能力開発事業**を通じて、失業の予防、雇用状態の是正などを図ることを目的としています。これらの事業を総合的に行うことにより、労働者が安心して働くことができる環境を保障します。

雇用保険の給付には、失業等給付及び育児休業等給付（失業等給付等）があります。

●**失業等給付**➡大きく分けて4種類あり、それぞれの支給の目的は次のとおりです。

①**求職者給付**………失業した者の所得を保障します。**基本手当**が中心です。

②**就職促進給付**……失業した者の早期の再就職を援助し、促進します。

③**教育訓練給付**……職業能力開発・向上のための訓練費用について、援助を行います。

④**雇用継続給付**……高齢や介護休業による賃金低下・喪失に対する給付です。

●**育児休業等給付**➡育児休業や育児時短就業による賃金低下・喪失に対する給付です。

失業等給付

① 求職者給付　② 就職促進給付

③ 教育訓練給付　④ 雇用継続給付

育児休業等給付

被保険者　　保険者　政府

目　的

●失業した場合などに必要な給付を行って、労働者の生活及び雇用の安定を図る。

●職業の安定のため、失業の予防、雇用状態の是正、雇用機会の増大、能力の開発・向上、福祉の増進を図る。

景気の変動　高齢化

女性の社会進出　要介護者の増加

職業能力の開発・向上

届出等

雇用安定事業

雇用保険二事業　　能力開発事業

給付の通則

返還命令等

給付制限

徴収法　労働保険

配点 (➡ P18) (出題数)	◆ 選択式〔40点満点中〕**5点** ◆ 択一式〔70点満点中〕**7点** (徴収3点とセットで出題)	
難易度	易しい〜普通	学習比重度 (➡ P16) ★★★★☆

給付の種類が多いことなどから、苦手意識を持つ人も多い科目です。しかし、給付のうち、基本手当をしっかりと理解することができれば、他の給付を理解することはそれほど難しくありません。数字要件を主体とした基本事項が出題の中心となっているため、得点源にすることも可能です。

本編で取り上げていない 項目・用語の 『ここだけチェック!!』

ここでは、前ページの体系樹を補完するものとして、本編で取り上げていない「その他の項目」や「用語」について、概要と押さえてほしいポイントを示しています。

☑ 返還命令・納付命令

雇用保険では、不正受給が多い傾向にあるため、政府は、不正受給者に対し、不正受給額の返還命令のほか、**不正受給額の2倍相当額以下の金額の納付命令**ができることとされています。また、**事業主、職業紹介事業者等、募集情報等提供事業を行う者又は指定教育訓練実施者**が不正受給に加担している場合には、これらの者に対し、不正受給者と**連帯**して、返還・納付を命ずることができます。

政府

① 返還命令 +
② 納付命令 (不正受給額の2倍以下)

いわゆる『3倍返し』の命令が可能

 不正受給者

 事業主等

偽りの届出、報告・証明 (不正に加担)

連帯

☑ 基本手当の延長給付

基本手当は、所定給付日数 (➡ P125) を限度に支給されます。しかし、再就職が難しい状況等にある者に対しては、**所定給付日数を超えて引き続き基本手当が支給**されます。これが基本手当の延長給付であり、次の5種類があります。

延長給付の種類	延長給付が行われる場合	延長日数の限度
①訓練延長給付	公共職業訓練等を受ける	訓練待期中90日　受講中2年 訓練終了後30日
②広域延長給付	広域職業紹介活動が行われる	90日
③全国延長給付	失業状況が全国的に悪化した	90日
④個別延長給付	災害等により離職した	原則60日（激甚災害では120日等）
⑤地域延長給付	雇用機会不足の地域に居住する	60日（一定の者は30日）

超えて支給

所定給付日数	延長給付

- 延長給付の日数分だけ受給期間も延長される。
- 優先順位は、『個別・地域→広域→全国→訓練』の順。

☑ その他の求職者給付（一般被保険者以外）

　3種類の給付があり、その対象者と支給額の概要は、次のとおりです。

高年齢求職者給付金 ➡ P307	高年齢被保険者が失業した場合に、基本手当日額の30日分又は50日分（1年以上勤務の場合）を一時金として支給するもの
特例一時金	短期雇用特例被保険者が失業した場合に、基本手当日額の40日分（法本来は30日分）を一時金として支給するもの
日雇労働求職者給付金 （普通給付）➡ P308	日雇労働被保険者が失業した場合に、1ヵ月につき、所定の日額（最高で7,500円）の13日分〜17日分を支給するもの

知っておこう 人の年齢に関する計算（全科目共通）

　ある年齢に「達した日」とは、「誕生日の前日」を指します。これは、一般法である年齢計算に関する法律で「年齢は出生の日より起算する」とされているためです。
　たとえば、令和6年4月1日に生まれた人が満1歳に達するのは、4月1日から起算して365日目が終了する時間、つまり令和7年3月31日の午後12時となります。したがって、人は、その誕生日の前日に満△△歳に達することになります。

雇用保険法の目的等

- 雇用保険の保険事故には、失業を含めて「4種類」があります。
- 給付には、失業等給付（大きく4種類ある。）及び育児休業等給付があります。
- 雇用保険は、「労働者」を1人でも雇用する事業に強制的に適用されます。

1 雇用保険の目的とは？

　失業は、労働者の生活の糧である所得の喪失及び生活の困窮をもたらすものです。本法は、**失業した労働者の所得を保障する**ことを主たる目的としています。

　現在の雇用保険制度は、**政府が保険者**（運営主体）となって、失業した場合のみならず、次の**4種類の保険事故**に対して必要な給付を行っています。

❶ 失業した **❷** 雇用の継続が困難となる事由が生じた **❸** 教育訓練を受けた **❹** 子を養育するための休業・時短就業をした 改正

① **失業した場合**……中心となる保険事故です。所得保障給付である**求職者給付**や早期の再就職を援助・促進するための**就職促進給付**が支給されます。

② **雇用の継続が困難となる事由が生じた場合**……高齢期や介護休業期間中の賃金の低下・喪失を、失業に準じた事故（放置すると失業に結びつきかねない事故）と捉えたものです。**雇用継続給付**が支給されます。

③ **教育訓練を受けた場合**……職業能力の開発・向上により失業を回避することに主眼を置いた保険事故です。**教育訓練給付**が支給されます。

④ **子を養育するための休業・時短就業をした場合**……育児休業や育児時短就業（所定労働時間を短縮することによる就業）の期間中の賃金の低下・喪失を、失業に準じた事故と捉えたものです。**育児休業等給付**が支給されます。 改正

たとえば…

　本法における「失業」とは、被保険者が離職し、「労働の意思及び能力」を有するにもかかわらず、「職業に就くことができない状態にある」ことをいいます。労働の意思とは、就職しようとする積極的な意思のことで、労働の能力とは、労働に従事し得る精神的・肉体的・環境的な能力のことです。
　就職をしていない状態でも、積極的に求職活動をしていない場合などは「労働の意思がない」ものとして、失業とは認定されません（単なる無職）。

1 労基
2 安衛
3 労災
4 雇用
5 徴収
6 労一
7 健保
8 国年
9 厚年
10 社一
11 横断①
12 横断②

2 雇用保険の給付の全体像

雇用保険の給付には、**失業等給付**及び**育児休業等給付** 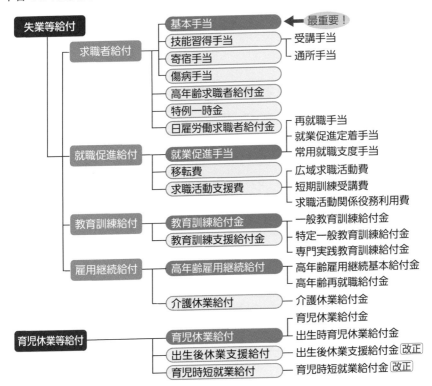 があります。以下、本書では、重要度の高い次図で ▭ としている給付を中心に説明していきます。

失業等給付
- 求職者給付
  - 基本手当 ← 最重要！
  - 技能習得手当 ── 受講手当／通所手当
  - 寄宿手当
  - 傷病手当
  - 高年齢求職者給付金
  - 特例一時金
  - 日雇労働求職者給付金
- 就職促進給付
  - 就業促進手当 ── 再就職手当／就業促進定着手当／常用就職支度手当
  - 移転費
  - 求職活動支援費 ── 広域求職活動費／短期訓練受講費／求職活動関係役務利用費
- 教育訓練給付
  - 教育訓練給付金 ── 一般教育訓練給付金／特定一般教育訓練給付金
  - 教育訓練支援給付金 ── 専門実践教育訓練給付金
- 雇用継続給付
  - 高年齢雇用継続給付 ── 高年齢雇用継続基本給付金／高年齢再就職給付金
  - 介護休業給付 ── 介護休業給付金

育児休業等給付
- 育児休業給付 ── 育児休業給付金／出生時育児休業給付金
- 出生後休業支援給付 ── 出生後休業支援給付金 [改正]
- 育児時短就業給付 ── 育児時短就業給付金 [改正]

3 雇用保険の適用事業

雇用保険は、**労働者を１人でも雇用する事業** 2 であれば、自動的かつ強制的に適用されます（**強制適用事業**）。

ただし、当分の間、**常時５人未満**の労働者を雇用する**個人経営**の**農林水産の事業**については、雇用保険の適用が、強制とはされず、事業主の任意（加入には**労働者の２分の１以上の同意が必要**）とされています（**暫定任意適用事業**）。3

1 収支を区分する観点から育児休業等給付は失業等給付から独立した給付となっています。

2 本法は、「企業」単位ではなく、「事業」単位で適用されます。

3 ただし、水産業のうち「船員が雇用される事業」は、労働者の人数にかかわらず、強制適用事業となります。なお、暫定任意適用事業の範囲は、労災保険よりも「広い」です。

被保険者

- 被保険者とは、保険制度の適用を受けて「保険される者」をいいます。
- 雇用保険の被保険者は、「4種類」です。まず、名称を覚えましょう。
- 本法が適用されないという適用除外者は、「6種類」です。

1 雇用保険の被保険者の種類等

被保険者とは、保険制度によって「保険される者」のことです。すなわち、保険料を支払い、保険事故が発生したときに、給付が行われる者をいいます。

雇用保険の被保険者には、「**適用事業に雇用される労働者**であって、適用除外者以外のもの」が該当します。さらに雇用保険では、**就労形態や年齢**に応じて必要な給付 **1** を行うため、被保険者を次の**4種類**に分けています。

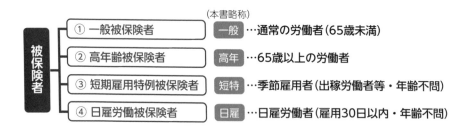

① **一般**……②～④以外の被保険者です。65歳未満である通常の労働者のほとんどがこれに該当します。

② **高年**……65歳以上の被保険者（③④を除く。）です。 **2**

③ **短特**……季節的に雇用される者のうち、**4ヵ月を超える期間**を定めて雇用され、週所定労働時間が**30時間以上**であるもの（④を除く。）が該当します。

④ **日雇**……日雇労働者（日々雇用される者又は30日以内の期間を定めて雇用される者）であって、**一定の地理的条件 3** を満たすものが該当します。

★パートタイム労働者（短時間就労者）等の適用

31日以上雇用される見込みがあり、かつ、週所定労働時間が**20時間以上**であれば、被保険者となります。なお、派遣労働者についても同様です。

1 労基
2 安衛
3 労災
4 雇用
5 徴収
6 労一
7 健保
8 国年
9 厚年
10 社一
11 横断①
12 横断②

★法人の代表者等の適用

　株式会社の代表取締役及び個人事業主は、**被保険者となることがありません。**一方、その他の役員等は、労働者的性格が強い場合等は、**被保険者となり得ます。**

★2以上の事業主の適用事業に雇用される者の適用

　その者が生計を維持するのに必要な**主たる賃金を受ける一の雇用関係**についてのみ被保険者となります（いわゆる在籍出向の場合などがこれに該当する。）。

★高年齢被保険者の特例（特例高年齢被保険者）

　65歳以上の複数就業者は、2つの適用事業の週所定労働時間が**合計20時間以上**であるときは、**厚生労働大臣に申し出て**高年齢被保険者となることができます。

2 適用除外者

　次表①〜⑥の者には、本法が適用されません。これを**適用除外者**といいます。

適用除外者	被保険者となる場合
① 週所定労働時間が**20時間未満**である者	・①②の者は日雇にはなり得る ・①の者は特例高年齢被保険者にはなり得る ・②の者が前2ヵ月の各月に18以上雇用された場合
② 継続して**31日以上雇用されることが見込まれない者**	
③ **季節的に雇用される者**で次のいずれかに該当するもの 　ア　**4ヵ月以内**の期間を定めて雇用される者 　イ　週所定労働時間が**20時間以上30時間未満**の者	・日雇にはなり得る ・アの者が所定の期間を超えて引き続き雇用される場合
④ 学校教育法に規定する学校等の**学生等**（昼間学生等）	休学中の者、定時制の在学者等
⑤ 船員法の船員で、政令で定める**漁船**に乗り組む者	1年を通じて雇用される場合
⑥ 国、都道府県、市町村その他これらに準ずるものの事業に雇用される者のうち、一定の者（＝**公務員**）	都道府県・市町村等の場合は、適用除外の承認がないとき

主な要件をまとめてみると…

	一般	高年	短特	日雇
年　齢	65歳未満	65歳以上	不問	不問
労働時間	20時間以上	20時間以上	30時間以上	不問
雇用期間	31日以上	31日以上	4ヵ月超	30日以内

1 失業した場合の給付（求職者給付）として、①一般＝基本手当など、②高年＝高年齢求職者給付金、③短特＝特例一時金、④日雇＝日雇労働求職者給付金がそれぞれ支給されます。

2 65歳以後に新たに雇用される者（転職した者等）も高年齢被保険者に該当します。

3 公共職業安定所を日々利用することができる地理的環境にあることが、日雇労働被保険者となるための基本的条件となっています。保険料が掛捨てとならないようにするための制限です。

基本手当 (1)

Point

- ◉ 基本手当は、「5つ」の「△△期間」を理解することが重要です。
- ◉「特定受給資格者・特定理由離職者」には、有利な措置が適用されます。
- ◉ 受給資格は「算定対象期間」に一定の「被保険者期間」があれば発生します。

1 基本手当を理解するポイント（5つの期間）

　基本手当は、本法の中核となる給付です。その内容は多岐にわたっていますが、次の5つの期間を理解する（用語に慣れる）ことがポイントとなります。

① **算定対象期間**……基本手当を受けることができる資格（**受給資格**）の有無の判断の対象となる期間（原則、離職の日以前**2年間**）のことです。

② **被保険者期間**……原則として、**賃金の支払いの基礎となった日数**が11日以上である期間（月）のことです。本法における**独自の概念**です。

③ **算定基礎期間**……**被保険者であった期間**（雇用期間）のことです。この期間の長短により基本手当の日数（所定給付日数）が決定されます。

④ **待期期間**……誰にも基本手当が支給されない期間（**7日間**）のことです。

⑤ **受給期間**……基本手当の受給が可能な期間（原則**1年間**）のことです。

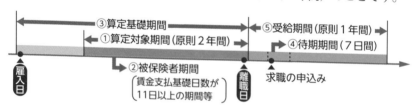

2 特定受給資格者と特定理由離職者

　事業主都合で離職せざるを得なかった者などは**特定受給資格者**又は**特定理由離職者**に該当し、**基本手当の受給資格要件が緩和**されるなど、一般の受給資格者より有利な措置が適用されます。主な要件（要件は細かい。）は、次のとおりです。

特定受給資格者	① 事業の倒産、縮小、廃止等により離職した者 ② 解雇等により離職した者
特定理由離職者	① いわゆる雇止めにより離職した者 ② 正当な理由のある自己都合により離職した者

1 労基

2 安衛

3 労災

4 雇用

5 徴収

6 労一

7 健保

8 国年

9 厚年

10 社一

11 横断①

12 横断②

3 基本手当の受給資格等

（1）基本手当の受給資格

基本手当は、**一般被保険者**が失業した場合に、次の要件を満たすときに支給されます。なお、下記②の者は、原則又は特例のいずれか一方を満たせば足ります。

原則	① 一般の受給資格者	離職の日以前**2年間**（算定対象期間）に**被保険者期間**が通算して**12ヵ月以上**であること
特例	② 特定受給資格者・特定理由離職者	離職の日以前**1年間**（算定対象期間）に**被保険者期間**が通算して**6ヵ月以上**であること

（2）算定対象期間とは？

受給資格の有無の判断の対象となる期間を**算定対象期間**といいます。具体的には、前記**（1）**の離職の日以前**2年間**（特例の場合は**1年間**）のことです。

なお、算定対象期間には、次の延長措置（過去にさかのぼる延長）があります。

> その期間内に疾病、負傷等の理由により引き続き30日以上賃金の支払いを受けることができなかった期間がある場合

延長

> その日数を加算した期間が算定対象期間となる（加算後の期間は**4年間**が限度）

（3）被保険者期間とは？

本法の**被保険者期間**とは、単に被保険者として雇用されていた期間（被保険者であった期間）のことではありません。被保険者であった期間を離職の日よりさかのぼって**1ヵ月**ごとに区切り、その区切った各期間のうち**賃金支払基礎日数**が**11日以上**であった期間が、被保険者期間**1ヵ月**としてカウントされます。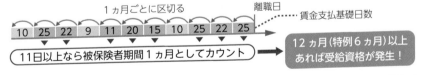

また、上記の計算による被保険者期間が**12ヵ月**（特例の場合は**6ヵ月**）に満たない場合は、賃金の支払いの基礎となった**時間数**が**80時間以上**であった期間についても、被保険者期間**1ヵ月**としてカウントされます。

> **1** したがって、特定受給資格者又は特定理由離職者に該当する者は、最短で**6ヵ月間**雇用されれば、基本手当の受給資格が発生する可能性があります。
>
> **2** 結局、受給資格の有無を判断する手順は、「①離職の日から原則として2年間さかのぼり→②その期間を1ヵ月ごとに区切り→③被保険者期間が何ヵ月なのかをカウントする。」となります。

雇用
Lesson
4

基本手当（2）

- 失業の認定は「4週間に1回ずつ直前の28日の各日」について行われます。
- 待期期間は、「通算して7日間」であり、基本手当は支給されません。
- 受給期間は、「離職の日の翌日から起算して原則1年間」です。

1 基本手当の受給手続の流れ

（1）受給手続の流れ

　基本手当の受給手続の流れは、次のとおりです。なお、以下「**所轄──**」とは、**事業所の所在地**を、「**管轄──**」とは**本人の居住地**を管轄するという意味です。

① 事業主は、被保険者が離職した場合には、**10日以内**に、被保険者資格喪失届に**離職証明書**（離職理由、賃金額等が記載してある。）を添付して、**所轄**公共職業安定所長に提出しなければなりません。

② **所轄**公共職業安定所長は、**離職票**を離職した者に交付しなければなりません（事業主を経由して交付することができる。）。

③ 離職した者は、**管轄**公共職業安定所に出頭し、**求職の申込み**をした上で、離職票を提出し、**受給資格の決定**を受けなければなりません。なお、基本手当の受給資格を有する者を**受給資格者**といいます。

④ **管轄**公共職業安定所長は、受給資格の決定をした場合は、失業の認定日を定め、その者に知らせるとともに**受給資格者証**（所定給付日数等が記載してある。）を交付しなければなりません。

⑤ 受給資格者は、**失業の認定日**に出頭し、受給資格者証を添えて失業認定申告書を提出し、職業の紹介を求めなければなりません。失業の認定を受けると、その日数分の基本手当が支給されます。

（2）失業の認定

　失業の認定とは、失業という保険事故を確認し、確定させる処分のことです。失業の認定は、管轄公共職業安定所において、受給資格者が**離職後最初に出頭した日から起算して4週間に1回ずつ直前の28日の各日**について行われます。

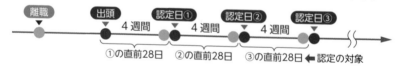

失業の認定日に出頭しなかった場合には、原則として、その認定日の直前の28日のすべての日について、失業の認定は行われません。 **2**

2 待期期間とは？

　待期期間とは、基本手当の濫用（らんよう）を防ぐこと等を目的として、誰に対しても基本手当が支給されない期間をいいます。離職後最初に公共職業安定所に**求職の申込みをした日以後の通算して7日間の失業している日 3** がこれに該当します。

3 受給期間とは？

　受給期間とは、基本手当を受けることができる期間のことです。この期間が経過した場合には、たとえ所定給付日数が残っていたとしても、基本手当を受けることはできなくなります。具体的な受給期間は、次表のとおりです。

下記以外の者（原則）	離職の日の翌日から起算して1年
所定給付日数が360日である者	離職の日の翌日から起算して「1年＋60日」
所定給付日数が330日である者	離職の日の翌日から起算して「1年＋30日」

　なお、受給期間には、次の延長措置（将来に向けての延長）があります。 **4**

受給期間内に妊娠、出産、疾病、負傷等の理由により引き続き30日以上職業に就くことができない期間がある場合	延長 →	本人の申出によりその日数分、受給期間を延長（延長後の期間は4年間が限度）

たとえば…

　受給期間の始期は「**離職の日の翌日**」です。「最初に出頭した日（求職の申込みの日）」ではありません。したがって、求職の申込みが遅れれば遅れるほど、実際に基本手当を受けることができる期間は短くなります。
　なお、離職後出頭するまでの期間も考慮して、所定給付日数が多い者（360日・330日）については、初めから受給期間が長く設定されています。

1 本人の希望で、個人番号カードを提示して受給資格の決定を受け、受給資格通知が交付された者は、個人番号カードの提示等により失業の認定を受けることができます（受給資格者証の添付は不要）。

2 なお、例外として、一定の事由（面接を受ける、公共職業訓練等を受ける、天災など）がある場合は、証明書によって次回の認定日に認定を受けることや認定日の変更が認められています。

3 「疾病又は負傷のため職業に就くことができない日」も待期期間に含まれます。

4 このほかにも、60歳以上の定年等による離職者が離職後一定の期間求職の申込みをしないことを希望して申し出た場合は、1年を限度に受給期間を延長することができる措置等もあります。

1 労基
2 安衛
3 労災
4 雇用
5 徴収
6 労一
7 健保
8 国年
9 厚年
10 社一
11 横断①
12 横断②

雇用 Lesson 5

基本手当 (3)

Point →

- 賃金日額は、過去「6ヵ月間」を対象として計算します。
- 基本手当の日額は、原則「賃金日額×50%〜80%」によって決定します。
- 所定給付日数は、「最低90日〜最高360日」の範囲で定められています。

■ 基本手当の支給額はいくらになるのか?

(1) 基本手当の支給額の考え方

失業者であれば、「基本手当は、いくらもらえるのか?」は、最も気になるところでしょう。これについては、次の3段階の考え方によります。

> **1 賃金日額を計算する**
> (過去6ヵ月間の賃金の平均額)
>
> **2 基本手当の日額を決定する**
> (原則、賃金日額×50%〜80%)
>
> **3 所定給付日数を限度に支給する**
> (最低90日〜最高360日)

(2) 賃金日額とは?

賃金日額とは、基本手当の日額の算定の基礎となるものです。労働基準法の平均賃金と似ていますが、計算期間などが独特です。次のように計算します。■

$$賃金日額 = \frac{被保険者期間として計算された最後の6ヵ月間の賃金総額■}{180}$$

(3) 基本手当の日額とは?

賃金日額をそのまま1日あたりの基本手当の額にすると、給付水準が割高となり、再就職への意欲が阻害されかねません。そこで、実際に支給される**基本手当の日額**は、次のように「**賃金日額×一定の率■**」によって決定されます。

① 離職の日に60歳未満の者……「**賃金日額×50%〜80%**」
② 離職の日に60歳以上65歳未満の者……「**賃金日額×45%〜80%**」

■ 基本手当の所定給付日数

所定給付日数とは、基本手当の支給の限度となる日数のことです。これが何日となるかは、離職の日における年齢・算定基礎期間(被保険者であった期間)の長短、離職理由などに応じて、次表①〜③のように定められています。

① 一般の受給資格者（下記②③以外の者）：自己都合の離職者等が該当

算定基礎期間 年齢	10年未満	10年以上 20年未満	20年以上
全年齢	90日	120日	150日

② 就職困難者：障害者等が該当（離職理由は不問）

算定基礎期間 年齢	1年未満	1年以上
45歳未満	150日	300日
45歳以上65歳未満		360日

③ 特定受給資格者（上記②以外の者）：事業主都合の離職者等が該当

算定基礎期間 年齢	1年未満	1年以上 5年未満	5年以上 10年未満	10年以上 20年未満	20年以上
30歳未満	90日	90日	120日	180日	——
30歳以上35歳未満		120日	180日	210日	240日
35歳以上45歳未満		150日	180日	240日	270日
45歳以上60歳未満		180日	240日	270日	330日
60歳以上65歳未満		150日	180日	210日	240日

3 基本手当の給付制限

次の①〜③の場合には、それぞれに定める期間、基本手当は支給されません。

① **就職拒否・職業訓練拒否**……公共職業安定所の紹介による就職又は公共職業安定所長の指示による公共職業訓練等の受講を拒んだとき➡**1ヵ月間**

② **職業指導拒否**……公共職業安定所が行う職業指導を受けることを拒んだとき➡**1ヵ月を超えない範囲内で公共職業安定所長の定める期間**

③ **離職理由による給付制限**……**自己の責めに帰すべき重大な理由**によって解雇され、又は**正当な理由がなく自己都合により離職**したとき➡**待期期間満了後1ヵ月以上3ヵ月以内の間で公共職業安定所長の定める期間**

1 なお、賃金日額には、上限額と下限額が定められています。上限額は年齢に応じて定められており、最高額は1万7,000円程度、下限額は一律2,700円程度です（この額は毎年変わる。）。

2 賃金総額からは、「臨時に支払われる賃金」と「3ヵ月を超える期間ごとに支払われる賃金」は除かれます。ボーナスなどを含めてしまうと賃金日額が高くなりすぎてしまうためです。

3 一定の率は、低所得者の保護を手厚くするため、賃金日額が低いほど高い率となっています。

4 令和9年3月31日まで 改正 に離職した特定理由離職者（正当な理由のある自己都合離職者を除く。）についても、表③の所定給付日数となります。

1 労基
2 安衛
3 労災
4 雇用
5 徴収
6 労一
7 健保
8 国年
9 厚年
10 社一
11 横断①
12 横断②

就職促進給付・教育訓練給付（1）

- 再就職手当は、基本手当の「受給資格者」のみを支給対象とします。
- 常用就職支度手当は、「受給資格者等で就職が困難な者」に支給されます。
- 教育訓練給付には、「教育訓練給付金」と「教育訓練支援給付金」があります。

1 就職促進給付の種類

就職促進給付の種類は、次図のとおりです。その中心となる**就業促進手当**は、基本手当をすべて受ける前の**早期再就職**に対する「**奨励金**」のような給付です。

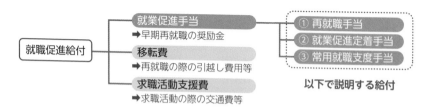

2 就業促進手当（3種類）の主な支給要件と支給額

（1）再就職手当

再就職手当は、基本手当の**受給資格者**が、安定した職業（**1年を超える常用型の職業**）に就いた場合に、次表の額を**一時金**として支給するものです。

主な支給要件は、①**支給残日数**が所定給付日数の**3分の1以上**であること、②**待期期間の経過後**に職業に就き、又は**事業を開始**したこと等です。

支給残日数	再就職手当の額
① 3分の1以上3分の2未満の場合	基本手当日額×支給残日数×60%
② 3分の2以上の場合（早期再就職者）	基本手当日額×支給残日数×70%

（2）就業促進定着手当

就業促進定着手当は、**再就職手当の支給を受けた者**（事業の開始による者は対象外）に対して追加的に支給される給付です。再就職の日から**引き続き6ヵ月以上雇用**され、再就職後6ヵ月間の賃金日額が離職前の賃金日額よりも**低下した場合**に、「**基本手当日額×支給残日数×20% 改正**」を**限度**として、低下した賃金（差額）の**6ヵ月分**が**一時金**として支給されます。

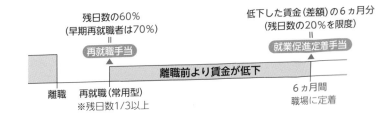

1 労基
2 安衛
3 労災
4 雇用
5 徴収
6 労一
7 健保
8 国年
9 厚年
10 社一
11 横断①
12 横断②

（3）常用就職支度手当

　常用就職支度手当は、再就職手当の支給対象とならない**受給資格者等 3** であって、**就職が困難な者**（障害者や一定の要件に該当する45歳以上の者等が該当する。）が、安定した職業（**1年以上の常用型の職業**）に就いた場合に、原則として、「**基本手当日額×90×40％**」を**一時金**として支給するものです。

　主な支給要件は、①支給対象者が基本手当の受給資格者である場合には、**支給残日数が所定給付日数の3分の1未満**であること、②**待期期間の経過後**に職業に就いたこと（事業の開始は、支給要件に含まれていない。）等です。

3 教育訓練給付の種類と対象となる教育訓練

　教育訓練給付には、教育訓練の受講費用の一定割合を支給する**教育訓練給付金**と失業者の所得保障として支給する**教育訓練支援給付金**（暫定措置）があります。また、**厚生労働大臣が指定**する次の教育訓練を対象としています。**4**

①一般教育訓練	雇用の安定及び就職の促進を図るために必要な職業に関する教育訓練（②③を除く。）
②特定一般教育訓練	速やかな再就職及び早期のキャリア形成に資する教育訓練（③を除く。） ➡訓練前キャリアコンサルティングの受講が必要
③専門実践教育訓練	中長期的なキャリア形成に資する専門的かつ実践的な教育訓練 ➡訓練前キャリアコンサルティングの受講が必要

1 再就職手当及び就業促進定着手当の支給を受けた場合は、「その支給額÷基本手当日額」に相当する日数分の「基本手当の支給を受けた」ものとみなされます（常用就職支度手当にはない取扱い）。

2 支給残日数とは、所定給付日数から就職の日の前日までにすでに支給を受けた（及び受けたものとみなされた）基本手当の日数を差し引いた残余の基本手当の日数のことです（以下同じ。）。

3 ①受給資格者、②高年齢受給資格者（高年齢被保険者であった者）、③特例受給資格者（短期雇用特例被保険者であった者）、④日雇受給資格者（日雇労働被保険者であった者）のことです。

4 訓練期間は①②が「1年以内」、③が「原則1年以上3年以内」です。②は①のうち、特にキャリアアップ効果が高い訓練、③は看護師の養成課程など中長期に及ぶ訓練というイメージです。

就職促進給付・教育訓練給付（2）

Point
- 教育訓練の種類（一般・特定一般・専門実践）に応じて、給付率が異なります。
- 専門実践教育訓練給付金は、最大で受講費用の80％が支給される場合があります。
- 教育訓練支援給付金は、専門実践教育訓練を受講する失業者に対して支給されます。

1 教育訓練給付の支給対象者（教育訓練給付対象者）

次の①②に該当する者が対象です。教育訓練給付金は、教育訓練を修了した場合に支給要件期間が一定以上である等の要件を満たすときに支給されます。

> ①教育訓練を**開始した日（基準日）**に**一般被保険者又は高年齢被保険者である者**
> ②上記①に該当しない者のうち、基準日が当該基準日の直前の一般被保険者又は高年齢被保険者でなくなった日から**1年以内** にある者

なお、**支給要件期間**とは、**基準日までの被保険者であった期間**（雇用期間）のことです。基本手当における「算定基礎期間」と考え方は同じです。

2 教育訓練給付金

（1）一般教育訓練に係る教育訓練給付金（一般教育訓練給付金）

一般教育訓練給付金は、**支給要件期間が3年以上**（初回は**1年以上**）であること等を要件に、次の額が支給されます（受講修了後1ヵ月以内に申請）。

支給額	受講費用×20%	上限	10万円

たとえば…

> たとえば、一般教育訓練の受講費用が30万円であれば、6万円（＝30万円×20%）が支給されます。対象となる費用は、*原則として*、入学料及び受講料（受講費、教科書代、教材費。一般教育訓練の場合は最大1年分。）です。検定試験の受験料、交通費、パソコン等の器材等の費用は対象外です。

（2）特定一般教育訓練に係る教育訓練給付金（特定一般教育訓練給付金）

特定一般教育訓練給付金は、**支給要件期間が3年以上**（初回は**1年以上**）であること等を要件に、次の額が支給されます（受講修了後1ヵ月以内に申請）。

支給額	受講費用×40%（本体給付）	上限	20万円
追加給付 改正（予定）	訓練修了から1年以内に資格の取得等をし、就職した場合等は「**受講費用×10%**」を追加給付	上限	5万円

追加給付を合わせると最大「**受講費用×50%（上限25万円）**」が支給されます。

（3）専門実践教育訓練に係る教育訓練給付金（専門実践教育訓練給付金）

専門実践教育訓練給付金は、**支給要件期間が3年以上**（初回は**2年以上**）であること等を要件に、次の額が支給されます（**6ヵ月単位**で申請）。**2**

支給額	受講費用×50%（受講期間中の本体給付）	年間上限	40万円
追加給付①	訓練修了から1年以内に資格の取得等をし、就職した場合等は「**受講費用×20%**」を追加給付	年間上限	16万円
追加給付② 改正（予定）	上記に加えて、訓練前後で賃金が5％以上上昇した場合は「**受講費用×10%**」を追加給付	年間上限	8万円

追加給付①及び追加給付②を合わせると最大「**受講費用×80%（年間上限64万円）**」が支給されます。つまり、追加給付を合わせた上限額は、訓練期間が2年間なら128万円（64万円×2年）、3年間なら192万円（64万円×3年）です。

（4）特定一般教育訓練及び専門実践教育訓練に係る受講前の手続き

特定一般教育訓練又は**専門実践教育訓練**を受講し、その訓練に係る教育訓練給付を受給することを希望する者は、訓練の**受講前**に次の手続き等が必要です。

① 訓練前キャリアコンサルティングを受け、担当キャリアコンサルタントが、就業に関する目標などについて、キャリアコンサルティングを踏まえて記載した**職務経歴等記録書**（ジョブ・カード）の交付を受ける。

② 訓練開始日の**14日前**までに、**受給資格確認票**に職務経歴等記録書を添えて、管轄公共職業安定所長に提出する（受講前に受給資格の確認を受ける。）。

3 教育訓練支援給付金（令和9年3月31日までの暫定措置） 改正

教育訓練支援給付金とは、**45歳未満**の離職者（初めて教育訓練給付金を受ける者に限る。）が**専門実践教育訓練**を受講する場合に、訓練期間中に失業の認定を受けた日について「**基本手当日額×60%**」を**2ヵ月ごと**に支給するものです。**3**

---

1 妊娠、出産等で引き続き30日以上訓練を開始できないときは、申出により「最長20年」まで延長可能です（教育訓練支援給付金については、4年を超えて延長された者は支給対象外）。

2 額が4,000円を超えない場合や基準日前3年以内に教育訓練給付金を受けた場合は、支給されません。

3 教育訓練支援給付金は、基本手当の支給を受け終わった者に対して支給されます。したがって、基本手当が支給される期間や基本手当の待期期間・給付制限期間については、支給されません。

1 労基
2 安衛
3 労災
4 雇用
5 徴収
6 労一
7 健保
8 国年
9 厚年
10 社一
11 横断①
12 横断②

雇用継続給付

Point

- 雇用継続給付には、大きく分けて「2種類」の給付があります。
- 高年齢雇用継続給付は、60歳以後に低下した賃金の最大10%が支給されます。
- 介護休業給付金の額は、当分の間、「休業前の賃金月額の67%」です。

1 雇用継続給付とは?

雇用継続給付は、**60歳以後の高齢期**や**介護休業期間中**に賃金が低下・喪失した場合における「雇用の継続」を援助・促進することを目的とした給付です。現に**被保険者①**である者のみが支給対象となり、**失業者には支給されません**。

2 高年齢雇用継続給付

(1) 支給要件と支給期間

高年齢雇用継続給付の主な支給要件と支給期間は、次表のとおりです。

種類	主な支給要件	支給期間 (支給対象月)
高年齢雇用継続 基本給付金	①60歳以後も雇用を継続している者（被保険者であった期間が通算5年以上） ②60歳以後の各月の賃金が60歳到達時の賃金と比べて75%未満に低下	60歳に達した月 から65歳に達する月まで ※暦月単位で支給
高年齢再就職 給付金	①60歳以後に**基本手当**を受給後、再就職した者（算定基礎期間が5年以上） ②基本手当の**支給残日数**が100日以上 ③再就職後の各月の賃金が従前（離職前）の賃金と比べて75%未満に低下	基本手当の支給残日数に応じて1年間又は2年間 3 ※暦月単位で支給

【例】

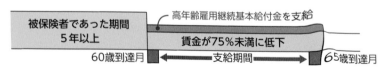

(2) 支給額

支給額は、低下後の賃金の割合に応じて、次表の額となります（2つの給付金ともに同じ。）。賃金が大きく低下するほど、支給額が高くなる仕組みです。 4

低下後の賃金の割合	高年齢雇用継続給付の額 [改正]
64%未満	支給対象月に支払われた賃金額×10%（最大の給付率）
64%以上75%未満	支給対象月に支払われた賃金額×10%から逓減する率
75%以上	不支給（支給要件を満たさないため）

【例】

被保険者

> 60歳時点の賃金
> 30万円

> 60歳以後の各月の賃金
> 18万円（60%に低下）

> 1ヵ月の支給額
> ＝18万円×10%
> ＝1万8,000円

3 介護休業給付（介護休業給付金）

（1）支給要件と支給期間

　介護休業給付金は、被保険者が、**対象家族 5** を介護するための休業をした場合において、（初回の）休業開始前**2年間**にみなし被保険者期間（賃金支払基礎日数が11日以上である期間＝基本手当に係る「被保険者期間」と同様に計算した期間のこと➡雇用P121）が通算して**12ヵ月以上**であるときに支給されます。

　支給期間は、同一の対象家族1人につき、休業開始日から起算して**最長3ヵ月**間の介護休業をした期間です。休業開始日から**1ヵ月**ごとに区分した期間である**支給単位期間**について支給されます。なお、介護休業は同一の対象家族について**3回**まで分割取得が可能ですが、**通算して93日**までが支給の限度となります。

（2）支給額

　支給単位期間ごとの介護休業給付金の額は、原則として、次のとおりです。

> **支給額**＝休業開始時賃金日額×支給日数[※1]×67%[※2]
> 　　　　（休業前の賃金月額のこと）
>
> ※1 支給日数➡雇用P133
> ※2 当分の間の給付率。
> 　　法本来は40%。

---

1 一般被保険者と高年齢被保険者が支給対象となります（次頁の育児休業等給付も同じ。）。

2 60歳到達後に被保険者であった期間が5年以上となったときは、「その日の属する月」が始期となります。なお、この場合は、この時点の賃金と比べて賃金が75%未満に低下することが必要です。

3 支給残日数が100日以上200日未満の場合は「1年間」、200日以上の場合は「2年間」です。なお、65歳に達する月までが限度となります。

4 なお、高年齢雇用継続給付には支給限度額（約37万円）が設けられています。これは、「賃金額＋給付金の額」の限度です（たとえば、賃金額が支給限度額以上の場合は不支給となる。）。

5 「対象家族」とは、配偶者、子、父母、孫、祖父母、兄弟姉妹及び配偶者の父母をいいます。

育児休業等給付

Point
● このレッスンの給付金は、最短で「12ヵ月」雇用された場合に支給されます。
● 育児休業給付金の額は、「休業前の賃金月額の67％又は50％」です。
● 出生後休業支援給付（夫婦で休業等）や育児時短就業給付（時短就業）もあります。

1 育児休業等給付の種類 改正

　育児休業等給付には、①**育児休業給付**（2種類ある）のほか、共働き・共育てを推進するための②**出生後休業支援給付**及び③**育児時短就業給付**があります。

　いずれの給付も、（初回の）休業又は育児時短就業の開始日前**2年間**にみなし**被保険者期間**が通算して**12ヵ月以上**であることを要件 ❶ に支給されます。

2 育児休業給付

（1）育児休業給付金の支給要件と支給期間（※考え方は介護休業給付金と同じ。）

　育児休業給付金は、被保険者が**1歳に満たない子等** ❷ に係る育児休業（「本体育児休業」ともいう。）をした場合に支給されます。

　育児休業（1歳未満の子に係る休業は**2回まで**の分割取得可）をした期間が支給期間となります。支給単位期間の考え方は介護休業給付金と共通です。

（2）育児休業給付金の支給額

　支給単位期間ごとの育児休業給付金の額は、原則として、次のとおりです。

【**休業日数**（支給日数） ❹ **が**】
①180日に達するまでの間は67％
②181日目以降は50％

支給額 ＝ 休業開始時賃金日額×支給日数 ❸
　　　　　（休業前の賃金月額のこと）

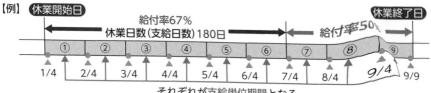

【例】　休業開始日　　　　　　　　　　　　　　　　　　　　　休業終了日
給付率67％
休業日数（支給日数）180日　　　　　　　給付率50％
① ② ③ ④ ⑤ ⑥ ⑦ ⑧ ⑨
1/4　2/4　3/4　4/4　5/4　6/4　7/4　8/4　9/4　9/9
それぞれが支給単位期間となる

（3）出生時育児休業給付金

　出生時育児休業給付金は、被保険者が**出生時育児休業**（2回までの分割取得

合計28日が限度。）**5** をした場合に、原則として、次の額が支給されます。

> **支給額** ＝ 休業開始時賃金日額 × 出生時育児休業をした期間の日数（28日が限度）× 67%

たとえば…

　たとえば、休業前の賃金月額が30万円である場合の育児休業給付金の額は、休業日数（支給日数）が180に達するまでの間は、支給単位期間あたり「30万円×67%＝20万1,000円」（181日目以降は「30万円×50%＝15万円」）です。
　なお、支給単位期間中に就業した場合でも、その日数が「10日以下」（育児休業給付の場合には、その就業時間が「80時間以下」であってもよい。）であれば、支給されます（ただし、賃金との調整あり。）。

3 出生後休業支援給付及び育児時短就業給付 改正

（1）出生後休業支援給付（出生後休業支援給付金）◀ 育児休業給付の上乗せ（計80%）

　出生後休業支援給付金は、次図の対象期間内に、原則として、**被保険者及びその配偶者の両者が通算して14日以上**の子を養育するための休業（**出生後休業**）をした場合に、**28日を限度**に、**給付率13%**による額を支給するものです。

【例】

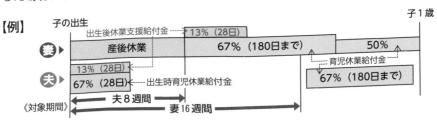

（2）育児時短就業給付（育児時短就業給付金）◀ 時短就業による賃金低下時に支給

　育児時短就業給付金は、**2歳未満**の子を養育するための所定労働時間を短縮することによる就業（**育児時短就業**）をした場合に、（育児時短就業の開始月から終了月までの）支給対象月に支払われた**賃金の額の10%**を支給するものです。

1 出生時育児休業と育児休業の両方を取得する場合は、初回の出生時育児休業の開始前で判断します。

2 一定の場合には、「1歳2ヵ月（夫婦共働きの場合）」又は「1歳6ヵ月・最長2歳（保育所等が利用不可の場合）」まで認められます（➡労一P162〜163）。

3 「支給日数」とは、（ア）一支給単位期間あたり原則として「30日」、（イ）休業終了日が属する支給単位期間については「実際の休業日数」となります。たとえば、【例】の①〜⑧の支給単位期間については「30日」、⑨の支給単位期間については「6日」として計算されます。

4 同一の子について出生時育児休業給付金が支給された日数は、①の180日に通算されます。

5 子の出生日から起算して8週間を経過する日の翌日までの期間内に4週間まで取得が可能です。

1 労基
2 安衛
3 労災
4 雇用
5 徴収
6 労一
7 健保
8 国年
9 厚年
10 社一
11 横断①
12 横断②

該当レッスン	Let's チャレンジ ○×問題・穴うめ問題
Lesson 1 雇用保険法の目的等	**○×** **1** 失業等給付には、求職者給付、就職促進給付、教育訓練給付及び雇用継続給付がある。
	穴うめ **2** 雇用保険には4種類の保険事故があり、労働者が失業した場合、労働者について（A）となる事由が生じた場合、労働者が自ら職業に関する（B）を受けた場合並びに労働者が（C）及び所定労働時間を短縮することによる就業をした場合に必要な給付を行う。
Lesson 2 被保険者	**○×** **3** 短時間労働被保険者という被保険者は、雇用保険に存在しない。
	○× **4** 大学の昼間学生は、休学中であっても、被保険者とならない。
	穴うめ **5** パートタイム労働者（短時間就労者）は、（D）の雇用見込みがあり、週所定労働時間が（E）である場合には、被保険者となる。
Lesson 3〜5 基本手当	**○×** **6** 離職理由にかかわらず、離職の日以前2年間に被保険者期間が通算して12ヵ月以上であった一般被保険者が失業したときは、基本手当が支給される。
	○× **7** 正当な理由のある自己都合により離職した者は、原則として、特定受給資格者に該当する。
	○× **8** 離職票は、居住地を管轄する公共職業安定所長から交付される。
	○× **9** 失業の認定は、離職の日の翌日から起算して4週間に1回ずつ直前の28日の各日について行われる。
	穴うめ **10** 所定給付日数が330日となるのは、算定基礎期間が（F）以上である者であって、離職の日において（G）歳以上（H）歳未満の特定受給資格者である。
Lesson 6・7 就職促進給付・教育訓練給付	**○×** **11** 基本手当の支給残日数が所定給付日数の3分の2以上である場合の再就職手当の額は、「基本手当日額×支給残日数×60%」である。
	穴うめ **12** 一般教育訓練給付金の上限額は、（I）である。
Lesson 8・9 雇用継続給付と育児休業等給付	**○×** **13** 高年齢雇用継続給付には、高年齢雇用継続基本給付金及び高年齢再就職給付金の2種類がある。
	穴うめ **14** 育児休業等給付は、①育児休業給付、②（J）支援給付及び③（K）の3種類があり、①の育児休業給付には、育児休業給付金及び（L）がある。

解答 **1** ○ **2**（A）雇用の継続が困難（B）教育訓練（C）子を養育するための休業 **3** ○ **4** × 休学中であれば被保険者となる。 **5**（D）31日以上（E）20時間以上 **6** ○ **7** ×「特定理由離職者」に該当する。 **8** ×「事業所の所在地を管轄する」公共職業安定所長から交付される。 **9** × 起算日が誤り。「離職後最初に出頭した日」から起算する。 **10**（F）20年（G）45（H）60 **11** ×「60%」ではなく「70%」である。 **12**（I）10万円 **13** ○ **14**（J）出生後休業（K）育児時短就業給付（L）出生時育児休業給付金

第 5 章

労働保険の保険料の徴収等に関する法律

- この科目の体系樹
- この科目の特徴／ここだけチェック！！

概要

労働保険（労災保険と雇用保険）の特徴は、権利の実体が労災保険法や雇用保険法に定められていることに対し、労働保険への加入や保険料徴収の手続きについては労働保険徴収法に定められている点にあります。したがって、労働保険徴収法では、保険料の申告・納付方法や計算方法といった実務的な項目を中心に学習します。

督促

追徴金・延滞金等

滞納処分

保険関係の成立と消滅

保険関係

保険関係の一括

枝葉

①**保険関係の成立及び消滅**……強制適用事業の保険関係は、事業が開始された日又は適用事業に該当した日に成立し、事業が廃止又は終了した日の翌日に消滅します。保険関係の事務は事業ごとに行いますが、一定の場合には、保険関係を一括することもできます。

②**メリット制**……業務災害の発生率に応じて個々の事業の労災保険率などを上下させます。

③**追徴金・延滞金**……納付すべき保険料を不当に納付しない場合には追徴金が、保険料を滞納している場合には延滞金が課されます。

④**労働保険事務組合**……中小事業主の事務処理負担を軽減するため、委託事業主の労働保険事務を処理する団体等です。

根

　労働保険徴収法は、**労働保険の事業を効率的に運営するため**、労働保険の適用・徴収に関する事項を定めています。具体的には、①保険関係の成立及び消滅、②労働保険料の納付の手続き、③労働保険事務組合等について規定しています。

土

　労働保険徴収法の施行前は、労災保険と雇用保険（当時は失業保険）の適用徴収事務は、それぞれの法律で別個に規定されていたため、事業主、政府ともに煩雑で非効率的な処理を行わなければなりませんでした。

　そこで、適用徴収事務を一本化するため、昭和47年4月1日に本法が施行され、事業主の負担が軽減されるとともに、労働保険の事業の**効率的な運営**が行えるようになりました。

①**一般保険料**……一般の労働者の保険料（労災保険料・雇用保険料）です。労災保険率と雇用保険率を合わせたものが一般保険料率です。

②**特別加入保険料**……第1種（中小事業主等）、第2種（一人親方等）、第3種（海外派遣者）に分かれており、いずれも労災保険料です。

③**印紙保険料**……日雇労働被保険者の雇用保険料で、定額制となっています。

申告・納付手続について、継続事業では、一保険年度分の概算保険料・確定保険料の申告・納付手続を年に一度まとめて行う「**年度更新**」という手法がとられます。有期事業では、その事業の全期間について手続きを行います。

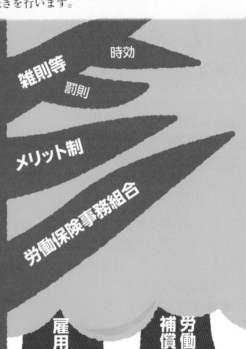

労働保険料の申告・納付手続

保険料の主な種類	●保険料率
① 一般	●納付手続
② 特別加入	●納期限
③ 印紙	●計算方法

適用事業
●一元適用・二元適用事業
●継続事業・有期事業

目 的
労災保険と雇用保険の適用徴収事務を一括処理することなどで保険事業の効率的な運営を期する。

労災保険と雇用保険の拡充
（事務量の拡大）
→事務の一本化・簡素化

時効

雑則等

罰則

メリット制

労働保険事務組合

雇用保険法

労働者災害補償保険法

配点 (➡ P18) (出題数)	◆ 選択式〔40点満点中〕**出題実績なし** ◆ 択一式〔70点満点中〕**6点**（労災・雇用とセットで出題）	
難易度	普通	学習比重度 (➡ P16) ★★★☆☆

労働保険料の納期限や計算方法などの数字要件を中心に、暗記事項が多い科目です。苦手とする人も多いですが、過去問の焼直し問題も多く出題されるため、過去問の攻略が得点UPにつながります。計算問題も出題されることがあるため、筆算には慣れておきましょう。

本編で取り上げていない 項目・用語の

『ここだけチェック!!』

ここでは、前ページの体系樹を補完するものとして、本編で取り上げていない「その他の項目」や「用語」について、概要と押さえてほしいポイントを示しています。

☑ メリット制

　メリット制とは、継続事業 (➡ 徴収P141) の場合は、**業務災害の発生率**（収支率）に応じて、**労災保険率を上げ下げ**する（有期事業の場合は、確定保険料の額を上げ下げする）制度です。これにより、事業主の保険料負担の公平性を図り、災害防止努力を促進することを目的としています。《雇用保険率にメリット制はない》

★継続事業のメリット制の概要

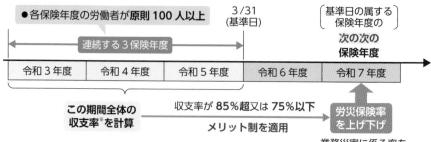

$$※収支率 = \frac{業務災害に関する「保険給付＋特別支給金」の額}{業務災害に関する「保険料」の額×第1種調整率}$$

☑ 追徴金

　追徴金は、納付すべき保険料を不当に納付しない場合にペナルティーとして課せられる懲罰的金銭です。追徴金は、**確定保険料の認定決定**（無申告・誤申告の場合に政府が職権により労働保険料の額を決定するもの）又は**印紙保険料の認定決定**が行われた場合に限り、徴収されます。《**概算保険料に追徴金はない**》

追徴金の額
- 確定保険料の場合……納付額の100分の10
- 印紙保険料の場合……納付額の100分の25

☑ 労働保険事務組合

　労働保険事務組合とは、**中小事業主の委託**を受けて、労働保険事務を処理する団体等の呼称です。労働保険事務組合となるためには、**厚生労働大臣の認可**を受けなければなりません（たとえば、商工会などの既存の団体等が認可を受けて労働保険事務組合となる。）。

事業の種類《有期事業でも可》	規模（労働者数）
①金融業、保険業、不動産業、小売業	50人以下
②卸売業、サービス業	100人以下
③上記①②以外の事業【原則】	300人以下

委託可能な中小事業主

知っておこう 用語の理解／『以下・未満（満たない）』『以上・超える』

- ●以下・未満（満たない）……ある数を含んで少ない（小さい）場合を指すのが「以下」であり、含まない場合が「未満（「満たない」と表現することも多い）」です。
- ●以上・超える……ある数を含んで多い（大きい）場合を指すのが「以上」であり、含まない場合が「超える」です。

「以下」と「未満」

302人	
301人	300人を超える
300人	300人以上
299人	
298人	

300人以下
300人未満

「以上」と「超える」

労働保険徴収法の目的等

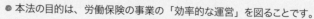

● 本法の目的は、労働保険の事業の「効率的な運営」を図ることです。
● 「二元適用事業」では、労災保険と雇用保険の事務が別個に処理されます。
● 「有期事業」には、建設の事業及び立木の伐採の事業が該当します。

■ 労働保険徴収法とは?

　まず、本法の名称にもある「**労働保険**」とは、**労災保険及び雇用保険を総称**したものです。本法は、労働保険の**保険料をまとめて徴収すること**等を定めた法律です。かつては労災保険及び雇用保険（失業保険）■ の適用事務や保険料の徴収事務（適用徴収事務）は、両保険ごとに別々に処理されていました。しかし、労働保険の事業の**効率的な運営**を図るため、昭和47年4月に本法が施行され、労働保険の**適用徴収事務を一本化（一括）**して処理することとされています。

■ 労働保険の適用

（1）適用の単位

　本法は、企業単位ではなく、「事業単位」で適用されます。適用事業は、**強制適用事業**と**暫定任意適用事業**とに区分されています（➡労災P92、雇P117）。

（2）一元適用事業と二元適用事業

　ここからは、本法に特有の用語の説明です。労働保険の適用の仕方として、次の**一元適用事業**と**二元適用事業**とに区分されています。

① **一元適用事業**……労災保険と雇用保険の適用徴収事務を**一本化して処理する事業**のことです。一般の事業所などほとんどの事業がこれに該当します。

② **二元適用事業**……労災保険と雇用保険の適用徴収事務を**別々に二元的に処理する事業**のことです。具体的には次図の事業が該当します。これらの事業は、そもそも労災保険と雇用保険の適用労働者の範囲や適用方法が異なっており■、労災保険と雇用保険の適用徴収事務を別個に処理した方が効率

的であることから、二元適用事業とされています。

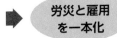

一元適用事業
二元適用事業以外の事業（ほとんどの事業が該当）

➡ 労災と雇用を一本化

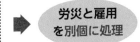

二元適用事業
① 都道府県・市町村の行う事業 **3**
② 都道府県・市町村に準ずるもの **4** の行う事業
③ 一定の港湾において港湾運送の行為を行う事業
④ 農林水産の事業
⑤ 建設の事業

➡ 労災と雇用を別個に処理

（3）継続事業と有期事業

　最後に、事業については、事業の期間が予定されるか否かにより、**継続事業**と**有期事業**とに区分されています。

　① **継続事業**……**事業の期間が予定されない事業**のことです。有期事業以外の事業が該当し、一般の事業所などほとんどの事業がこれに該当します。

　② **有期事業**……**事業の期間が予定される事業**のことです。**建設の事業と立木の伐採の事業**がこれに該当します。有期事業は、労災保険を建設現場や立木の伐採の作業現場で適用するためのもので、**労災保険に特有の概念**です。

> ビル工事、道路工事などの建設現場では作業により危険度が異なります。労災保険では作業の危険度に応じた保険料を徴収するため、建設の事業と立木の伐採の事業は有期事業として、「現場」単位で労災保険を適用します。
> 　一方、雇用保険は、失業という事故が作業の危険度に応じて発生するものではないため、現場単位ではなく、労務管理をする「事業所」単位で適用します。

1 雇用保険は、昭和50年より前までは「失業保険」と呼ばれていました。

2 たとえば、建設の事業においては、労災保険は現場単位で、雇用保険は事業所単位で適用されるというように、その適用方法が異なっています。

3 「国」の行う事業が含まれていない点に要注意です。国の行う事業は、必ず国家公務員災害補償法が適用され、労災保険が適用される余地がないため、二元化するという考え方がありません。

4 「準ずるもの」とは、東京23区といった特別区や地方自治法の規定による地方公共団体の組合（水道関係・病院関係の組合、後期高齢者医療広域連合などが該当する。）などのことです。

1 労基
2 安衛
3 労災
4 雇用
5 徴収
6 労一
7 健保
8 国年
9 厚年
10 社一
11 横断①
12 横断②

保険関係

Point
- 保険関係の成立時期は「当日」、消滅時期は「翌日」と捉えます。
- 暫定任意適用事業の加入申請・消滅申請の要件は、労災・雇用で異なります。
- 本法における「保険関係の一括」には、3つの型があります。

１ 保険関係の成立と消滅

（1）保険関係とは？

本法では、「**保険関係**」という用語がよく出てきます。保険関係とは、保険料の徴収や保険給付等の権利義務関係の基礎となる**継続的な法律関係**をいいます。いったん保険関係が成立すると、保険料の納付義務及び保険事故が生じた場合に保険給付を請求することができる権利が発生することになります。

（2）保険関係の成立・消滅の時期

労働保険の保険関係がいつ成立し、消滅するのかは、次表のとおりです。

	強制適用事業	暫定任意適用事業
成立 （当日）	事業が開始された日又は適用事業に該当することとなった日	厚生労働大臣の認可があった日 （加入申請が必要）
消滅 （翌日）	事業が廃止された日の翌日又は（有期）事業が終了した日の翌日	左欄のほか、厚生労働大臣の認可があった日の翌日（消滅申請が必要）

暫定任意適用事業の場合は、いつでも任意に保険関係を成立させ、又は消滅させることができますが、この場合には、ともに**厚生労働大臣の認可**が必要です。ただし、認可以外にも要件があり、その要件をまとめると次表のとおりです。

	労災保険暫定任意適用事業	雇用保険暫定任意適用事業
加入申請の要件	特になし（事業主の加入意思のみ）	労働者の**1/2以上**の同意
加入申請義務が 発生するとき	労働者の**過半数**が希望したとき	労働者の**1/2以上**が希望したとき
消滅申請の要件	① 保険関係成立後**1年**を経過 ② 労働者の**過半数**の同意 ③ 特別保険料 の徴収期間を経過	労働者の**3/4以上**の同意

2 保険関係の一括とは？

保険関係は事業ごとに成立しますが、**同一の事業主が2以上の事業を行う場合**に、それぞれの事業の保険料等に関する手続きを行うことは、事務処理的に煩雑です。そこで事務処理を簡素化するため、一定の要件を満たす場合には、**2以上の保険関係を一括して処理**することができます。この保険関係の一括には、①有期事業の一括、②請負事業の一括、③継続事業の一括の3つの型があります。

① 有期事業の一括 ※労災保険のみが対象

同一の事業主において、**小規模 4** の工事などの有期事業が、時期的に少しでも重複して行われている場合には、**法律上当然にこれらの事業をまとめて1つの保険関係で処理することができるもの**。
【対象業種】建設の事業、立木の伐採の事業

（小規模の有期事業）
A工事　C工事
B工事　D工事
↓一括
1つの保険関係
一保険年度に1回、まとめて処理可

② 請負事業の一括 ※労災保険のみが対象

建設の事業が数次の請負によって行われている場合には、**法律上当然に下請負事業を元請負事業に一括し、元請負人のみをその事業の事業主とするもの**（労災保険料は元請負人のみが負担）。
【対象業種】建設の事業のみ

（建設現場）
元請負人＝事業主
下請負人　下請負人
下請負人　下請負人
一括

③ 継続事業の一括 ※労災保険と雇用保険が対象

同一の事業主において、本社、支社、営業所など複数の継続事業が行われている場合には、**厚生労働大臣の認可**を受けて、これらの事業をまとめて1つの保険関係で処理することができるもの。
【対象業種】不問

（同一事業主の継続事業）
本社　A支社　B支社
↓一括
1つの保険関係
本社でまとめて処理可（事務処理する本社等を「指定事業」という。）

1 保険関係が成立したときは、10日以内に「保険関係成立届」の提出が必要です。なお、保険関係が消滅したときは、このような届出は必要ありません（保険関係消滅届は存在しない。）。

2 なお、労働者の希望があっても「消滅申請」をする義務が発生するという規定はありません。

3 労災保険暫定任意適用事業については、保険関係成立前に発生した事故に対しても申請により保険給付を行う特例があります。この保険給付を行う場合に徴収されるのが特別保険料です。

4 小規模とは、①概算保険料の額が160万円未満、かつ、②請負金額が1億8,000万円未満（建設の事業）・素材の見込生産量が1,000立方メートル未満（立木の伐採の事業）である場合を指します。

1 労基
2 安衛
3 労災
4 雇用
5 徴収
6 労一
7 健保
8 国年
9 厚年
10 社一
11 横断①
12 横断②

徴収
Lesson
3

労働保険料の計算方法

- 労働保険料の中心となるのは「一般保険料」です。
- 一般保険料の額は、原則として「賃金総額×一般保険料率」となります。
- 一般保険料率とは、「労災保険率＋雇用保険率」のことです。

1 労働保険料の種類

　労働保険料には、大まかに次図のものがあります。本法で中心となっているのは、①の**一般保険料**です。これは、どのような適用事業においても申告・納付すべき通常の保険料のことです。以下では、一般保険料について説明します。

2 一般保険料の額の計算方法

（1）計算方法の原則

　一般保険料の額は、原則として、次のように計算します。つまり、「**賃金総額**」と「**一般保険料率**」の2つを把握すれば、計算することができます。

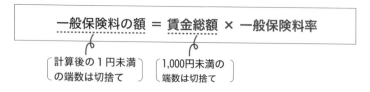

（2）賃金総額とは？

　事業主がその事業に使用するすべての労働者に支払う賃金の総額のことです。継続事業では「**保険年度**」（4月1日から翌年3月31日まで）において、有期事業では「**事業の全期間**」において支払う賃金の総額をいいます。 **2**

144

（3）一般保険料率とは？

　一般保険料率とは、「**労災保険率＋雇用保険率**」のことです。なお、労災保険又は雇用保険のいずれか一方のみの保険関係が成立している場合には、労災保険率又は雇用保険率の一方のみが一般保険料率となります。

3 **保険料率**（令和6年度）

　令和6年度の労災保険率及び雇用保険率の概要は、次のとおりです。

- ① 労災保険率……事業の種類（54区分）ごとに、**最高1,000分の88**から**最低1,000分の2.5**までの範囲で定められています。 **3**
- ② 雇用保険率……【一般の事業】1,000分の15.5、【農林水産業※・清酒製造業】1,000分の17.5、【建設の事業】1,000分の18.5です（法本来の率を適用）。

> ※農林水産業のうち、㋐牛馬育成、酪農、養鶏又は養豚の事業、㋑園芸サービスの事業、㋒内水面養殖の事業、㋓船員が雇用される事業については、一般の事業と同じ雇用保険率が適用される。

【例】
- ・労災保険率が1,000分の2.5
- ・雇用保険率が1,000分の15.5

である事業 ▶ **一般保険料率** 1,000分の18

たとえば…

　たとえば、一般保険料率が1,000分の18である事業について、賃金総額が1億円である場合の一般保険料の額は、次のように計算します。なお、本試験でも計算問題が出題される場合があります。
➡ 1億円×1,000分の18＝『**180万円**』が一般保険料の額となります。

★労災保険率を定める際に考慮される要素

　労災保険率は、①**過去3年間**の**業務災害、複数業務要因災害及び通勤災害**に係る災害率、②**過去3年間の二次健康診断等給付**に要した費用の額、③**社会復帰促進等事業**（労災保険の付帯事業）として行う事業の種類及び内容、④その他の事情を考慮して**厚生労働大臣**が定めます（原則3年ごとに改正）。 **4**

> **1** 雇用保険料を賃金から天引きしていたにもかかわらず、雇用保険の加入手続を2年を超える期間怠っていた事業主が納付する可能性のあるペナルティーの意味を含んだ保険料のことです。
>
> **2** 賃金総額には、3ヵ月を超える期間ごとに支払われる賃金や臨時に支払われる賃金も含まれます。
>
> **3** 最高率は「金属鉱業、非金属鉱業（石灰石鉱業又はドロマイト鉱業を除く。）又は石炭鉱業」、最低率は「通信・放送・新聞・出版業」「金融・保険・不動産業」などの4業種です。
>
> **4** すべての労災保険率には、非業務災害率（過去3年間の複数業務要因災害と通勤災害に係る災害率、二次健康診断等給付に要した費用の額等を考慮して定める率＝1,000分の0.6）が含まれています。

1 労基
2 安衛
3 労災
4 雇用
5 徴収
6 労一
7 健保
8 国年
9 厚年
10 社一
11 横断①
12 横断②

労働保険料の申告・納付 (1)

> ● 労働保険料は「概算保険料と確定保険料」の仕組みにより申告・納付します。
> ● 継続事業の労働保険料の申告・納付手続は「年度更新」によって行います。
> ● 継続事業と有期事業とでは、労働保険料の申告・納期限が異なります。

1 概算保険料及び確定保険料とは?

　労働保険料は毎月納付するものではありません。労働保険料は、保険料の算定の対象となる期間（保険年度又は有期事業の全期間）の早い時期に、**賃金総額の見込額**に基づいて計算した「**概算保険料**」を申告・納付し、その期間が終わってから、**実際に支払った（支払いが確定したものを含む。）賃金総額**に基づいて計算した「**確定保険料**」を申告して、**過不足を精算**する仕組みをとっています。

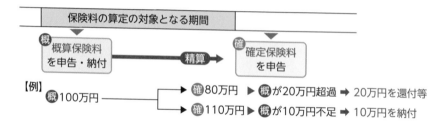

2 申告・納付手続の流れ

(1) 継続事業の場合（年度更新）

　継続事業では、**前保険年度の確定保険料**の申告及び**新しい保険年度の概算保険料**の申告・納付を**同時に**行います。これを**年度更新**といいます。 ▮

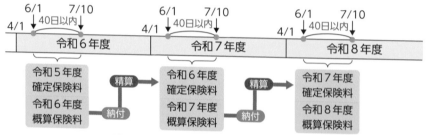

※納期限にあたる日が行政機関の公休日の場合は、公休日明けの日が納期限となる（以下同じ。）。

（2）有期事業の場合

　有期事業では、**事業の全期間**について、**概算保険料**を申告・納付し、その期間が終わってから**確定保険料**を申告して、過不足を精算します。

【例】事業の期間が令和6年8月1日から令和7年4月30日までの建設工事

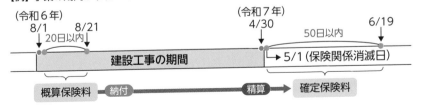

3 「申告・納期限」はいつになるのか?

　概算保険料及び確定保険料の申告・納期限は、次表のとおりです。 **2**

	概算保険料	確定保険料
継続事業	その保険年度の**6月1日から40日以内**（当日起算）=**7月10日まで** ※ 年度途中で保険関係が成立した場合は、保険関係成立日から**50日以内**（翌日起算）	次の保険年度の**6月1日から40日以内**（当日起算）=**7月10日まで** ※ 年度途中で保険関係が消滅した場合は、保険関係消滅日 **3** から**50日以内**（当日起算）
有期事業	保険関係成立日から**20日以内**（翌日起算）	保険関係消滅日 **3** から**50日以内**（当日起算）

★期間の計算の考え方

　「△日から○日以内」という場合は、原則として**初日は算入されません**（翌日から起算する。例：8/1から20日以内→期限は8/21となる。）。ただし、その期間が午前0時から始まるときは、例外的にその日（当日）から起算します。 **4**

1 したがって、労働保険料の申告・納付は、継続事業の場合には「1年に1回」、年度更新の時期に行えば足ります。このようにすることで事務処理の負担を軽減しています。

2 本法では、期限に関する問題がよく出題されます。具体例にも対応できるようにしましょう。

3 保険関係消滅日とは、事業が廃止された日又は事業が終了した日の「翌日」のことです。保険関係消滅日は午前0時から始まるため、「50日以内」は、その当日から起算して考えます。

4 通常の継続事業では、6/1より前にすでに保険関係が成立しているため、「6/1から40日以内」の期間は午前0時から始まり、当日起算となります（この結果「7/10」が期限となる）。

労働保険料の申告・納付 (2)

Point
- 概算保険料は、原則として「賃金総額の見込額」により計算します。
- 概算保険料については、「延納（分割納付）」が認められます。
- 確定保険料は、「すべての労働者に支払った賃金総額」により計算します。

1 概算保険料（一般保険料）の額

　概算保険料のうちの一般保険料の額は、すでにP144〜145で学習した計算方法により算出されます。ただし、あくまで「概算額」を算出するので、これから支払うであろう「**賃金総額の見込額**」に一般保険料率を乗じて計算します。

　そして、ここが重要ですが、この「賃金総額の見込額」が前保険年度の賃金総額（実際に支払った賃金総額）の**100分の50以上100分の200以下**の範囲内にある場合には、「**前保険年度の賃金総額**」をそのまま計算の基礎とします。

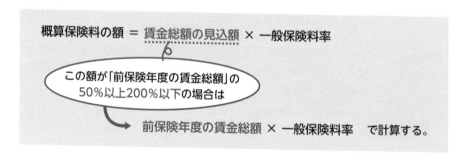

概算保険料の額 ＝ 賃金総額の見込額 × 一般保険料率

この額が「前保険年度の賃金総額」の
50％以上200％以下の場合は

　　　→ 前保険年度の賃金総額 × 一般保険料率　で計算する。

　したがって、「前保険年度の賃金総額」を使用する場合には、一般保険料率が変わらない限り、前保険年度の確定保険料の額と新しい保険年度の概算保険料の額は、**同じ額**となります。

【例】概算保険料（一般保険料）の計算の基礎となる賃金総額の求め方

前保険年度の 賃金総額		A保険年度の 賃金総額の見込額		A保険年度の 概算保険料
1億円	200%	2億円	➡	1億円で計算する。
1億円	300%	3億円	➡	3億円で計算する。

② 概算保険料の延納（分割納付）

　概算保険料については、**分割して納付**することが認められています。これを概算保険料の延納（えんのう）といいます。なお、**確定保険料には、延納の制度はありません**。

　継続事業の場合は、「概算保険料の額が**40万円**（労災保険又は雇用保険のいずれか一方の保険関係が成立している事業の場合は**20万円**）**以上 **」であれば、事業主の申請により、次のように**3回**に分けた延納をすることができます。 2️⃣

　なお、有期事業の場合も「事業期間が**6ヵ月**を超え、かつ、概算保険料の額が**75万円以上** 1️⃣」であれば、おおむね上記に準じた方法の延納が認められます。

③ 確定保険料（一般保険料）の額

　最後に確定保険料のうちの一般保険料の額についてです。確定保険料については、賃金総額の見込額ではなく、**事業主がすべての労働者に支払った賃金総額**に一般保険料率を乗じて計算します。

$$確定保険料の額 = 賃金総額（確定額）× 一般保険料率$$

　そして、上記による確定保険料の額とすでに申告・納付した概算保険料の額に応じて、次のように**過不足**を精算することになります。

① 概算保険料の額が確定保険料の額に不足 ……不足額を納付する必要がある。

② 概算保険料の額と確定保険料の額が同じ ……確定保険料の申告のみで足りる。

③ 概算保険料の額が確定保険料の額を超過 ……超過額は充当 3️⃣ 又は還付される。

1️⃣ 継続事業・有期事業のいずれの場合も、「労働保険事務組合（➡徴収P139）」に事務処理を委託しているときは、概算保険料の額にかかわらず、延納が可能です。

2️⃣ なお、継続事業の場合に限り、労働保険事務組合に事務処理を委託しているときは、第2期と第3期の延納の納期限が2週間延長され、第2期が11/14、第3期が翌年2/14となります。

3️⃣ 次の保険年度の労働保険料等に充当するという意味です。還付請求をしない限り、充当されます。

該当レッスン	Let's チャレンジ ○×問題・穴うめ問題
Lesson 1 労働保険徴収法の目的等	**○×** **1** 建設の事業は二元適用事業に該当するが、林業の事業は二元適用事業に該当しない。
	○× **2** 事業の期間が予定される事業を有期事業という。
	穴うめ **3** 労働保険徴収法は、労働保険の事業の（A）を図るため、労働保険料の納付の手続等の事項が定められた法律である。
Lesson 2 保険関係	**○×** **4** 労災保険暫定任意適用事業の事業主が保険関係の消滅申請をする場合には、労働者の2分の1以上の同意を得なければならない。
	穴うめ **5** 3つの型がある保険関係の一括について、一定の要件を満たす場合に法律上当然に行われるのが有期事業の一括及び（B）であり、厚生労働大臣の（C）を受ける必要があるのが（D）である。
Lesson 3 労働保険料の計算方法	**○×** **6** 一般保険料の額は、原則として、賃金総額に一般保険料率を乗じて得た額である。
	○× **7** 令和6年度の労災保険率は、事業の種類に応じて、最高1,000分の88から最低1,000分の2.5までの範囲で定められている。
	穴うめ **8** 労災保険率は、（E）の業務災害、複数業務要因災害及び通勤災害に係る災害率、（E）の（F）に要した費用の額、社会復帰促進等事業として行う事業の種類及びその内容その他の事情を考慮して（G）が定める。
Lesson 4・5 労働保険料の申告・納付	**○×** **9** 令和6年9月25日に事業を開始した有期事業の事業主は、同年10月14日までに概算保険料の申告・納付をしなければならない。
	○× **10** 事業が廃止された場合には、事業主は、保険関係が消滅した日から40日以内に確定保険料の申告をしなければならない。
	○× **11** 一定の要件を満たす場合に、事業主の申請により概算保険料の全額の納期限の延長が認められる制度を、概算保険料の延納という。
	穴うめ **12** 賃金総額の見込額が前保険年度の賃金総額の100分の（H）以上100分の（I）以下である場合には、前保険年度の賃金総額を概算保険料の額の計算の基礎とする。

解答 **1** × 林業の事業も該当する。 **2** ○ **3** （A）効率的な運営 **4** × 「2分の1以上」ではなく「過半数」である。 **5** （B）請負事業の一括 （C）認可 （D）継続事業の一括 **6** ○ **7** ○ **8** （E）過去3年間 （F）二次健康診断等給付 （G）厚生労働大臣 **9** × 「10月14日」ではなく「10月15日」が期限となる。 **10** × 「40日以内」ではなく「50日以内」である。 **11** × 延納とは、概算保険料を「分割納付」する制度である。 **12** （H）50 （I）200

第6章

労務管理その他の労働に関する一般常識

概要

この科目は、ほかの科目に比べ、学習の対象範囲が非常に広いことが最大の特徴です。その範囲を大きく3つに分けると、労働関係諸法令、労務管理、労働経済となります。社労士としての「一般常識」を幅広く学習する科目といえます。

枝葉

①**労働関係諸法令**……よく出題される法律として、**労働契約法**と**労働組合法**があります。まずは、この2つの法律をしっかりと押さえましょう。次いで、最低賃金法、職業安定法、労働者派遣法、障害者雇用促進法、男女雇用機会均等法、育児・介護休業法、パートタイム・有期雇用労働法などが重要です。どの法律も、弱い立場に置かれがちな労働者を保護するための法律となっています。

②**労務管理**……産業の発達とともに変化してきました。現代の労務管理は過去のそれに反省を加えた修正版といえます。

③**労働経済**……「雇用・失業等の動向」が比較的重要となります。

賃金・退職給付の実態

労使関係等の動向

労働経済

労働時間の動向

雇用・失業等の動向

根

　社労士試験の独立科目となっている労働基準法や労災保険法などは、当然に社労士として知っておくべき法律です。しかし、実際に社労士としての業務を行う場合には、単にこれらの法律の知識を持っているだけでは足りません。現実の雇用・失業の動向や人事・労務に関する諸理論に基づいたアドバイスなどにより専門家として相手に信頼感や安心感を与えることができます。また、場合によっては、独立科目となっていないような法律についてのアドバイスも求められることがあります。つまり、この科目で学習する内容は、**社労士の業務を円滑に行うことができるようにするとともに、専門家としての信用を高めることにつながっています。**

労働関係諸法令は、労働契約・賃金に関する法律、雇用に関する法律、女性・育児等に関する法律、労使関係に関する法律等に分類されます。各グループには個別の法律がありますから、実に20以上の法令が学習対象となります。労務管理と労働経済は、社労士として実務に携わり、企業の経営者等にアドバイスをする上での必要知識です。社労士となってからも、継続して学習すべき事項を示している分野でもあります。

労働に関係する法律（労働関係諸法令）

労務管理の理論（労務管理）

労働を取り巻く動向（労働経済）

労働関係諸法令

労働契約・賃金関係

雇用関係

労使関係

女性・育児等関係

雇用関係

労務管理

人間関係管理

賃金関係

社労士なら知っておくべきこと

雇用・失業問題　賃金問題
国際的水準の取り入れ

雇用・失業問題、労働時間短縮、賃金問題の周辺をみると、憲法や労働基準法などの法令だけではなく、国際的な水準を取り入れるための他国との条約が関与していることがあります。また、現在のわが国は「人口減少社会」にあります。労働力供給が制約される中でも、経済社会を持続的に発展させていくためには女性や高齢者の活用が重要であるといったような大きな問題を考える上で必要不可欠な科目として、この科目が存在しています。

配点 （➡ P18） (出題数)	◆ 選択式〔40点満点中〕**5点** ◆ 択一式〔70点満点中〕**5点**（社一5点とセットで出題）※ ※近年は、「労一**4点**＋社一**6点**」の配分で出題されている。	
難易度	難しい	学習比重度 （➡ P16） ★★☆☆☆

学習すべき内容が非常に広範囲に及ぶため、学習の手応えを感じにくい科目です。高得点を狙うのは難しいですが、得点状況にあまり差が生じない科目でもあるため、範囲を絞ってメリハリをつけた学習をすることが大切です。直近の改正事項に関する出題が多い傾向にあります。

本編で取り上げていない 項目・用語の 『ここだけチェック!!』

ここでは、前ページの体系樹を補完するものとして、本編で取り上げていない「その他の項目」や「用語」について、概要と押さえてほしいポイントを示しています。

☑ 労働契約法／無期労働契約への転換（5年ルール）

同一の使用者との間で有期労働契約が更新され、**通算契約期間が5年を超える**労働者が、**無期労働契約への転換の申込み**をしたときは、使用者は、申込みを承諾したものとみなされます。そして、申込み時点で締結している有期労働契約と**同一の労働条件**により、契約期間満了日の翌日から無期労働契約に転換します。

【例】契約期間が1年の場合

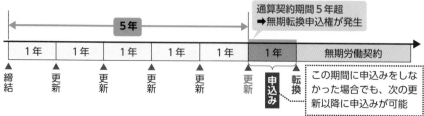

☑ 労働組合法／不当労働行為

労働組合法で**禁止**されている**不当労働行為**とは、簡単に言えば、使用者が行う「**労働組合を弱体化させる行為**」です。不当労働行為があった場合は、労働組合・労働者は、専門機関である労働委員会に対し救済を申し立てることができます。

不当労働行為（禁止）	①不利益取扱い	労働者が組合員であること、組合の正当な行為をしたこと等を理由に解雇その他不利益な取扱いをすること	労働委員会による救済
	②黄犬契約（おうけん（こうけん））	労働者が組合に加入せず、又は組合から脱退することを雇用条件とすること	
	③団体交渉拒否	団体交渉をすることを正当な理由がなくて拒むこと	
	④支配介入	組合の結成・運営に支配介入すること	
	⑤経費援助	組合の運営経費について経理上の援助を与えること	

パートタイム・有期雇用労働法／差別的取扱いの禁止

　①職務内容及び②人事異動の有無や範囲が**通常の労働者（正社員）と同一**である「**通常の労働者と同視すべき短時間・有期雇用労働者**」については、**すべての待遇**について、短時間・有期雇用労働者であることを理由とした**差別的取扱いが禁止**されています。

障害者雇用促進法／障害者の雇用義務

一般事業主（民間企業の事業主）は、次の計算式（障害者雇用率は令和6年4月以降の率）による法定雇用障害者数以上の障害者の雇用が**義務づけられています**。

法定雇用障害者数＝雇用労働者数×障害者雇用率

企業全体の常用労働者数 ／ 一般事業主は2.5％

【例】**常用労働者数が300人の場合**
300人×2.5％＝7.5人（1未満切捨て）
⇨ 7人 の障害者の雇用義務あり

▶　雇用労働者数が**常時100人を超える**一般事業主は、実雇用障害者数が法定雇用障害者数に、①達していない場合は『**不足人数×5万円**』の納付金が徴収され、②達している場合は原則『**超過人数×2.9万円**』の調整金が支給されます（月額）。

知っておこう　義務規定・努力義務規定・任意規定

試験では文末のひっかけ問題もよく出題されるため、次の違いは意識しましょう。
- **義務規定（禁止規定）**……文末が「〜**しなければならない**」「〜**してはならない**」となっている規定です。これらの多くには、違反した場合の**罰則**の定めがあります。
- **努力義務規定（努力規定）**……文末が「〜**努めなければならない**」「〜**努めるものとする**」となっている規定です。努力を促すものであり、**罰則はありません**。
- **任意規定**……文末が「〜**することができる**」となっている規定です。

この科目の出題分野・用語等

Point

● この科目には「労働関係諸法令・労務管理・労働経済」の3分野があります。
● 各種の用語は、「用語と定義」が結びつくように理解することが大切です。
● 特に「労働力率」と「完全失業率」の定義は重要です。

１ この科目の出題分野は?

　この科目（労務管理その他の労働に関する一般常識）は、ほかの科目と比べて、学習の対象となる範囲が**非常に広い**ことが特徴です。その範囲は、①**労働関係諸法令**、②**労務管理**、③**労働経済**の３分野に大きく分かれます。

　このうち、丹念に学習してほしい分野は、①の**労働関係諸法令**です。20以上の法令が出題の対象となっています。本書では、次のレッスン２以降において、特に、重要度が高く**労働基準法と関係の深い法令**を中心に説明していきます。

　また、このレッスンでは、②③の労務管理と労働経済の分野について、学習の入門段階から知っておきたい**用語**をいくつか取り上げていきます。📖

労一
出題３分野
（範囲広い）

① **労働関係諸法令** …20以上の法令。学習の中心。

② **労務管理** …用語の定義からの出題が多い。

③ **労働経済** …用語の定義、数値からの出題が多い。

２ 知っておきたい労務管理用語

　以下では、知っておくべき労務管理用語をいくつか紹介します。

① **ハロー効果**……人事考課において、**特定の印象が他の評価項目や全体的評価に影響する**という傾向です（例：一流大学卒→すべて「優良」と評価）。

② **寛大化傾向**……人事考課において、個人的な感情等により実際よりも**甘く評価する**傾向です。逆に厳しく評価する傾向を「厳格化傾向」といいます。

③ **中心化（中央化）傾向**……人事考課において、評価結果が**平均的な階層**（例：５段階評価の真ん中）に集中して、評価にあまり差が生じない傾向です。

④ **職務分析**……職務の情報を収集し、各職務の内容、要求される知識・能力、責任等を分析することにより、**他の職務との違いを明確にする**ことです。

⑤ **職務評価**……職務分析の結果から得られた情報をもとに、**各職務の相対的な価値づけ**（ランクづけ）を行うことです。**職務給の導入に不可欠**です。

⑥ **職務給**……職務そのものの難易度、責任の度合い等を評価して、職務ごとに決定される賃金です。「**同一職務・同一賃金**」の考えに基づきます。 **2**

⑦ **職能給**……個々の従業員の職務遂行能力を基準に決定される賃金です。「**同一能力・同一賃金**」の考えに基づきます。 **2**

3 知っておきたい労働経済用語

以下では、必ず知っておいてほしい労働経済用語を紹介します。

① **労働力人口**……15歳以上の人口のうち、**就業者と完全失業者の合計**のことです。表現を変えると、就業しているか否かにかかわらず、「労働の意思及び能力がある15歳以上の人口」が労働力人口に該当します。

② **労働力率** **3** ……**15歳以上の人口に占める労働力人口の割合**のことです。

③ **完全失業者**……就業しておらず、仕事があればすぐに就くことができ、**仕事を探す活動等をしていた者**（労働の意思及び能力がある者）をいいます。

④ **完全失業率**……**労働力人口に占める完全失業者の割合**のことです。 **4**

　労務管理用語や労働経済用語は、試験において「選択式」で出題されることがあります。たとえば、過去の選択式試験では、完全失業率の定義等が出題されています。つまり、この科目の学習を考える場合には、労働関係諸法令を学習することに加えて、このような用語も確認することが必要です。
　結局、「労働関係諸法令」と「用語の定義」を押さえることがこの科目の攻略のカギとなります。

---

1 労働経済の分野では、労働経済白書や各種の統計資料に基づく数値に関する出題が多く見られますが、これについては、本試験の直前期に最新の数値に基づく教材などを確認すれば足ります。

2 職務給及び職能給は「仕事給」の1つです。仕事給とは、従業員の年齢・勤続年数等の属人的要素により決定される賃金ではなく、仕事の内容・能力等により決定される賃金のことです。

3 「労働力率」は、「労働力人口比率」とも呼ばれます。

4 なお、参考として、令和5年平均の完全失業者は178万人、完全失業率は2.6%となっています。また、労働力人口は6,925万人、労働力率は62.9%となっています。

労働契約法・最低賃金法

Point
- 労働契約法には労働契約の成立・変更の「合意原則」等が定められています。
- 就業規則による労働条件の不利益変更のキーワードは「合理的＋周知」です。
- 最低賃金には、「地域別最低賃金」と「特定最低賃金」の2種類があります。

1 労働契約法

（1）労働契約法とは？（関連規定はP154も参照のこと）

さて、ここからは主要な労働関係諸法令について、重要規定をいくつかピックアップして説明していきます。まずは、労働契約法についてです。

労働契約法は、民法や判例法理をベースとして、労働契約の成立・変更等の**民事的ルール**を定めた法律です。特に、労働契約の成立・変更については、労働者及び使用者の**合意によることを原則**とする旨が強調されています。

（2）就業規則に関するルール

就業規則は、使用者が**一方的に**作成・変更することができますが、そもそも合意もせずに作成・変更された就業規則に労働者は従う義務があるのでしょうか。

労働契約法では、就業規則に関して、次のようなルールを定めています。

① 労働契約成立時の労働条件の決定	次のア・イの要件を満たす場合には、**就業規則に定める労働条件を労働契約の内容とすること**が認められています。 ア　合理的な労働条件が就業規則に定められていること。 イ　その就業規則を労働者に**周知**させていたこと。
② **労働契約継続中の労働条件の変更**	就業規則の変更により労働者の**不利益**に労働条件を変更することは、原則として**認められません**。 ■ ただし、変更後の就業規則を周知させ、かつ、就業規則の変更が**合理的** 2 なものであれば、就業規則による変更が認められます。
③ 就業規則違反の労働契約	就業規則で定める基準に**達しない**（劣悪である）労働条件を定める労働契約は、**その部分について無効**となり、その無効となった部分は**就業規則で定める基準**によります。
④ **法令及び労働協約との関係**	就業規則が法令又は労働協約に反する場合には、**法令又は労働協約の内容が優先**されます（⇒ 労基P53）。

1 労基
2 安衛
3 労災
4 雇用
5 徴収
6 労一
7 健保
8 国年
9 厚年
10 社一
11 横断①
12 横断②

合理的 ＋ 周知 使用者 就業規則による一方的な 労働条件の不利益変更 ○ 労働者

② 最低賃金法

（1）最低賃金法とは？

最低賃金法は、使用者が支払わなければならない賃金の最低限度について定めた法律です。昭和34年に労働基準法から分離独立する形で誕生しました。

最低賃金額は、**時間単位**で定められています。最低賃金の効力として、最低賃金額に**達しない**賃金を定める労働契約は、**その部分について無効**とし、その無効となった部分は**最低賃金と同様の定め**をしたものとみなされます。つまり、労働基準法と同様に、本法には強行法規であるという性質があります。

（2）最低賃金の種類

最低賃金には、**地域別最低賃金**及び**特定最低賃金**の２種類があります。

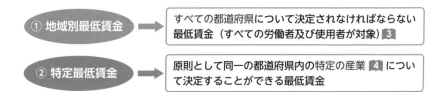

① 地域別最低賃金 → すべての都道府県について決定されなければならない最低賃金（すべての労働者及び使用者が対象）**3**

② 特定最低賃金 → 原則として同一の都道府県内の特定の産業 **4** について決定することができる最低賃金

なお、特定最低賃金の額は、**地域別最低賃金の額を上回る**ものでなければなりません（複数の最低賃金が同時に適用される場合には、**高い方**が適用される。）。

（3）派遣中の労働者の最低賃金

派遣中の労働者には、**派遣先**の事業場において適用されている最低賃金が適用されます（例：派遣元がA県・派遣先がB県にある場合→B県の最低賃金を適用）。

1 「不利益変更」の場合のルールです。労働者に有利な変更をする場合は、なんら問題ありません。

2 「合理的」なものであるか否かの判断は、「労働者の受ける不利益の程度」「労働条件の変更の必要性」などを総合的に考慮して、最終的には裁判所が行うことになります。

3 たとえば、令和５年度の地域別最低賃金の額は、全国加重平均額1,004円、最低893円（岩手県）、最高1,113円（東京都）となっており、都道府県によってバラつきがあります。

4 特定最低賃金は、鉄鋼業、出版業、百貨店などの特定の産業において、関係労使の任意の申出に基づき決定されます。各都道府県には、５業種ほどの特定最低賃金が定められています。

職業安定法・労働者派遣法

● 職業紹介事業には、「有料」と「無料」の2種類の形態があります。
● 職業紹介事業と労働者派遣事業は、要件等を比較しておきましょう。
● 派遣期間には、「事業所単位」と「個人単位」の2つの期間制限があります。

1 職業安定法

（1）職業安定法とは？

　失業者などの求職者が個人で就職先を探すことには限界があります。そこで、公共職業安定所や民間の職業紹介事業者によって職業紹介などが行われます。

　職業安定法は、労働者の募集や職業紹介などの基本ルールを定めた法律です。特に、民間企業等が**職業紹介事業に参入するときの規制**などを定めています。

（2）職業紹介事業の形態

　民間企業等が行う職業紹介事業には、**有料**のもの（求人者である企業から手数料を徴収するもの）と**無料**のものとがあります。参入するときの基本的な要件等は、次表のとおりですが、有料職業紹介事業の方が厳しい内容となっています。

種類	要件	有効期間	紹介が禁止される職業
有料職業紹介事業	厚生労働大臣の**許可**	新規3年 更新5年	**港湾運送業務**又は**建設業務**に就く職業
無料職業紹介事業	厚生労働大臣の**許可**（例外あり **1**）	新規5年 更新5年	特になし

2 労働者派遣法

（1）労働者派遣法とは？

　労働者派遣法は、**派遣労働者の保護等**を図るため、派遣元事業主や派遣先等が守るべきルールを定めた法律です。労働者派遣は特殊な雇用形態ですので、労働基準法などではカバーしきれない部分を本法によって補っています。

　そもそも**労働者派遣**とは、どのような雇用形態なのでしょうか。これは、「自己の雇用する労働者を、当該**雇用関係の下**に、かつ、**他人の指揮命令**を受けて、当該他人のために労働に従事させること」と定義されています（次図）。

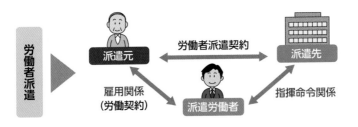

（2）労働者派遣事業の要件と派遣禁止業務

　労働者派遣事業については（すべて）、**厚生労働大臣の許可制**となっています。また、何人も派遣禁止業務については、労働者派遣を行ってはなりません。**2**

要件	有効期間	派遣禁止業務
厚生労働大臣の**許可**	新規３年 更新５年	①港湾運送業務　②建設業務　③警備業務 ④一定の医療関係業務（一部例外あり）

（3）派遣期間の制限

　労働者派遣については、**すべての業務**について、「**（派遣先の）事業所単位の期間制限**」及び「**個人単位の期間制限**」の２つの期間制限が適用されます。**3**

事業所単位の 期間制限	派遣先の同一の事業所に派遣が可能な期間は、**３年**が限度。何回でも延長が可能（過半数代表者等からの**意見聴取**が必要）。
個人単位の 期間制限	同一の派遣労働者を派遣先の**同一の組織単位（課など）**に派遣することができる期間は、**３年**が限度（延長は不可）。**4**

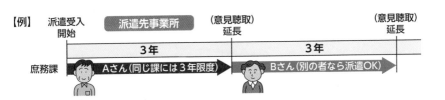

1 ①学校等及び②特別の法人（商工会議所等）は厚生労働大臣への「届出」により、③地方公共団体は厚生労働大臣への「通知」のみで、無料職業紹介事業を行うことができます。

2 このほか、派遣元事業主は、一定の場合を除き、その雇用する日雇労働者（日々又は30日以内の期間を定めて雇用する者）について、労働者派遣を行ってはなりません。【日雇派遣の原則禁止】

3 「無期雇用派遣労働者（派遣元事業主に期間を定めないで雇用される者）」や「60歳以上の者」等については、これらの期間制限は適用されません。つまり、何年でも派遣することができます。

4 組織単位（課など）を変えない限り、３年を超えて同一の事業所に派遣することはできません。

1 労基
2 安衛
3 労災
4 雇用
5 徴収
6 労一
7 健保
8 国年
9 厚年
10 社一
11 横断①
12 横断②

育児・介護休業法

- ◉「育児休業、介護休業、子の看護等休暇、介護休暇」の違いを理解しましょう。
- ◉ 育児休業は、「1歳2ヵ月や最長2歳」まで認められる場合があります。
- ◉ 介護休業は、「対象家族1人につき3回、通算して93日」が限度です。

■1 育児・介護休業法とは?

　育児・介護休業法は、「職業生活と家庭生活の両立」の観点から、労働者が取得することができる休業・休暇の制度（次表の4種類）等を規定した法律です。

　次の**2**以下では、①②の育児休業と介護休業の概要を確認していきます。

① 育児休業	原則として1歳に満たない子を養育するための休業 ▶ 一定の場合は1歳2ヵ月又は1歳6ヵ月・最長2歳まで取得可
② 介護休業	要介護状態にある**対象家族1**を介護するための休業 ▶ 対象家族1人につき3回、通算して93日が限度
③ 子の看護等休暇 [改正]	小学校第3学年修了前（9歳年度末まで）の子の看護・行事参加のための休暇 ▶ 一年度に5日（子が2人以上なら10日）が限度2
④ 介護休暇	要介護状態にある**対象家族1**を介護するための休暇 ▶ 一年度に5日（対象家族が2人以上なら10日）が限度2

■2 育児休業

（1）育児休業の原則

　育児休業（出生時育児休業を除く。）は、事業主に申し出ることにより、原則として1歳に満たない子を養育する場合に取得することができます。1歳に満たない子に係る育児休業は、**分割して2回取得することができます**。

（2）1歳2ヵ月までの育児休業（通称「パパ・ママ育休プラス」）

　労働者及びその配偶者が（夫婦で共働きをしており）**ともに育児休業を取得す**る場合には、子が1歳2ヵ月に達するまでの育児休業が認められます。

【例】

1 労基
2 安衛
3 労災
4 雇用
5 徴収
6 労一
7 健保
8 国年
9 厚年
10 社一
11 横断①
12 横断②

（3）1歳到達日後（1歳6ヵ月又は最長2歳まで）の育児休業の延長

子の1歳到達日（又はパパ・ママ育休プラスの終了予定日）後の期間において、保育所等における保育の利用を希望しているが当面利用できない場合等には、子が1歳6ヵ月・最長で2歳に達するまでの育児休業の延長が認められます。**4**

（4）出生時育児休業（通称「産後パパ育休」）

産後休業をしていない労働者は、事業主に申し出て、前記までの育児休業とは別に、**子の出生日から起算して8週間を経過する日の翌日までの期間内に通算4週間までの出生時育児休業を取得する**ことができます（2回までの分割取得可）。

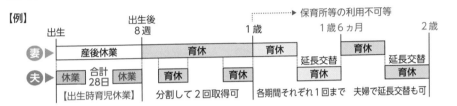

3 介護休業

介護休業は、事業主に申し出ることにより、**同一の対象家族1人につき3回、通算して93日を限度として**取得することができます。

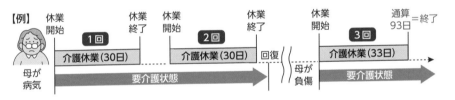

たとえば…

育児休業や介護休業を取得した期間について、賃金を支払う（有給とする）必要はあるのでしょうか？　答えは…、有給とする義務はありません。

ただし、育児休業、出生時育児休業又は介護休業を取得した期間については、雇用保険から「育児休業給付金」「出生時育児休業給付金」「出生後休業支援給付金」又は「介護休業給付金」が支給されます（➡雇用P131～133）。

1 「対象家族」とは、配偶者、子、父母、孫、祖父母、兄弟姉妹及び配偶者の父母をいいます。

2 子の看護等休暇及び介護休暇は、1日未満の単位（時間単位）で取得することもできます。

3 夫は、子の1歳到達日の翌日から妻と交替して1歳2ヵ月まで育児休業を取得することもできます。

4 原則として、①1歳6ヵ月までの育児休業は子の1歳到達日において、②2歳までの育児休業は子の1歳6ヵ月到達日において、夫婦のいずれかが育児休業をしていなければ、取得できません。

男女雇用機会均等法・労働組合法

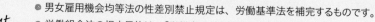

Point

● 男女雇用機会均等法の性差別禁止規定は、労働基準法を補完するものです。
● 労働組合法の根本目的は、「労働者の地位を向上させること」です。
● 労働協約は、「労働条件」その他に関して「書面」により作成します。

1 男女雇用機会均等法

(1) 男女雇用機会均等法とは？

　労働基準法では、性差別の禁止について、同法4条で「労働者が**女性**であることを理由として、**賃金**について、男性と差別的取扱いをしてはならない。」と規定しているにすぎません。これだけでは、男女の均等な取扱いが十分とはならないため、**男女雇用機会均等法**において、各種の性差別の禁止を規定しています。

(2) どのような性差別が禁止されるのか？

　まず、この法律では、「労働者の**募集及び採用**について、その性別にかかわりなく**均等な機会を与えなければならない。**」とされています。たとえば、募集に際し、「男性歓迎」「女性向きの職種」などと表示することは違反となります。

　さらに、次の①〜④に掲げる事項についての**性差別が禁止**されています。

性差別が禁止される事項

① 配置、昇進、降格、教育訓練
② 厚生労働省令で定める**福利厚生**（住宅資金の貸付け等）
③ 職種及び**雇用形態の変更** 2
④ 退職の勧奨、定年、解雇、労働契約の更新 3

男性も対象！

有利な取扱い
も禁止！

たとえば…

　男女雇用機会均等法では、性別に関する「間接差別」も禁止しています。間接差別とは、直接的な性差別ではないものの、一方の性が満たしにくい要件を「合理的な理由がなく」設けることです。
　たとえば、単なる受付・出入者のチェックのみを行う警備員の職務について募集又は採用を行う場合に、「身長、体重又は体力」が一定以上であることを要件とする場合などは、合理的な理由がないものとして間接差別に該当すると考えられています。

2 労働組合法

（1）労働組合法とは？（関連規定はP154～155も参照のこと）

労働者一人ひとりが個別に使用者と交渉するよりも、団結して交渉する方が、より「対等の立場」で労働条件を決定することができます。**労働組合法**は、憲法28条で保障されている、①**団結権**、②**団体交渉権**、③**団体行動権（争議権）**の労働三権に基づき、**労働者の地位を向上させる**ことを根本的な目的としています。

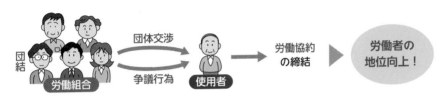

（2）労働組合の定義

労働組合法の保護の対象となる労働組合は、「①労働者が**主体となって**②**自主的に**③**労働条件の維持改善その他経済的地位の向上を図ることを主たる目的**として組織する団体又は連合団体」をいいます。これを**法内組合**といいます。**4**

（3）労働協約について

労働協約は、団体交渉の結果を踏まえて、労働組合と使用者（又はその団体）との間で**労働条件**その他に関して締結するものです。労働協約は、**書面**により作成し、両当事者が署名し、又は記名押印することによって効力が生じます。

① **労働協約の期間**……有効期間を定める場合の上限は**3年**です（3年を超える期間を定めても、有効期間は3年となる。）。有効期間の定めがない労働協約も有効ですが、この場合は、当事者の**一方**が署名し、又は記名押印した文書で**少なくとも90日前**に相手方に**予告**して、解約することができます。

② **労働協約の規範的効力**……労働協約に定める労働条件その他の基準に違反する**労働契約の部分は無効**となり、その無効となった部分は、その基準の定めるところによります（労働契約に定めがない部分も同様）。

---

1 具体的には、①対象から男女のいずれかを排除する、②条件を男女で異なるものとする、③試験等の方法や合格基準を男女で異なるものとするなどの措置が禁止されます。

2 「職種」とは「営業職・技術職」や「総合職・一般職」の別などのことです。また、「雇用形態」とは「正社員・パートタイム労働者・契約社員」などの形態のことです。

3 たとえば、女性のみに労働契約の更新の回数の上限を設けることなどが禁止されます。

4 使用者の支配介入を受けているものや政治運動・社会運動などを主たる目的（付随的な目的であればかまわない。）としているものは、労働組合法上の労働組合には該当しません。

1 労基
2 安衛
3 労災
4 雇用
5 徴収
6 労一
7 健保
8 国年
9 厚年
10 社一
11 横断①
12 横断②

労一 ▶ 理解度 Check!

該当レッスン	Let's チャレンジ ○×問題・穴うめ問題
Lesson 1 この科目の出題 分野・用語等	**○×** **1** 職務給とは、個々の従業員の職務遂行能力を基準として決定される賃金のことである。
	穴うめ **2** 完全失業率とは、（A）に占める（B）の割合をいう。
Lesson 2 労働契約法・最 低賃金法	**○×** **3** 使用者が、労働者と合意することなく、就業規則を一方的に変更することにより、労働者の不利益に労働契約の内容である労働条件を変更することは、一切認められていない。
	○× **4** 最低賃金額は、月、週、日又は時間によって定められている。
	穴うめ **5** 最低賃金には、（C）最低賃金及び特定最低賃金の2種類がある。
Lesson 3 職業安定法・労 働者派遣法	**○×** **6** 有料の職業紹介事業を行おうとする者は、都道府県知事の許可を受けなければならない。
	○× **7** 無期雇用派遣労働者については、派遣期間に関して、事業所単位の期間制限及び個人単位の期間制限のいずれも適用されない。
	穴うめ **8** 派遣禁止業務には、①（D）運送業務、②建設業務、③（E）業務及び④一定の医療関係業務が該当する。
Lesson 4 育児・介護休業 法	**○×** **9** 子の看護等休暇は、一年度において、子1人あたり5日を限度としているため、子が3人いる場合には、15日まで取得することができる。
	○× **10** 母子家庭における母である労働者については、法律上当然に、子が1歳2ヵ月に達するまでの育児休業を取得することができる。
	穴うめ **11** 介護休業は、同一の対象家族1人につき（F）回、通算して（G）を限度として取得することができる。
Lesson 5 男女雇用機会均 等法・労働組合 法	**○×** **12** 職種の変更について、男性労働者には「総合職」から「一般職」への変更を認めないことは、男女雇用機会均等法に違反する。
	穴うめ **13** 有効期間の定めがない労働協約は、当事者の（H）が署名し、又は記名押印した文書によって相手方に予告して解約することができる。その予告は、少なくとも（I）前にしなければならない。

解答 **1** × 「職務給」ではなく「職能給」である。　**2**（A）**労働力人口**（B）**完全失業者**　**3** ×変更後の就業規則を労働者に「周知」させ、かつ、その変更が「合理的」なものであれば認められる。
4 ×　「時間」単位である。　**5**（C）**地域別**　**6** ×　「厚生労働大臣」の許可である。　**7** ○　**8**（D）**港湾**（E）**警備**　**9** ×　子が2人以上の場合には、一律「10日」が限度となる。　**10** ×　このような規定はない。　**11**（F）**3**（G）**93日**　**12** ○　**13**（H）**一方**（I）**90日**

第 7 章

健康保険法

- この科目の体系樹
- この科目の特徴／ここだけチェック！！

この科目 健保 の体系樹

保険給付の通則

給付制限

被保険者

被扶養者

適用除外

健康保険の適用

適用事業所

日雇特例被保険者

標準報酬
(標準報酬月額・標準賞与額)

概要

健康保険は、会社員などの被用者（雇われて働く者）を対象とした医療保険制度です。健康保険では、労働者である被保険者のほか、その家族である被扶養者の病気、ケガ等についても保険給付を行います。学習を進める上では、労災保険や国民健康保険と比較をするとよいでしょう。

枝葉

　保険者と保険給付のほかは、重要な項目として「被保険者」「標準報酬」「費用」が挙げられます。
①**被保険者**……一般の被保険者、退職後も引き続き健康保険に加入することができる任意継続被保険者と特例退職被保険者、日雇特例被保険者の４種類に分かれます。
②**標準報酬**……保険給付及び保険料徴収の基礎等になるものです。
③**費用**……健康保険事業の運営に必要な費用は国庫負担・国庫補助と保険料により賄われています。

根

　健康保険では、**業務災害以外の疾病・負傷・死亡・出産**の４事故を対象として「保険給付」が行われるほかに、付帯事業として「保健事業」と「福祉事業」が行われています。
①**保健事業**……生活習慣病の予防対策等を目的とします（一部を除き、努力義務の事業として行われる。）。
②**福祉事業**……資金の貸付けや療養の際に必要となる用具の貸付けを目的として行われます（任意の事業として行われる。）。
　①②の事業を行うことにより、健康保険では被保険者等の健康を、予防行為及び資金の面から総合的にバックアップしています。

① 保険者……**全国健康保険協会と健康保険組合が保険者**となります。

② 保険給付……学習の中心は、**被保険者に関する保険給付**です。

●疾病・負傷に関する給付➡数多くの給付がありますが、代表的な医療給付である**療養の給付**、所得保障給付である**傷病手当金**、負担軽減のための**高額療養費**などが、学習の中心となります。**保険医療機関等**の理解も必要です。

●死亡・出産に関する給付➡葬祭費用を支給する**埋葬料（埋葬費）**、出産費用を支給する**出産育児一時金**と所得保障給付である**出産手当金**があります。

●上記のほか、**被扶養者**に関する保険給付や**資格喪失後**の保険給付もあります。

保険者

全国健康保険協会

健康保険組合

保険給付

① 疾病・負傷	●支給要件
	●支給額
② 死亡	●保険医療機関等
③ 出産	●資格喪失後の保険給付

被保険者

被扶養者

不服申立て等　罰則

等　時効

保険料

費用

国庫負担・国庫補助

厚生年金保険法

目的等

●被保険者又はその被扶養者の業務災害以外の疾病・負傷・死亡・出産に対し、保険給付を行う。

●付帯事業として、保健事業と福祉事業がある。

高齢化の進展　疾病構造の変化
社会経済情勢の変化等

　健康保険法は、わが国の社会保険立法の中で最も古い法律です。**大正11年**に制定され、昭和2年に全面施行されました。施行当初は、業務上の事由による保険事故に対しても保険給付を行っていました。

　現在では、業務災害に対しては労災保険から、**業務災害以外の保険事故**に対しては健康保険から、保険給付が行われます。高齢化の進展、疾病構造の変化、社会経済情勢の変化等を背景に頻繁に改正が行われています。

配点 （→ P 18） (出題数)	◆ 選択式〔40点満点中〕**5点** ◆ 択一式〔70点満点中〕**10点**	
難易度	普通～難しい	学習比重度（→ P 16） ★ ★ ★ ★ ★

数多くの保険給付を中心に幅広い項目から出題されます。適用関係や標準報酬など厚生年金保険法と共通する事項も多くあります。通達を根拠とする難度の高い出題もありますが、問われる論点がほぼ限られており、これらは過去問からの再出題が多いため、過去問学習が効果的です。

本編で取り上げていない 項目・用語の
『**ここだけチェック!!**』

ここでは、前ページの体系樹を補完するものとして、本編で取り上げていない「その他の項目」や「用語」について、概要と押さえてほしいポイントを示しています。

☑ 保険医療機関等と保険医等

保険医療機関又は保険薬局とは、**厚生労働大臣の指定を受けた**病院、診療所又は薬局のことで、**保険医又は保険薬剤師**とは、**厚生労働大臣の登録を受けた医師、歯科医師又は薬剤師**のことです。

健康保険では、これらの指定や登録を受けることにより、保険診療や保険調剤を行うことができる仕組みとなっています。

	指定（保険医療機関等）	登録（保険医等）
有効期間	6年間	なし
指定・登録の拒否 （共通する代表例）	指定・登録が**取り消された**日から**5年**が経過していないときは、厚生労働大臣は、指定・登録を拒否することができる。	
指定の辞退・登録の抹消 （自ら辞める場合）	**1ヵ月以上**の予告期間を設けて、指定を辞退すること又は登録の抹消を求めることができる。	

☑ 資格喪失後の保険給付

傷病手当金（→ P186）及び**出産手当金**（→ P189）については、被保険者の資格喪失後においても**継続給付**として引き続き支給される場合があります。

- 被保険者の**資格喪失日の前日**（退職日）まで**引き続き１年以上被保険者であったこと**
- 資格を喪失した際に、手当金の支給を受けている又は受けることができる状態にあること

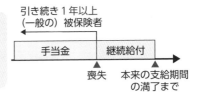

上記の手当金の継続給付のほか、被保険者本人が資格喪失後**３ヵ月以内に死亡**したとき等又は資格喪失後**６ヵ月以内に出産**したときには、**埋葬料・埋葬費**又は**出産育児一時金**（➡ P188）が支給される場合があります。

☑ 日雇特例被保険者

日雇特例被保険者（➡ P174、309）については、一般の被保険者とは異なる独自の規定が設けられています。主なものは、次のとおりです。

保険者	日雇特例被保険者の保険の保険者は、**全国健康保険協会のみ**である。
保険料 （印紙保険料）	事業主は、日雇特例被保険者を**使用する日ごと**に、日雇特例被保険者手帳に健康保険印紙を貼付し、これに消印する方法で保険料を納付する。
保険料納付 要件	保険給付を受けるためには、原則として、**前２ヵ月間に通算して26日分以上又は前６ヵ月間に通算して78日分以上**の保険料の納付が必要。
特別療養費	日雇特例被保険者に**独自の給付**（納付要件を満たすまでのつなぎ的給付）。

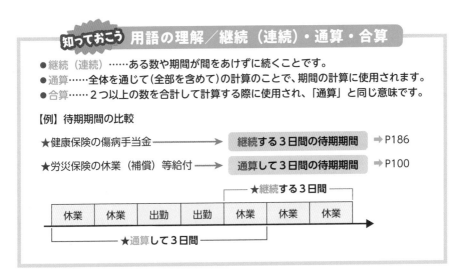

知っておこう 用語の理解／継続（連続）・通算・合算

- **継続（連続）**……ある数や期間が間をあけずに続くことです。
- **通算**……全体を通じて（全部を含めて）の計算のことで、期間の計算に使用されます。
- **合算**……２つ以上の数を合計して計算する際に使用され、「通算」と同じ意味です。

【例】待期期間の比較

★健康保険の傷病手当金 ────➤ 継続する３日間の待期期間 ➡ P186

★労災保険の休業（補償）等給付 ───➤ 通算して３日間の待期期間 ➡ P100

休業	休業	出勤	出勤	休業	休業	休業

★継続する３日間

★通算して３日間

健康保険法の目的・保険者等

健保 Lesson 1

Point
- 健康保険の保険事故は、業務災害以外の疾病等の「4種類」があります。
- 健康保険の保険者は、「全国健康保険協会」と「健康保険組合」です。
- 常時1人でも従業員を使用する法人の事業所は、強制適用事業所となります。

1 健康保険の目的とは?

病院に行き、窓口で被保険者であることの確認を受け、3割の一部負担金を支払えば、治療を受けることができる…。現在のわが国においては、当たり前となっているこのような仕組み自体が、健康保険法の中心となる内容です。

健康保険の特徴と目的は、次のとおりです。

① 被用者(会社員等の労働者)を対象とする**被用者保険**であること。

② 労働者又はその被扶養者の**業務災害**(労災保険法に規定する業務災害)**以外の疾病、負傷、死亡又は出産**に関して、保険給付を行うこと。

③ つまり、健康保険の**保険事故は4種類**であり、被保険者が扶養している家族である**被扶養者**の疾病等についても、保険給付の対象となること。

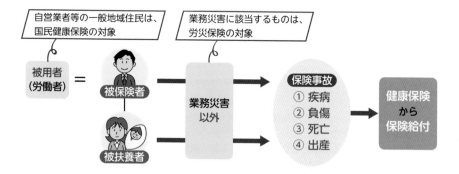

たとえば…

健康保険と労災保険は、保険事故が一部重複しています。具体的には、「疾病」「負傷」「死亡」が重複しますが、このうち、「業務災害」に該当するものは労災保険、これ「以外」のものは健康保険の守備範囲となります。

なお、「複数業務要因災害」と「通勤災害」については、業務災害ではないため、本来は健康保険の守備範囲ですが、労災保険から保険給付が行われるため、健康保険からは保険給付が行われません。

2 健康保険の保険者（運営主体）

　健康保険の保険者は、①**全国健康保険協会**及び②**健康保険組合**です。それぞれが行う健康保険を「**協会管掌健康保険**」及び「**組合管掌健康保険**」といいます。

① **協会管掌健康保険**……健康保険組合の組合員でない被保険者の保険を管掌します。**主に中小企業の労働者が対象**です。協会には各都道府県に支部が置かれており、**都道府県単位で財政運営**（保険料率の設定等）を行います。

② **組合管掌健康保険**……組合員である被保険者の保険を管掌します。健康保険組合は、**主に大企業が設立 2** します。通常は、**付加給付**（保険給付の上乗せ）を行うため **3**、協会よりも給付の内容等が有利です。

3 健康保険の適用事業所

　健康保険の適用事業所には、**強制適用事業所**及び**任意適用事業所**があります。

強制適用事業所　※自動的かつ強制的に適用	**強制適用事業所以外の事業所**
① 国、地方公共団体又は**法人**の事業所であって、**常時**従業員を使用するもの ② **個人経営で適用業種 4** の事業の事業所であって、**常時5人以上の従業員**を使用するもの	加入は任意。**厚生労働大臣の認可**（被保険者となるべき者の**2分の1以上の同意**が必要）を受けて適用事業所とすることができる。＝ **任意適用事業所**

適用業種以外の業種 〔 ① 農林水産業　② サービス業の一部　③ 宗教業 〕

個人経営である限り、従業員数にかかわらず、こちら側に該当
【例】個人経営の農業の事業所

※いずれも企業単位ではなく事業所単位で適用

---

1 被用者とは「他人に雇われている者」の意味です。被用者以外の自営業者等は、「一般地域住民」を対象とする医療保険である国民健康保険に加入することになります（➡社一P268）。

2 常時700人以上（複数の企業が共同で設立する場合は3,000人以上）の被保険者を使用する事業主は、厚生労働大臣の認可を受けること等により、健康保険組合の任意設立が可能です。

3 たとえば、出産育児一時金に一定額をプラスする付加給付などがあります。

4 「適用業種」には、17業種が法定されており、製造業、社労士等の士業などほとんどの業種が該当します。これに該当しない「適用業種以外の業種」には、本文に記載の3業種があります。

Lesson
2

被保険者

Point

- 健康保険の被保険者は、「4種類」です。
- 被保険者となることができない適用除外者は、「9種類」です。
- 任意継続被保険者については、「2ヵ月」「20日」「2年」がキーワードです。

1 健康保険の被保険者

　本法の基本的な被保険者は、**適用事業所に使用される者**である「**一般の被保険者**」であり、適用除外者に該当する場合を除き、強制的に被保険者となります。また、**退職後の被保険者**である「**任意継続被保険者**」などがあります。

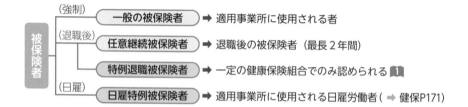

2 適用除外者

　次の者は、被保険者となることができません（なお、②～④の者は、本法の日雇労働者に該当し、適用事業所に使用される場合は日雇特例被保険者となる。）。

　　① 船員保険の強制被保険者……船員保険（➡ 社一P264）の対象。

　　② 臨時に使用される者……(ア) 日々雇い入れられる者、(イ) 2ヵ月以内の期間を定めて使用される者であって、当該定めた期間を超えて使用されることが見込まれないもの 2

　　③ 季節的業務に使用される者……清酒製造業など。 2

　　④ 臨時的事業の事業所に使用される者……万国博覧会など。 2

　　⑤ 所在地が一定しない事業所に使用される者……サーカスなど。

　　⑥ 国民健康保険組合の事業所に使用される者……国民健康保険の対象。

　　⑦ 後期高齢者医療の被保険者等……後期高齢者医療制度の対象。➡ 社一P268

　　⑧ 承認を受けて国民健康保険の被保険者となる者……特殊な適用除外者。

　　⑨ 4分の3基準等の適用要件を満たしていない短時間労働者……次頁。

★短時間労働者（パートタイム労働者等）の適用要件

　1週間の所定労働時間及び1ヵ月の所定労働日数が、同一の事業所に使用される通常の労働者（正社員）のものと比べて**4分の3以上**（これを「**4分の3基準**」という。）であれば、被保険者となります。

　4分の3基準を満たさない短時間労働者でも、次の**4要件をすべて満たす者**は、被保険者となります（いずれか1つでも満たさない者＝**適用除外者**）。

> **4要件**
> ① 1週間の所定労働時間が**20時間以上**であること
> ② 報酬の月額が**8万8,000円以上**であること
> ③ **学生等でない**こと
> ④ **特定適用事業所**（70歳未満の通常の労働者及び4分の3基準を満たした者の総数が**50人を超える** 改正 企業の事業所）に使用されていること 🔢

★法人の代表者等の適用

　株式会社の**代表取締役等**であっても、法人から労務の対償として報酬を受けている者として被保険者となります。ただし、**個人事業主は被保険者となりません**。

3 任意継続被保険者

　健康保険では、退職後も引き続き**2年を限度**として、**任意継続被保険者**となることができます。任意継続被保険者となるための要件は、次のとおりです。

　① **適用事業所に使用されなくなったため**、又は**適用除外者に該当するに至ったため**被保険者（一般の被保険者）の資格を喪失し、**資格喪失日の前日**（退職日）まで**継続して2ヵ月以上**被保険者（一般の被保険者）であったこと。

　② 資格喪失日から**20日以内**に保険者に**申し出る**こと。

> 🔢 厚生労働大臣の認可を受けた「特定健康保険組合」の組合員であった退職者のみを対象とする被保険者です。老齢の年金の受給権者となってから最長で75歳までの加入が認められます。
>
> 🔢 ②〜④の者は、使用期間に応じて例外的に一般の被保険者となる場合があります（➡厚年P237）。
>
> 🔢 特定適用事業所以外の適用事業所（50人以下の企業の事業所）に使用される短時間労働者であっても、（ア）「労使合意」に基づき申出をする民間企業の事業所、（イ）国又は地方公共団体に属する事業所（労使合意は不要）に使用される者は、本文①〜③の要件を満たせば被保険者となります。

被扶養者

Point

- 被扶養者に関する保険給付は、あくまで「被保険者」に対して支給されます。
- 生計維持関係のみがあれば被扶養者と認められる者は、「5種類」です。
- 被扶養者となるための年収要件は、原則として「130万円未満」です。

1 被扶養者の制度とは?

健康保険では、**被扶養者の疾病、負傷、死亡又は出産**に関しても保険給付を行い、被保険者が負担すべき家族全体の医療費の負担軽減を図っています。

なお、被扶養者に関する保険給付は、あくまで**被保険者に対して**支給されます。

2 被扶養者の範囲

被扶養者となることができるのは、次表に掲げる者で、**日本国内**に住所を有するもの又は**留学生**その他の日本国内に住所を有しないが**日本国内に生活の基礎があると認められる**ものです（国内居住要件）。

ただし、①**後期高齢者医療の被保険者等である者**、②本法の適用を除外すべき**特別の理由がある者**として厚生労働省令で定める者**1**は、被扶養者となりません（適用除外）。

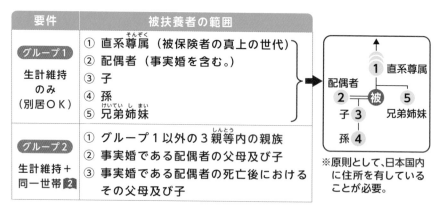

★親族とは?

民法上、親族とは、①6親等内の**血族3**、②配偶者、③3親等内の**姻族4**をいいます。グループ2に属するのは3親等内の親族に限られます（次頁図）。

たとえば…

「親等」とは、親族関係の遠近を計る単位のことです。親子関係を1親等と数えます。兄弟姉妹などの傍系（ぼうけい）の親族の場合は、共通の始祖（父母など）にさかのぼって数えます。配偶者は親等数にカウントしません。たとえば、兄弟姉妹は2親等の血族、甥姪（おい・めい）は3親等の血族です。従兄弟・従姉妹（いとこ）は4親等の血族であるため、被扶養者とはなりません。

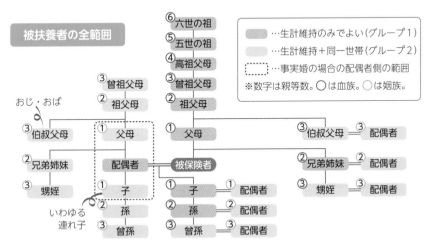

3 生計維持関係とは？

　生計維持関係があると判断されるためには、被扶養者の認定の対象となる者の年間収入 5 が、原則として次表の要件を満たしていなければなりません。

	同一の世帯に属している場合	同一の世帯に属していない場合
60歳未満	① 130万円未満　かつ ② 被保険者の年収の1/2未満	① 130万円未満　かつ ② 被保険者からの援助額より少ない
60歳以上 又は障害者	① 180万円未満　かつ ② 被保険者の年収の1/2未満	① 180万円未満　かつ ② 被保険者からの援助額より少ない

1 「医療滞在ビザ」「観光・保養を目的とするロングステイビザ」の来日者が適用除外となります。

2 「同一世帯」にあるとは、被保険者と住居及び家計を共にすることをいいます。なお、病院等への入院や単身赴任等は、一時的な別居と考えられるため、同一世帯にあるものと取り扱われます。

3 「血族」とは、血縁関係のある「自然血族」及び養子縁組による「法定血族」をいいます。

4 「姻族」とは、婚姻関係により親族となった者をいいます。具体的には、「①配偶者の血族（配偶者の父母など）」及び「②血族の配偶者（子の配偶者など）」が姻族に該当します。

5 「年間収入」とは、年金、給与所得、資産所得など今後1年間に継続して入る（又は入る予定の）恒常的な収入（控除前の総額）のことです。雇用保険の基本手当等も含めてすべての収入が対象です。

標準報酬月額・標準賞与額 (1)

Point
- 健康保険の標準報酬月額は、「50等級」に区分されています。
- 標準報酬月額は、「5つの方法」によって決定又は改定されます。
- 定時決定は、「4〜6月の3ヵ月間」の報酬を算定の基礎として行われます。

1 標準報酬月額とは?

(1) 標準報酬月額の仕組み

　健康保険では、**標準報酬月額**に基づいて毎月の保険料額が算定されます（厚生年金保険でも仕組みは同じ。➡ 厚年P238）。健康保険の標準報酬月額は、被保険者各人の報酬を月額（**報酬月額**）に換算し、これを**50等級**に区分されている**標準報酬月額等級表**にあてはめて決定されます。そして、標準報酬月額は、原則として1年間（9月〜翌年8月）固定されます（定時決定の場合）。📕

1 **被保険者各人の報酬**	月額に換算 →	2 **報酬月額を算定**	等級表にあてはめる →	3 **標準報酬月額を決定**
（現実に支給される報酬）		（原則4〜6月の平均月額）		（原則1年間固定）

(2) 標準報酬月額の等級区分

　健康保険の標準報酬月額は、**第1級の58,000円**から**第50級の1,390,000円**までの区分があり、報酬月額を標準報酬月額等級表にあてはめて決定します。

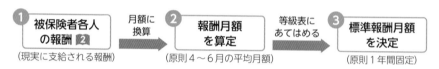

等級区分▶	1級	2級		18級	19級	20級		49級	50級
標準報酬月額▶	58,000円	68,000円		220,000円	240,000円	260,000円		1,330,000円	1,390,000円
報酬月額▶	63,000円未満	63,000円以上73,000円未満		210,000円以上230,000円未満	230,000円以上250,000円未満	250,000円以上270,000円未満		1,295,000円以上1,355,000円未満	1,355,000円以上

【例】報酬月額が230,000円の場合 ➡ 標準報酬月額は19級の240,000円に決定

(3) 標準報酬月額の決定及び改定の方法

　標準報酬月額は、①**資格取得時決定**（入社時）、②**定時決定**（1年に1回）、③**随時改定**（報酬の大幅な変動時）、④**育児休業等終了時改定**又は⑤**産前産後休業終了時改定**（職場復帰時）の5つの方法によって決定又は改定されます。

1 労基
2 安衛
3 労災
4 雇用
5 徴収
6 労一
7 健保
8 国年
9 厚年
10 社一
11 横断①
12 横断②

2 資格取得時決定

被保険者の資格を取得した際（入社時）には、まだ報酬が支払われていません。この場合には、これから支払われるであろう報酬の額（例：月給として定められた額等）に基づいて報酬月額を算定して、標準報酬月額を決定します。 3

資格取得時決定による標準報酬月額の有効期間は、次表のとおりです。

資格取得日	有効期間
1/1 ～ 5/31に取得	その年の8月まで
6/1 ～ 12/31に取得	翌年の8月まで

【例】 6/1に資格を取得

6/1	翌年8月	9月
資格取得時決定の標準報酬月額		定時決定の標準報酬月額

3 定時決定

標準報酬月額は、実際の報酬の額との間に大きな差が生じないよう、**毎年1回**、定期的に決め直されます。これが**定時決定**です。

定時決定は、原則として**7月1日**現在にその事業所に使用される**全被保険者**を対象として行われます。 4 また、定時決定による標準報酬月額の有効期間は、「**その年の9月から翌年の8月まで**」の1年間となっています。

具体的に、定時決定では、**4月・5月・6月**の3ヵ月間に受けた報酬の総額をその期間の月数で除して得た額を報酬月額として、標準報酬月額を決定します。ただし、**報酬支払基礎日数**が17日 5 未満である月は計算の対象から除きます。

【例】

Aさん

	報酬	報酬支払基礎日数
4月	25万円	30日 ○
5月	25万円	30日 ○
6月	19万円	17日 ○

報酬月額
$$= \frac{25万円 + 25万円 + 19万円}{3ヵ月}$$
$= 23万円$

標準報酬月額
19級の24万円に決定

Bさん

	報酬	報酬支払基礎日数
4月	28万円	30日 ○
5月	14万円	15日 ×
6月	22万円	20日 ○

報酬月額
$$= \frac{28万円 + 22万円}{2ヵ月}$$
$= 25万円$

標準報酬月額
20級の26万円に決定

1 標準報酬月額は、いわば仮定的な報酬であり、事務処理の簡素化を目的としています。

2 報酬には、「臨時に受けるもの」と「3ヵ月を超える期間ごとに受けるもの」は含まれません。

3 具体的には、月給・週給その他一定期間により報酬が定められる場合には「（資格取得日現在の報酬額÷その期間の総日数）×30」を報酬月額として、標準報酬月額が決定されます。

4 例外として、①6/1～7/1に資格を取得した者、②7月～9月に随時改定・育児休業等（又は産前産後休業）終了時改定が行われる（べき）者は、その年の定時決定の対象となりません。

5 4分の3基準を満たさない短時間労働者である被保険者については、「11日」となります。

標準報酬月額・標準賞与額（2）

Point →
- 随時改定は、3つの要件を「すべて」満たした場合に行われます。
- 育児休業等（又は産前産後休業）終了時改定は、被保険者の申出が必要です。
- 健康保険の標準賞与額は、「年度累計額573万円」が上限額となっています。

1 随時改定

　被保険者の報酬が、昇給・降給などによって大幅に変動したときは、次回の定時決定を待たずに標準報酬月額が改定されます。これが**随時改定**です。

　随時改定は、次の3つの要件を**すべて**満たしたときに行われます。

① 昇給・降給等により**固定的賃金に変動**があったこと。**1**

② 固定的賃金の変動月以後の継続した**3ヵ月間**の報酬支払基礎日数がすべて**17日 2 以上**であること。**3**

③ 3ヵ月間に受けた報酬（非固定的賃金を含む。）の平均月額による標準報酬月額と従来の標準報酬月額との間に**2等級以上の差**が生じたこと。

　随時改定では、上記の**3ヵ月間に受けた報酬の総額を3で除して得た額**（平均月額）を報酬月額として、その3ヵ月間の最後の月の翌月から標準報酬月額を改定します。つまり、固定的賃金の変動月から数えて4ヵ月目に改定します。

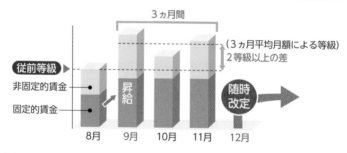

　随時改定による標準報酬月額の有効期間は、次表のとおりです。

改定された月	有効期間
1月～6月に改定	その年の8月まで
7月～12月に改定	翌年の8月まで

【例】12月に随時改定

12月	翌年8月	9月
随時改定による標準報酬月額		定時決定の標準報酬月額

② 育児休業等終了時改定（又は産前産後休業終了時改定）

　育児・介護休業法に規定する**育児休業等 4**（又は**産前産後休業 5**）を終了した日に**（3歳未満の）子を養育している**被保険者については、随時改定の要件に該当していなくても、**被保険者が事業主を経由して申出をする**ことにより、標準報酬月額が改定されます。

　具体的には、休業終了日の翌日（＝職場復帰日のこと）が属する月以後の**3ヵ月間**に受けた報酬の総額を**その期間の月数で除して得た額を報酬月額**として、その3ヵ月間の最後の月の翌月から **6**、標準報酬月額を改定します。ただし、**報酬支払基礎日数が17日 2 未満である月は計算の対象から除きます**。

　この改定による標準報酬月額の有効期間は、随時改定と同じです。

【例】

| 8/11に職場復帰 | → | 8月〜10月の報酬に基づき報酬月額を算定 | → | 本人が申出 | → | 11月から標準報酬月額を改定 |

③ 標準賞与額とは？

　標準賞与額とは、賞与（**3ヵ月を超える期間ごとに受けるもの**）について、**1,000円未満の端数を切り捨てた額**のことです。標準賞与額についても、通常の保険料率による保険料が徴収されます（⇒ 健保P190）。

　なお、健康保険の標準賞与額については、**年度（4月1日〜翌年3月31日）における累計額573万円という上限額**が設けられています。

たとえば…

　たとえば、ある被保険者が、同一年度内において、①6月に200万円、②10月に200万円、③翌年2月に200万円の3回の賞与（計600万円）を受けた場合には、健康保険の各月の標準賞与額はいくらになるでしょうか？
　答えは…、①6月は「200万円」、②10月は「200万円」、そして、③翌年2月は『173万円』（累計573万円）として標準賞与額が決定されます。

1 固定的賃金がわずかでも変動していることが要件です。固定的賃金とは、基本給や家族手当、通勤手当等をいいます。残業手当、精勤手当等はこれに該当せず、非固定的賃金に該当します。

2 4分の3基準を満たさない短時間労働者である被保険者については、「11日」となります。

3 報酬支払基礎日数が17日（11日）未満の月が1ヵ月でもある場合には、随時改定は行われません。

4 育児休業のほか、事業主の努力義務である「子が3歳に達するまでの休業」が含まれています。

5 原則、産前42日（多胎妊娠の場合は98日）から産後56日までの間の休業をいいます。産前産後休業終了日の翌日に育児休業等を開始している者は、育児休業等終了時改定の対象となります。

6 より正確には「休業終了日の翌日から起算して2ヵ月を経過した日の属する月の翌月から」です。

傷病に関する保険給付 （1）

- 保険給付は、「被保険者」と「被扶養者」に関するものに大別されます。
- 療養の給付は、病院等の窓口で個人番号カード等による確認を受けて行われます。
- 一部負担金等の割合は、原則として「3割」です。

1 保険給付の全体像

　労災保険や雇用保険と同様に、健康保険にも数多くの保険給付があり、大きく「被保険者」に関するものと「被扶養者」に関するものとに分かれます。

　試験では、まんべんなく出題される傾向にありますが、特に療養の給付や傷病手当金など◻となっているものが重点的に理解をすべき保険給付です。

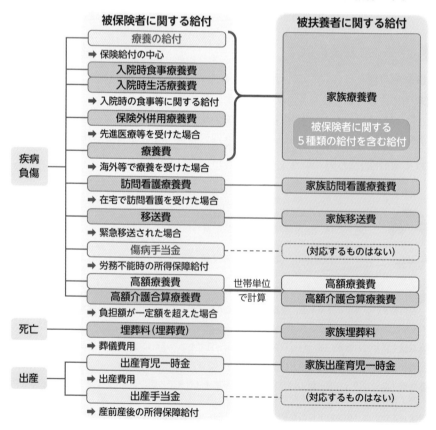

2 療養の給付 （被扶養者の場合は「家族療養費」として給付）

（1）受給の方法

傷病にかかった者は、健康保険を取り扱う病院等**1**を**自ら選定**し、その窓口で個人番号カード（マイナンバーカード）による**電子資格確認**などの方法により、被保険者であることの確認を受けて、必要な診療を受けることができます。

また、医師等**2**から処方せん（投与が必要な薬の処方を記載した書類）が交付されたときは、これを保険薬局に提出して必要な調剤を受けることができます。

（2）一部負担金（自己負担額）の割合

保険医療機関又は保険薬局から診療等を受けた場合は、医療費の一定割合の**一部負担金**（被扶養者の場合は自己負担額という。）を支払わなければなりません。

負担割合は次表のとおりです。なお、下記④の**一定以上所得者**とは、**標準報酬月額が28万円以上である70歳以上の被保険者**（現役並み所得者）のことです。

区分		負担割合
① 原則（70歳未満の被保険者・被扶養者）		3割
② 6歳到達年度末以前（義務教育就学前）の被扶養者		2割
70歳以上の被保険者・被扶養者（高齢受給者）	③ 下記④以外の者	2割
	④ 被保険者が一定以上所得者	3割※**3**

※ただし、④については、被保険者及び70歳以上の被扶養者の年収の合算額が520万円（被扶養者がいない場合は383万円）未満の場合には、その者の申請により、負担割合が③の2割となります。

（3）療養の給付の範囲

療養の給付の範囲（保険診療の対象）は、①**診察**、②**薬剤・治療材料**（包帯など）の支給、③**処置・手術その他の治療**、④**居宅**における療養上の管理等、⑤**病院・診療所への入院**等となっており**4**、これらが現物給付として行われます。

一方、疲労等に対する栄養注射、正常な妊娠・出産、経済上の理由による人工妊娠中絶、美容整形、健康診断などは傷病とされず、保険診療の対象外です。

1 健康保険を取り扱うためには、原則として厚生労働大臣の指定を受けることが必要です。このような病院・診療所のことを保険医療機関、薬局のことを保険薬局といいます。➡健保P170

2 医師等が保険診療を担当するためには、厚生労働大臣の登録を受けることが必要です。このような医師・歯科医師のことを保険医、薬剤師のことを保険薬剤師といいます。➡健保P170

3 70歳以上の被扶養者については、被保険者が70歳未満の場合には（標準報酬月額が28万円以上でも）、2割負担となります（3割負担となるのは、被保険者も70歳以上の場合に限られる。）。

4 労災保険（➡労災P99）と異なり「移送」は含まれません（別途「移送費」の支給対象）。

1 労基
2 安衛
3 労災
4 雇用
5 徴収
6 労一
7 健保
8 国年
9 厚年
10 社一
11 横断①
12 横断②

傷病に関する保険給付（2）

> Point
> ◉ 入院時食事療養費及び入院時生活療養費には「標準負担額」があります。
> ◉「評価療養・患者申出療養・選定療養」＝保険外併用療養費が支給されます。
> ◉ 療養費及び移送費は「現金給付」です。

■1 入院時食事療養費・入院時生活療養費・保険外併用療養費・療養費

（1）ここで取り上げる4種類の保険給付

入院時食事療養費、入院時生活療養費、保険外併用療養費及び療養費の概要を説明します（被扶養者の場合は、いずれも「**家族療養費**」として支給）。

（2）入院時食事療養費及び入院時生活療養費

名称が似ていますが、簡単に言えば、両給付ともに入院時の食事の提供等に係る費用について、一部負担金とは**別の負担**をすべきことを前提とした給付です。

入院時の食事の費用は、**食事療養標準負担額**（食材費と調理費▶原則1食490円 改正 ）を負担し、残りの部分が**入院時食事療養費**として現物給付されます。

療養病床1 に入院する**65歳以上の者**は、入院時は**生活療養標準負担額**（食材費と調理費▶原則1食490円 改正 ＋居住費▶原則1日370円）を負担し、残りの部分が**入院時生活療養費**として現物給付されます。

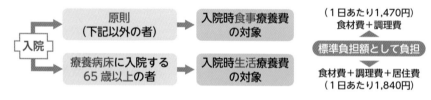

（3）保険外併用療養費

「保険診療」と「保険診療以外の診療」を併用した診療のことを**混合診療**といいます。混合診療を受けた場合には、原則として、本来であれば保険が適用される保険診療の部分も含めて、その医療費を全額自費で負担しなければなりません。

保険外併用療養費とは、**混合診療の例外**を認めたものです。保険診療以外の診療が①**評価療養**、②**患者申出療養2** 又は③**選定療養**に該当する場合には、**保険診療の部分**（基礎的部分）についてのみ、原則3割負担で診療を受けることができます。**3**

1 労基
2 安衛
3 労災
4 雇用
5 徴収
6 労一
7 健保
8 国年
9 厚年
10 社一
11 横断①
12 横断②

療養全体の費用		
評価療養、患者申出療養又は 選定療養の費用（自費負担）	保険外併用療養費 （7割給付）	一部負担金相当額 （3割負担）
保険適用外	保険適用（基礎的部分）	

たとえば…

「評価療養」とは、将来的に保険適用の対象とすべきか否かについて評価が必要な療養として厚生労働大臣が定めるものです。たとえば、先進医療や医薬品の治験などが該当します。「選定療養」とは、患者の嗜好に合わせて選択可能な医療サービスとして厚生労働大臣が定めるものです。たとえば、特別室への入院、時間外診察、前歯部の特別材料の使用などが該当します。

（4）療養費

療養費とは、やむを得ず非保険医にかかった場合や**海外**で療養を受けた場合などに保険者が認めれば、**保険者が定めた額**（健康保険の標準料金から一部負担金相当額を除いた額等）が払い戻されるものです。つまり、療養費は、いったん窓口で全額支払った医療費について、後で払戻しを受けるという**現金給付**です。

2 訪問看護療養費（被扶養者の場合は「家族訪問看護療養費」として支給）

訪問看護療養費とは、在宅療養の難病患者等が、**主治の医師の指示**に基づいて**訪問看護ステーション 4** の訪問看護を受けた場合に、その看護費用について支給されるものです。原則**3割の基本利用料**（負担割合は療養の給付と同じ。）及びその他の利用料（看護師等の交通費等の実費）を負担しなければなりません。

3 移送費（被扶養者の場合は「家族移送費」として支給）

移送費とは、移動困難な患者が一時的・緊急的に移送された場合に、移送に要した費用について支給されるものです（保険者が必要であると認める場合に支給される現金給付）。その額は、**最も経済的な通常の経路及び方法**により移送された場合の費用に基づいて保険者が算定した額です。**一部負担金等はありません。**

> **1** 「療養病床」とは、長期にわたり療養を必要とする慢性期の患者を対象とする病床のことです。
>
> **2** 「患者申出療養」とは、たとえば国内未承認医薬品等による治療を患者が希望する場合に、患者の申出に基づき、厚生労働大臣が速やかに検討を加え、その実施の可否を定める療養のことです。
>
> **3** 評価療養、患者申出療養又は選定療養に係る費用には、保険が適用されないため、特別料金を全額自費で負担しなければなりません。特別料金には、たとえば個室の差額ベッド代などがあります。
>
> **4** 訪問看護事業を行う事業所のことです（事業所ごとに厚生労働大臣の指定が必要）。主治の医師の指示を受けた看護師、保健師、理学療法士等が定期的に訪問して看護サービス等を行います。

傷病に関する保険給付 （3）

健保
Lesson
8

Point
- 傷病手当金は、「継続する3日間」の待期期間中は支給されません。
- 傷病手当金の額は、「標準報酬月額（12ヵ月平均額）の1/30×2/3」です。
- 高額療養費は、1ヵ月あたりの負担額が一定額を超える場合に支給されます。

1 傷病手当金

（1）支給要件

通常は、病気等になると働けなくなり収入が途絶えてしまいます。被保険者が安心して療養に専念するためには、生活が保障されていることが重要です。そこで、健康保険では、**被保険者の所得保障給付**として**傷病手当金**が支給されます。

傷病手当金は、被保険者（任意継続被保険者を除く。）が、次の3つの要件を満たした場合に、労務不能の期間について支給されます。具体的には、③の待期期間を満たした上で、休業した日の**第4日目から支給が開始**されます。

① **療養のため**であること（医師の証明等があれば、自宅療養等でもよい。）。

② **労務不能**であること（1日の全部が労務不能であること。）。

③ **継続する3日間**（連続3日間）の**待期期間**を満たしていること。

【例】

休業	休業	出勤	休業	休業	休業	出勤	休業	休業	休業

待期未完成　　　　　　待期完成　　支給開始日

×　　　　　○　　　　傷病手当金

（2）支給額と支給期間

傷病手当金は、1日につき次の額が支給されます。

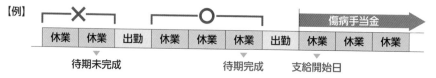

傷病手当金の額（1日）	=	支給開始日の属する月以前の直近の継続した12ヵ月間の標準報酬月額の平均額の30分の1相当額	×	3分の2

1円未満四捨五入　　　　　10円未満四捨五入

また、傷病手当金の支給期間は、同一の傷病に関し、支給開始日から**通算して1年6ヵ月間**です。出勤に伴い不支給となった期間がある場合には、その分の期間が延長され、支給期間が通算して1年6ヵ月間になるまで支給されます。

2 高額療養費

(1) 高額療養費とは？

健康保険では、原則3割負担であるとはいえ、重い病気となった場合や難しい手術を受けた場合には、一部負担金等の額が著しく高額となることがあります。

そこで、1ヵ月（暦月）あたりの一部負担金等の合計額が**高額療養費算定基準額（自己負担限度額）**を超える場合には、その超える額を**高額療養費**として支給して、被保険者の負担軽減を図っています。**5**

なお、高額療養費の内容は、年齢や所得区分によって細かく定められています。以下では、**70歳未満の原則的な高額療養費の内容**のみを取り上げます。

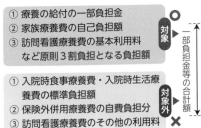

対象
① 療養の給付の一部負担金
② 家族療養費の自己負担額
③ 訪問看護療養費の基本利用料
　など原則3割負担となる負担額 ○

対象外
① 入院時食事療養費・入院時生活療養費の標準負担額
② 保険外併用療養費の自費負担分
③ 訪問看護療養費のその他の利用料 ✕

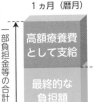

1ヵ月（暦月）

高額療養費として支給

最終的な負担額

一部負担金等の合計額

※標準報酬月額が28万円以上53万円未満の場合

高額療養費算定基準額
80,100円
＋（医療費－267,000円）×1％

(2) 高額療養費（70歳未満）に関するその他の主なルール

高額療養費に関するその他の主なルールは、次のとおりです。

① **支給要件**……支給要件に該当しているか否かは、原則として、**同一の月（暦月）における同一の病院等**（同一の病院等であっても「医科と歯科」、「通院と入院」は別々）で支払った一部負担金等に基づいて判断されます。

② **世帯合算**……単独では支給要件を満たさなくても、一部負担金等の額がそれぞれ**21,000円以上**である場合は、世帯単位で合算することができます。

③ **多数回該当**……過去**12ヵ月以内**に高額療養費が**3回以上**支給されている場合は、**4回目**からは高額療養費算定基準額が**44,400円**に引き下げられます。

1 医師の指示のもとで半日出勤して本来の業務を行う場合には、労務不能とは認められません。

2 年次有給休暇の取得日や事業所の休日であっても労務不能であれば、待期期間に含まれます。

3 事業主から報酬の全部又は一部を受けた場合は、原則として傷病手当金は支給されません。ただし、報酬の額が傷病手当金の額より少ないときは、その差額が支給されます。➡P299

4 12ヵ月未満の場合は、①「その期間の標準報酬月額の平均額×30分の1」と②「前年度9/30における全被保険者の標準報酬月額の平均額×30分の1」のうちいずれか少ない額を用います。

5 このほか、似た給付に「高額介護合算療養費」があります。これは同一世帯の健康保険と「介護保険」の1年間（前年8/1～7/31）の負担額の合計額が一定額を超える場合に支給されるものです。

死亡・出産に関する保険給付

> Point
> ● 埋葬料及び家族埋葬料の額は、「一律5万円」です。
> ● 出産育児一時金・家族出産育児一時金の額は、「1児につき50万円」です。
> ● 出産手当金の支給期間は、出産日以前42日から出産日後56日までの間です。

1 死亡に関する保険給付

葬儀費用として、**被保険者が死亡**した場合には、原則として**埋葬料**が支給され、埋葬料の支給を受けるべき者がいないときは、例外として**埋葬費**が支給されます。また、**被扶養者が死亡**した場合には、**家族埋葬料**が支給されます。

それぞれの支給対象者と支給額は、次表のとおりです。

	種類	支給対象者（誰に支給されるのか）	支給額
被保険者の死亡	埋葬料（原則）	死亡した被保険者により**生計を維持していた者**１であって、**埋葬を行う者**	一律5万円
	埋葬費（例外）	上記の埋葬料の支給を受けるべき者がいない場合に、**実際に埋葬を行った者**	5万円の範囲内で実費
被扶養者の死亡	家族埋葬料	被保険者	一律5万円

2 出産に関する保険給付

（1）出産とは？

保険事故となる「出産」とは、**妊娠4ヵ月（85日）以上**２の出産をいい、**生産、死産、流産、早産を問いません**。たとえば、人工妊娠中絶の場合であっても、妊娠4ヵ月以上であれば、出産に関する保険給付は支給されます。

なお、この出産の定義は、本法のみならず、他の科目でも共通するものです。

（2）出産育児一時金・家族出産育児一時金

出産費用として、**被保険者が出産**した場合には**出産育児一時金**が、**被扶養者が出産**した場合には**家族出産育児一時金**が、被保険者に対して支給されます。

両給付ともに支給額は、現在、原則として**1児につき50万円**３です。たとえば、双子を出産したときは100万円が支給されます。

188

1 労基
2 安衛
3 労災
4 雇用
5 徴収
6 労一
7 健保
8 国年
9 厚年
10 社一
11 横断①
12 横断②

（3）出産手当金

　労働基準法では、産前6週間・産後8週間の産前産後休業について規定しています。同法では、産前産後休業の期間について、賃金を支払うべきことは規定されていません。そこで、健康保険では、この期間において休業する**女性である被保険者の所得保障給付**として**出産手当金**を支給することとしています。

　具体的には、被保険者（任意継続被保険者を除く。）が出産したときは、**出産の日**（出産の日が出産の予定日後であるときは、出産の予定日 **4**）**以前42日**（双子以上の多胎妊娠の場合は**98日**）から**出産の日後56日**までの間において**労務に服さなかった期間 5**、出産手当金が支給されます。

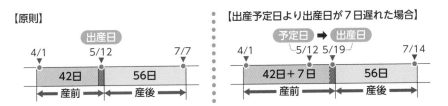

出産手当金は、1日につき次の額が支給されます（**傷病手当金の額と同じ**。）。

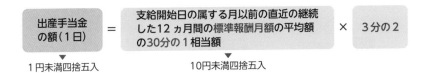

　たとえば、不幸にも「死産」であった場合の死亡及び出産に関する保険給付は、どのようになるのでしょうか？
　まず、死産児は扶養された事実が1日もないことから被扶養者には該当しないため、家族埋葬料は支給されません。一方、出産には死産も含まれるため、出産に関する保険給付は、要件を満たせば支給されます。

1 生計を（一部でも）維持していた者であれば、民法上の親族などである必要はありません。

2 4ヵ月（85日）以上の出産に限られているのは、医師法の標準にならったものです。妊娠1ヵ月を28日間として、4ヵ月目に入ったこと（28日×3ヵ月＋1日目）を意味します。

3 ただし、海外での出産や在胎週数22週未満の出産など産科医療補償制度（ほぼすべての分娩機関が加入する制度）の加算（1万2,000円加算）の対象とならない場合は「48万8,000円」となります。

4 出産予定日より実際の出産日が遅れた場合には、その日数分の出産手当金も支給されます。

5 傷病手当金と異なり、労務不能である必要はなく、単に仕事を休んでいれば支給されます。

保険料

Point

● 保険料は、「資格取得月から資格喪失月の前月まで」の期間、徴収されます。
● 40歳以上65歳未満の被保険者については、介護保険料が上乗せされます。
● 保険料は、「折半負担」で「事業主」が「翌月末日」までに納付します。

1 保険料の徴収期間と計算

（1）保険料の徴収期間

　健康保険の保険料は、日割りではなく、**月を単位**として、被保険者の資格を**取得した月**から**喪失した月の前月**までの期間の各月について徴収されます。

　通常は、適用事業所に使用された日（当日）が被保険者の**資格取得日**となり、退職日の**翌日**が被保険者の**資格喪失日**となります（⇒ P278）。したがって、適用事業所に使用された日（入社日）の属する月は、その期間が1ヵ月未満であっても保険料が徴収され、退職日の翌日の属する月は保険料が徴収されません。

【例】

入社 3/31		退職 5/31	
3月	4月	5月	6月

取得日＝3/31　　喪失日＝6/1

この場合は3〜5月の3ヵ月分の保険料が徴収されます。

（2）保険料額の計算方法

　健康保険の保険料には、一般保険料及び介護保険料があります。一般保険料は全被保険者を対象とするものです。**介護保険第2号被保険者**に該当する**40歳以上65歳未満の被保険者**については、これに介護保険料が上乗せされます。

　一般保険料額は、「標準報酬月額×一般保険料率」により計算され、賞与が支払われる月はこれに「標準賞与額×一般保険料率」を加えた額となります。

　介護保険料額は、「標準報酬月額×介護保険料率」により計算され、賞与が支払われる月はこれに「標準賞与額×介護保険料率」を加えた額となります。

被保険者の年齢	40歳未満 （介護保険は非適用）	40歳以上65歳未満 （介護保険第2号被保険者）	65歳以上 （介護保険第1号被保険者）
保険料額	一般保険料額のみ	一般保険料額 ＋介護保険料額	一般保険料額のみ

2 保険料率

（1）一般保険料率

協会管掌健康保険の一般保険料率は、都道府県ごとに定めるため、**都道府県単位保険料率**と呼ばれます。各都道府県の年齢構成や所得水準の違いを調整するなどして、**1,000分の30から1,000分の130までの範囲内**で定めます。 **4** 組合管掌健康保険の一般保険料率も同じ率の範囲内で健康保険組合ごとに定めます。

（2）介護保険料率

介護保険料率は、保険者ごとに定めます。なお、協会管掌健康保険の介護保険料率は、全国一律で1,000分の16.0（令和6年度）となっています。

3 保険料の負担等

保険料の負担割合などをまとめると、次のとおりです。

	一般の被保険者	任意継続被保険者
負担割合	被保険者と事業主が2分の1ずつ負担 ※組合に限り、**事業主の負担割合の増加が可能**	全額本人負担
納付義務	事業主（被保険者負担分も含めて納付）	本人
納付期日	翌月末日	その月の10日

① 源泉控除……事業主は、被保険者負担分については、**前月**の標準報酬月額に係る保険料（月額保険料）を報酬から控除することができ、標準賞与額に係る保険料（賞与保険料）をその賞与から控除することができます。

② **保険料の免除**……3歳未満の子に係る**育児休業等又は産前産後休業**をする被保険者は、**事業主の申出**により、**休業開始日の属する月**から**休業終了日の翌日が属する月の前月**までの間、保険料が免除されます。なお、育児休業等の場合は、㋐休業開始日と休業終了日の翌日が属する月が**同一**であり、その**休業日数が14日以上**であるときは、その月の**月額保険料**は免除されます。また、㋑休業期間が**1ヵ月以下**であるときは、**賞与保険料は免除されません。** **5**

1 なお、同じ月に被保険者の資格を取得→喪失した場合は、その月は保険料が徴収されます。

2 被扶養者が介護保険第2号被保険者に該当する場合であっても、被保険者本人が介護保険第2号被保険者に該当しないときは、介護保険料は上乗せされません（組合には例外あり）。

3 介護保険第1号被保険者は、個別に介護保険料を納付するため、健康保険では徴収されません。

4 令和6年度の都道府県単位保険料率は、全国平均で1,000分の100です。

5 つまり、育児休業等の期間が連続して1ヵ月を超えるときに限り、賞与保険料も免除されます。

1 労基
2 安衛
3 労災
4 雇用
5 徴収
6 労一
7 健保
8 国年
9 厚年
10 社一
11 横断①
12 横断②

191

該当レッスン	Let's チャレンジ ○×問題・穴うめ問題
Lesson 1 健康保険法の目的・保険者等	**○×** **1** 健康保険の保険者は、政府及び健康保険組合である。
	穴うめ **2** 健康保険では、労働者又はその（A）の（B）以外の疾病、負傷、死亡又は（C）に関して保険給付を行う。
Lesson 2・3 被保険者と被扶養者	**○×** **3** 後期高齢者医療の被保険者は、健康保険の適用が除外されている。
	○× **4** 任意継続被保険者となるための申出は、被保険者の資格を喪失した日から2ヵ月以内にしなければならない。
	穴うめ **5** 同一世帯になくても生計維持関係があれば被扶養者と認められる者は、被保険者の（D）、配偶者、子、孫及び（E）である。
Lesson 4・5 標準報酬月額・標準賞与額	**○×** **6** 定時決定による標準報酬月額は、その年の9月から翌年の8月までの各月の標準報酬月額となる。
	○× **7** 固定的賃金に変動がない場合であっても、報酬の額が従前の報酬の額に比べて著しく高低を生じた場合には、随時改定が行われる。
	穴うめ **8** 健康保険の標準賞与額の上限額は、年度累計額（F）円である。
Lesson 6〜8 傷病に関する保険給付	**○×** **9** 健康保険の療養の給付の範囲には、「移送」は含まれていない。
	○× **10** 被保険者が保険医療機関等から患者申出療養を受けたときは、その療養に要した費用について、特定療養費が支給される。
	○× **11** 入院時生活療養費に係る生活療養標準負担額は、高額療養費の対象とならない。
	穴うめ **12** 傷病手当金の支給期間は、同一の傷病に関し、支給開始日から通算して（G）とされている。
Lesson 9 死亡・出産に関する保険給付	**○×** **13** 家族埋葬料の額は、埋葬料の額と同じである。
	穴うめ **14** 出産手当金は、原則として、出産の日以前（H）から出産の日後（I）までの間において労務に服さなかった期間、支給される。
Lesson 10 保険料	**○×** **15** 健康保険の保険料は、被保険者の資格を取得した月からその資格を喪失した月の前月までの期間の各月について徴収される。
	穴うめ **16** 保険者を問わず、一般保険料率は、1,000分の（J）から1,000分の（K）までの範囲内において決定される。

解答 **1** × 「全国健康保険協会」及び健康保険組合である。 **2** （A）被扶養者 （B）業務災害 （C）出産 **3** ○ **4** × 「2ヵ月」ではなく「20日」以内である。 **5** （D）直系尊属 （E）兄弟姉妹 **6** ○ **7** × 固定的賃金に変動がない場合には、随時改定は行われない。 **8** （F）573万 **9** ○ **10** × 「特定療養費」ではなく「保険外併用療養費」である。現在、特定療養費という保険給付はない。 **11** ○ **12** （G）1年6ヵ月間 **13** ○ **14** （H）42日 （I）56日 **15** ○ **16** （J）30 （K）130

国民年金法

この科目 国年 の体系樹

給付制限

給付の通則等

年金額の改定等

届出等

被保険者期間等

第1号被保険者の独自給付

概要

国民年金は、すべての国民を対象とする年金制度です。国民が65歳以上の高齢になったり、病気やケガで障害を負ったり、死亡したりしたときには、国民年金から全国民共通の年金が支給されます。国民年金は公的年金制度の基礎となる制度であり、基礎年金の支給などを行います。

枝葉

①**届出**……国民年金法では、被保険者自身に一定事項についての**届出**を義務づけています。どんなときに、どんな届出を、いつまでに、どこへ提出しなければならないかがよく出題されています。

②**費用**……国民年金制度に必要な費用は、国の負担（税金）と国民からの**保険料**などにより賄われています。保険料免除制度などは、試験でよく出題されています。

土

　国民年金法が全面的に施行されたのは、**昭和36年4月**のことです。それまでは、被用者（会社員や公務員など）のみが公的年金制度の対象となっていましたが、国民年金法が施行されてからは、自営業者等も公的年金制度の対象に加えられることになりました。つまり、このときから、国民全員が何らかの公的年金制度の対象となったわけです。これを「**国民皆年金**」の確立といいます。国民年金はまさに「国民皆年金」を支える中心的な役割を担っている制度であるといえるのです。

　現在、公的年金制度は2階建ての構造をしており、国民年金はそのうちの1階部分を担う形となっています（2階部分は厚生年金保険が担う。）。

幹

国民年金法で幹となるのは、「被保険者」の考え方と3つの「基礎年金」です。

①**被保険者**……国民年金は、全国民が共同で支え合う制度であるため、一定の条件を満たした者は強制的に加入しなければならないことになっています。これを「**強制被保険者**」といいます。なお、強制となっていない者でも、一定の要件を満たす場合は、個人で任意に加入することができます。これを「**任意加入被保険者**」といいます。

②**給付（基礎年金）**……国民年金からの給付のうち中心となるのが老齢基礎年金、障害基礎年金及び遺族基礎年金です。これら3つの基礎年金は、文字どおり、公的年金制度の基礎的な部分を担う重要な給付となっています。

保険者＝政府

給付（基礎年金）

① **老齢**

② **障害**

③ **遺族**

被保険者

目　的
老齢・障害・死亡に関して必要な給付を行い、健全な国民生活の維持・向上に寄与

「国民皆年金」の確立
→全国民共通の年金制度

国民年金基金

不服申立て等

積立金　**費用**

国庫負担

厚生年金保険法

根

国民年金は、「老齢」「障害」「死亡」という3つの事故に対して、必要な給付を行います。「老齢」とは65歳以上の高齢を、「障害」とは病気やケガによる障害を、「死亡」とは被保険者自身の死亡をそれぞれ意味します。

配点 (→ P 18) (出題数)	◆ 選択式〔40点満点中〕5点 ◆ 択一式〔70点満点中〕10点		
難易度	普通～難しい	学習比重度 (→ P 16)	★★★★★

丁寧な学習を進めていけば得点源にもなり得る科目です。理解が難しい項目もありますが、この科目は過去に出題された部分が繰り返し問われる傾向にあります。学習時間をしっかりと確保し、基本事項の徹底と過去問学習を繰り返すことが、この科目の攻略のカギとなります。

本編で取り上げていない 項目・用語の

『ここだけチェック!!』

ここでは、前ページの体系樹を補完するものとして、本編で取り上げていない「その他の項目」や「用語」について、概要と押さえてほしいポイントを示しています。

☑ 被保険者に関する届出

　原則として、自営業者等である**第1号被保険者**に関する届出は、**14日以内**に、**市町村長**に対して、行います。一方、第2号被保険者の被扶養配偶者（専業主婦等）である**第3号被保険者**に関する届出は、**事業主等を経由**して、**14日以内**に、**厚生労働大臣**（実際には日本年金機構）に対して、行います。

　その流れは、次図のとおりです（第2号被保険者については届出義務なし）。

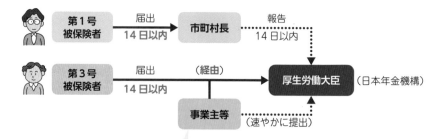

● 配偶者が民間被用者……**事業主を経由**（経由事務の一部は**健康保険組合に委託可**）。
● 配偶者が公務員又は私立学校教職員……**国家公務員共済組合、地方公務員共済組合又は日本私立学校振興・共済事業団を経由**。

☑ 財政検証の実施等

年金財政に関して次のような規定があります（厚生年金保険法もほぼ同様）。

財政検証	● 政府は、**少なくとも5年ごとに**、財政の現況及び財政均衡期間における見通し（財政の現況及び見通し）を作成しなければならない（遅滞なく公表）。 ● 財政均衡期間は、上記が作成される年以降**おおむね100年間**とする。
調整期間	● 政府は、年金財政が財政均衡期間にわたって均衡を保つことができないと見込まれる場合は、**年金たる給付（付加年金を除く。）の額を調整**するものとし、給付額を調整する期間（調整期間）の開始年度（＝平成17年度）を定める。 ● 政府は、調整期間において財政の現況及び見通しを作成するときは、**調整期間の終了年度の見通し**についても作成し、公表しなければならない。

※調整期間とは、マクロ経済スライド（⇒P295）により給付額を抑制する期間のことです。

☑ 国民年金基金

国民年金基金の制度は、自営業者等を対象として**老齢基礎年金の上乗せ**を行うこと等を目的としています。

> **国民年金基金**
> **老齢基礎年金**
>
> 原則として、次の①〜③の者が申出により加入員となることができる。
> ① 第1号被保険者
> ② 日本国内に住所を有する**60歳以上65歳未満の任意加入被保険者**
> ③ 在外邦人である**20歳以上65歳未満の任意加入被保険者**（⇒ 国年P203）
>
> ※平成31年4月1日から、従来の47都道府県の地域型基金と22の職能型基金が合併し、「全国国民年金基金」が発足しています。

知っておこう　用語の理解／『以前・前』『以後・後』『以内・内』

主として、時間的な表現において用いられます。「以」の文字がある方が基準となる時点を**含み**、「以」の文字のない方が基準となる時点を**含まない**意味で用いられます。

【例】4月1日以前 ＝ 4月1日を**含む**。
　　　4月1日前　 ＝ 4月1日を**含まない**。3月31日以前と同じ意味となる。

197

国民年金法の目的等

- 本法が全面的に施行されたのは、「昭和36年4月1日」です。
- 基礎年金の導入という新法が施行されたのは、「昭和61年4月1日」です。
- 本法では、「老齢、障害又は死亡」に関して必要な給付を行います。

1 公的年金制度の沿革

　公的年金には、現在、**国民年金及び厚生年金**があります（共済年金は、平成27年10月から厚生年金に合わせる形で統合された。）。20歳以上の人であれば、いずれかの制度に加入している（加入していた）はずです。

　現在でこそ、職業を問わずに、公的年金制度が適用される仕組みとなっていますが、かつては違いました。ここでは、国民年金法を理解する上で不可欠な、**昭和36年4月1日**及び**昭和61年4月1日**に行われた改正について説明します。

① **昭和36年4月1日**……国民年金法が全面的に施行され、それまでの公的年金制度でカバーされなかった**自営業者等が対象**とされました。これにより、全国民がいずれかの公的年金制度の対象となる**国民皆年金**が実現しました。

② **昭和61年4月1日**……公的年金制度の大改正が施行され、国民年金を**全国民共通の基礎年金**とする制度が導入されました。これにより、職業別にバラバラであった制度が、国民年金を1階部分、厚生年金・共済年金を2階部分とする**2階建て年金に再編**されました。

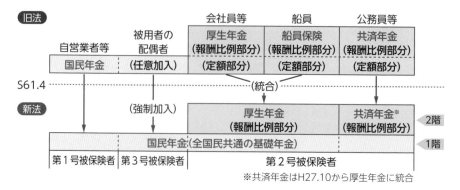

　なお、昭和61年4月1日以後の年金法は「**新法**」、これより前の年金法は「**旧法**」と呼ばれます。社労士試験の出題対象は、**新法**の内容となります。

2 国民年金制度の目的等

（1）国民年金制度の目的・特徴とは？

国民年金制度の主な目的・特徴は、次のとおりです。

① **制度の対象者**……国民年金は、**全国民**を対象とする年金制度です。全国民とは、自営業者、学生、会社員、公務員、専業主婦など**職業を問わない**ことを意味します。つまり、国民皆年金に即した対象者となっています。

② **基本理念**……法1条では、国民年金は「**国民の共同連帯**」により全国民で支え合う制度であると明記しています。たとえば、国民年金では、**保険料を負担していない者**（保険料が免除される者や20歳前に初診日のある障害者等）に対しても、この理念に基づき福祉的に給付を行っています。**1**

③ **年金額の改定**……国民年金を含む公的年金の年金額は、実質的な価値を保つために、**物価水準や賃金水準の変動に応じて毎年度改定**されます。**2**

（2）国民年金の給付の種類

一般に「年金」という言葉には、「老後にもらうもの」というイメージが強いようです。このイメージは間違いではありませんが、本法で定める年金の内容は、これだけではありません。もっと幅広い内容の給付を行っています（次図）。

具体的に、国民年金では、**政府が保険者**（運営主体）となって、**老齢、障害又は死亡**に関して必要な給付を行います。これらの事故については、**業務上であるか業務外であるかは、問われません。****3**

事故	給付の種類
老齢	老齢基礎年金、付加年金
障害	障害基礎年金
死亡	遺族基礎年金、**寡婦年金、死亡一時金**

なお、付加年金、寡婦年金、死亡一時金は「**第1号被保険者の独自給付**」と呼ばれるものです。**4**

給付の中では、2階建て年金の土台となる老齢・障害・遺族の**3種類の基礎年金**が特に重要です！

1 福祉的に給付を行うことなどから、本法の名称には「保険」という言葉が使われていません。

2 年金額の改定の仕組みは、複雑です（→P294）。なお、本書の年金額は、基本的に令和6年度の新規裁定者（68歳到達年度前にある者）に係る現実の年金額を記載しています（毎年4月に改定）。

3 たとえば、業務上の障害の場合には、国民年金から障害基礎年金、厚生年金保険から障害厚生年金、労災保険から障害補償給付が支給されます（この場合は労災保険側が減額調整される。→P298）。

4 このほかに、「脱退一時金」という給付があります（→P311）。これは、6ヵ月以上保険料を納付した短期在留外国人等が日本を出国した場合に保険料掛捨て防止の観点から支給されるものです。

1 労基
2 安衛
3 労災
4 雇用
5 徴収
6 労一
7 健保
8 国年
9 厚年
10 社一
11 横断①
12 横断②

被保険者 （1）

国年 Lesson 2

Point
- 本法の被保険者には、「強制被保険者」と「任意加入被保険者」があります。
- すべての強制被保険者には、国籍要件がありません。
- 「第2号被保険者」には、国内居住要件と年齢要件がありません。

1 国民年金の被保険者

国民年金の被保険者は、**強制被保険者**及び**任意加入被保険者**に大別されます。

強制被保険者とは、本人の意思にかかわらず、強制的に被保険者となる者のことで、**第1号被保険者**、**第2号被保険者**及び**第3号被保険者**の3種類があります。

なお、すべての強制被保険者について、**国籍要件はありません**。たとえ外国人であっても、要件を満たした場合には、強制被保険者に該当します。

強制被保険者
- 第1号被保険者 ➡ 20歳以上60歳未満の自営業者、学生など
- 第2号被保険者 ➡ 会社員、公務員、私立学校の教職員など
- 第3号被保険者 ➡ 20歳以上60歳未満の専業主婦（主夫）など

2 強制被保険者

（1）第1号被保険者とは？

自営業者や学生など、次の要件を満たす者は**第1号被保険者**となります。

要件	**日本国内**に住所を有する**20歳以上60歳未満**の者であって、第2号被保険者及び第3号被保険者の要件に該当しないもの
適用除外	①厚生年金保険法に基づく**老齢給付等**の受給権を有する者 ②本法の適用を除外すべき**特別の理由がある者**として厚生労働省令で定める者 **2**

第2号被保険者又は第3号被保険者の要件に該当する場合には、第2号被保険者又は第3号被保険者としての適用が優先されます。また、「適用除外」とは、たとえ「要件」を満たしていたとしても第1号被保険者としない者のことです。

（2）第2号被保険者とは？

会社員や公務員など、次の要件を満たす者は**第2号被保険者**となります。

要　件	厚生年金保険の被保険者 **3**
適用除外	**65歳以上**の者であって、**老齢給付等の受給権**を有するもの

　厚生年金保険の被保険者は、同時に国民年金の第2号被保険者としての身分を有することになります。また、第2号被保険者には、**国内居住要件と年齢要件がありません**。たとえば、中学校卒業後16歳で企業に就職して厚生年金保険の被保険者となった者は、16歳から同時に国民年金の第2号被保険者となります。

　ただし、**65歳以上で老齢給付等の受給権**を有する者は、年金の受給権者と被保険者の身分が混在しないよう、**第2号被保険者としないこととしています**。

（3）第3号被保険者とは？

　専業主婦（主夫）など、次の要件を満たす者は**第3号被保険者**となります。

要　件	**第2号被保険者の配偶者**（日本国内に住所を有する者又は**留学生**その他の日本国内に住所を有しないが**日本国内に生活の基礎があると認められる者**に限る。）であって、主として第2号被保険者の収入により**生計を維持するもの**（**被扶養配偶者**）**4** のうち、**20歳以上60歳未満のもの**（第2号被保険者である者を除く。）
適用除外	本法の適用を除外すべき**特別の理由がある者**として厚生労働省令で定める者 **2 5**

　第2号被保険者の被扶養配偶者に限られるため、**第1号被保険者の配偶者は、第3号被保険者とはなりません**。

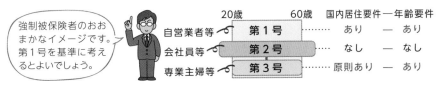

強制被保険者のおおまかなイメージです。第1号を基準に考えるとよいでしょう。

	20歳　　　60歳	国内居住要件	年齢要件
自営業者等	第1号	あり	あり
会社員等	第2号	なし	なし
専業主婦等	第3号	原則あり	あり

1 老齢基礎年金は「40年間」保険料を納付した場合に満額が支給される仕組みであることから、強制被保険者の年齢要件は、「20歳以上60歳未満」の40年間を基準としています。

2 「医療滞在ビザ」「観光・保養を目的とするロングステイビザ」の来日者が適用除外となります。

3 平成27年10月から、①国家公務員共済組合の組合員、②地方公務員共済組合の組合員及び③私立学校教職員共済制度の加入者は、厚生年金保険の被保険者となりました。

4 第3号被保険者の生計維持の認定基準は、健康保険の被扶養者（➡健保P177）のものと同じです。つまり、原則として「年収130万円未満の者」が第3号被保険者となり得ます。

5 なお、老齢給付等の受給権を有する者でも、適用除外とされずに、第3号被保険者となります。

被保険者 （2）

Point

- 任意加入被保険者は、「原則」と「特例」の2種類があります。
- 「原則」は、65歳未満の者を対象としています。
- 「特例」は、65歳以上70歳未満の者を対象としています。

1 任意加入被保険者とは？

強制被保険者に該当しない者でも、一定の要件を満たす場合には、**厚生労働大臣に申し出る**ことによって、任意に被保険者（**任意加入被保険者**）となることができます。この制度には、次の大きな**2つの目的**があります。

目的1
老齢基礎年金の受給資格期間（10年要件）を満たすこと。

 例
受給資格期間に算入される期間が8年の者は、2年間任意加入をすれば老齢基礎年金の受給が可能になる。

目的2
老齢基礎年金の額を満額に近づけること（40年納付）。

 例
保険料納付済期間が37年の者は、3年間任意加入をすれば満額の老齢基礎年金の受給が可能になる。

次に、任意加入被保険者の種類ですが、**原則**と**特例**の2つに分けられます。

任意加入被保険者
- **原則** ➡ 65歳未満の者が対象（生年月日は不問）。
- **特例** ➡ 老齢給付等の受給権を有しない65歳以上70歳未満の者が対象（昭和40年4月1日以前生まれの者のみ）。

なお、すべての任意加入被保険者には、共通する次の特徴があります。

① 任意加入した期間は、**第1号被保険者**としての期間とみなされる。📖

② いつでも**厚生労働大臣に申し出て**被保険者の資格を喪失することができる。

③ 保険料の免除に関する規定は**適用されない**（➡ 国年P224）。

2 任意加入被保険者となることができる者とは？

（1）原則による任意加入被保険者

原則による任意加入被保険者となることができるのは、次のいずれかの者です。イメージとしては、**第1号被保険者の要件に該当しない者**で20歳以上65歳未満のものが、原則による任意加入被保険者の対象者となっています。2

1 労基
2 安衛
3 労災
4 雇用
5 徴収
6 労一
7 健保
8 国年
9 厚年
10 社一
11 横断①
12 横断②

> **国内** ① 日本国内に住所を有する20歳以上60歳未満の者であって、厚生年金保険法に基づく**老齢給付等の受給権を有するもの（適用除外者）**
> **国内** ② 日本国内に住所を有する**60歳以上65歳未満の者**
> **海外** ③ 日本国籍を有する者であって、日本国内に住所を有しない20歳以上65歳未満のもの（在外邦人）

　上記①は、第1号被保険者に特有の適用除外者のことです（➡ 国年P200）。すでに老齢給付等の受給権を有しているため強制被保険者とはしませんが、老齢基礎年金の額を満額に近づけることができるよう、任意加入が認められています。

　上記②が標準的な対象者です。ほとんどの任意加入被保険者が②に該当します。

（2）特例による任意加入被保険者

　65歳となっても老齢基礎年金の受給資格期間（10年要件）を**満たしていない者**については、特例的に**最長70歳まで**任意加入することが認められています。この特例は、老齢基礎年金の受給資格期間を満たすことのみを目的としています。したがって、**受給資格期間を満たした時点で被保険者の資格を喪失**します。

　特例による任意加入被保険者となることができるのは、次の者です。

> **前提**
> ● **昭和40年4月1日以前に生まれた者**であること。
> ● **老齢給付等の受給権を有しない**こと。
> ● 次のいずれかに該当すること。
> 　**国内** ① 日本国内に住所を有する**65歳以上70歳未満の者**
> 　**海外** ② 日本国籍を有する者であって、日本国内に住所を有しない65歳以上70歳未満のもの（在外邦人）

任意加入被保険者の「原則」と「特例」のおおまかなイメージです。

	20歳		60歳	65歳	70歳
国内	第1号		(適用除外者) 原則①	原則②	特例①
海外	原則③				特例②

1 任意加入被保険者は、第1号被保険者と同様の国民年金保険料（令和7年度は月額17,510円）を納付することになります（➡国年P222）。

2 ただし、第2号被保険者又は第3号被保険者の要件に該当している者は、強制被保険者としての適用を受けるため、当然ながら、原則による任意加入被保険者の対象外です。

3 本法の適用を除外すべき特別の理由がある者は除きます（任意加入被保険者の対象外）。

4 第2号被保険者の要件に該当している者は、特例による任意加入被保険者の対象外です。

5 生年月日の要件があることが大きな特徴です。この年月日は覚えておきましょう。

被保険者期間・併給調整

Point
- 被保険者期間とは、保険料の徴収の対象となる期間のことです。
- 被保険者期間には、「資格取得月から資格喪失月の前月まで」を算入します。
- 「1人1年金の原則」の例外として、併給が認められる年金があります。

1 被保険者期間

（1）被保険者期間とは？

　被保険者期間とは、**保険料の徴収の対象となる期間**のことです。被保険者期間は、次の**3つの期間**から構成されます。

被保険者
期間

- 保険料納付済期間（国民年金保険料を納付したと取り扱われる期間）
- 保険料免除期間（国民年金保険料の納付が免除された期間）
- **保険料納付済期間及び保険料免除期間以外の期間**（いわゆる未納期間）

（2）保険料納付済期間とは？

　原則として、次の期間が保険料納付済期間となります。

① **第1号被保険者**として国民年金の保険料を全額納付した期間 **1** 及び産前産後期間の保険料が免除された期間（➡ 国年P225）

② **第2号被保険者**としての期間のうち**20歳以上60歳未満**の期間 **2**

③ **第3号被保険者**としての期間（保険料の納付はないが納付済と取り扱う。）

（3）保険料免除期間とは？

　保険料免除期間には、**保険料全額免除期間、保険料4分の3免除期間、保険料半額免除期間**及び**保険料4分の1免除期間**があります（➡ 国年P224）。

（4）被保険者期間の計算

　被保険者期間は、**月を単位**として計算し、被保険者の**資格を取得した日の属する月**からその**資格を喪失した日の属する月の前月**までの期間を算入します。 **3**

【例】4/1生まれの者が20歳から40年間加入した場合（※達した日＝誕生日の前日 ➡ 雇用P115）

被保険者期間の計算には、次の特例的な取扱いがあります。

① 同月得喪（どうげつとくそう）の場合……被保険者の資格を取得した月にその資格を喪失した場合には、その月は1ヵ月として被保険者期間に算入します。

② 被保険者期間の合算……被保険者の資格を喪失した後に、さらに（再度）資格を取得した場合には、前後の被保険者期間を合算します。

③ 種別変更があった場合……被保険者の種別 **4** に変更があった月は、**最後の種別の被保険者であった月**とみなします。たとえば、第1号被保険者から第3号被保険者となった月は、第3号被保険者であった月とみなします。

2 併給調整（2以上の年金を受けることができる場合）

年金の受給権者は、原則として2以上の年金を同時に受給する（併給する）ことはできません。いずれか1つを選択して受給します。【1人1年金の原則】

ただし、例外的に次の①～⑥の組合せについては、併給することができます。

(1) 同一の支給事由に基づく年金 2階建て年金	➊ 老齢厚生年金 老齢基礎年金	➋ 障害厚生年金 障害基礎年金	➌ 遺族厚生年金 遺族基礎年金
(2) 異なる支給事由に基づく年金 65歳以上の者に限る	➍ 遺族厚生年金 老齢基礎年金	➎ 老齢厚生年金 障害基礎年金	➏ 遺族厚生年金 障害基礎年金

たとえば…

併給調整については、併給することができる年金の組合せを覚えましょう。特に注意してほしいのは、上記④～⑥について、「65歳以上の者に限る」という点です。たとえば、上記④の組合せは、1階部分の老齢基礎年金を繰上げ支給によって60歳から受けることができますが、この場合であっても、65歳になるまでは2階部分の遺族厚生年金との併給は認められません。

1 昭和61年3月までの旧国民年金の保険料を納付した期間も保険料納付済期間となります。

2 昭和36年4月から昭和61年3月までの旧厚生年金保険・旧船員保険の被保険者期間及び旧共済組合の組合員期間のうち、20歳以上60歳未満の期間も保険料納付済期間となります。

3 資格取得日は、取得事由に該当した「当日」です。一方、資格喪失日は、喪失事由に該当した日の原則「翌日」ですが、年齢を理由に喪失する場合等は「当日」となります（➡P278～279）。

4 国民年金の「被保険者の種別」とは、第1号被保険者、第2号被保険者又は第3号被保険者のいずれであるかの区別をいいます。

1 労基
2 安衛
3 労災
4 雇用
5 徴収
6 労一
7 健保
8 国年
9 厚年
10 社一
11 横断①
12 横断②

老齢基礎年金 (1)

Point

● 老齢基礎年金の受給資格期間は、「10年以上」です。
● 老齢基礎年金は、40年間すべて保険料を納付した場合に「満額」となります。
● 「フルペンション減額方式」による年金額の計算は反映割合がポイントです。

1 老齢基礎年金の対象者など

　老齢基礎年金の対象者は、**大正15年4月2日以後**生まれの者に限られます。つまり、新法施行日の昭和61年4月1日以後に60歳に達する者を対象としています。この日より前に生まれた者は、旧法の老齢年金 の対象となります。

　なお、老齢基礎年金は、**死亡したときにのみ受給権が消滅する終身年金**です。

2 老齢基礎年金の支給要件など

(1) 支給要件

　老齢基礎年金の支給を受けるためには、次の要件を満たさなければなりません。

> **前提** ▶ ① 保険料納付済期間又は保険料免除期間 (学生納付特例及び納付猶予 **2** の期間を除く。) を1ヵ月でも有すること。
>
> **10年要件** ▶ ② 受給資格期間として、次の期間が**10年以上**であること。
>
> 原則では要件を　┌ **原則** 保険料納付済期間＋保険料免除期間
> 満たせない者　　└▶ **特例** 保険料納付済期間＋保険料免除期間＋合算対象期間
>
> **年齢要件** ▶ ③ **65歳に達したこと** (65歳に達したときに受給権が発生)。

　学生納付特例及び納付猶予の期間は、**受給資格期間には算入されますが、老齢基礎年金の額には反映されません**。下記の合算対象期間も同様です。

(2) 合算対象期間とは?

　合算対象期間は、別名「**カラ期間**」と呼ばれ、原則の10年要件を満たせない者を救済するために設けられています。代表的な合算対象期間は、次の期間です。

① 国民年金に**任意加入することができるのに任意加入しなかった期間**又は任意加入したが**保険料を納付しなかった期間**のうち、**20歳以上60歳未満**の期間

② **第2号被保険者**としての期間のうち、**20歳前及び60歳以後の期間 3**

3 老齢基礎年金の額（新規裁定者に係る令和6年度価額）

（1）満額の年金額

老齢基礎年金は、老後の所得保障の中心的な役割を担う年金です。その額は、強制加入の基準となる期間である20歳以上60歳未満の**40年間（480月）**が、**すべて保険料納付済期間**である場合に**満額**となるように設定されています。

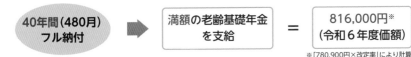

40年間（480月）フル納付 ➡ 満額の老齢基礎年金を支給 ＝ 816,000円※（令和6年度価額）

※「780,900円×改定率」により計算

（2）フルペンション減額方式による年金額

前記の40年間において、保険料の未納期間や保険料免除期間がある場合には、その期間に応じて、年金額が減額される仕組みとなっています。この計算方法を**フルペンション減額方式** 4 といいます。 5

具体的には、保険料免除期間の種類に応じて年金額への反映割合が決まっています。原則として、次の計算式による額が老齢基礎年金の額となります。 6

$$
満額 \times \frac{納付済の月数 + \frac{1/4免除の月数}{8分の7} + \frac{半額免除の月数}{8分の6^※} + \frac{3/4免除の月数}{8分の5} + \frac{全額免除の月数}{8分の4^※}}{480}
$$

※「8分の6」「8分の4」とある箇所は、条文上は約分した「4分の3」「2分の1」と表記されている。

【例】

20歳 / 424月 納付済 / 40月 1/4免除（7/8評価＝35月） / 16月 3/4免除（5/8評価＝10月） / 60歳

老齢基礎年金の額

$= 満額 \times \dfrac{424 + 35 + 10}{480}$

$= 満額 \times \dfrac{469}{480} = 797,300円$（※1円未満四捨五入）

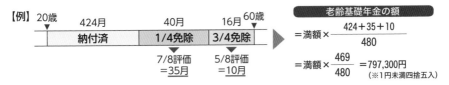

1 旧法の年金の名称は、「老齢年金」「障害年金」「母子年金」（厚生年金では「遺族年金」）などでした。新法になり「△△基礎年金」（厚生年金では「△△△厚生年金」）という名称になりました。

2 学生納付特例と納付猶予は、保険料の全額を免除する制度の一種です（➡国年P224）。

3 これらの期間は、2階部分の老齢厚生年金の額には反映されます。

4 フルペンション（Full Pension）とは、「満額の年金」という意味です。

5 未納期間は当然ですが、学生納付特例及び納付猶予の期間も年金額に反映されません。

6 なお、平成21年3月以前の保険料免除期間は、経過措置により反映割合が「1/4免除＝6分の5、半額免除＝6分の4、3/4免除＝6分の3、全額免除＝6分の2」となっています。

老齢基礎年金 （2）

Point

● 振替加算は「昭和41年4月1日」以前生まれの者のみを対象としています。
● 振替加算は、原則として「65歳到達月の翌月」から行われます。
● 振替加算の額は、若い世代ほど「低い額」となっています。

1 振替加算とは？

振替加算とは、一般に夫の老齢厚生年金や障害厚生年金に加算される**加給年金額**（➡ 厚年P246、250）を、**一定の割合**で、**65歳**となった**妻に支給される老齢基礎年金に振り替えて加算するもの**です（夫婦は逆の立場でもよい。以下同じ。）。

昭和61年3月までの旧法では、会社員等の妻は国民年金に任意加入の取扱いでしたが、任意加入をしていない場合には、満額の老齢基礎年金を受けることができません。このようなことから、妻は潜在的に老齢基礎年金の額が低くなる可能性があるため、振替加算によって年金額の底上げを図っています。

【例】

夫 ｜ 老齢厚生年金、障害厚生年金など
配偶者加給年金額 → 一定の割合
妻 ｜ 振替加算
老齢基礎年金
65歳

いったん振替加算が行われれば、夫の**死亡**や**離婚**などがあっても、振替加算の額は引き続き**支給**されます。

2 振替加算の支給要件など

（1）振替加算の支給要件

基本的な要件は、次のとおりです（妻が振替加算の対象の場合。以下同じ。）。

① **妻の要件**……**大正15年4月2日から昭和41年4月1日までの間に生まれた者**であり、65歳に達した日において下記②の夫により**生計を維持**（原則として年収850万円未満であれば認められる。）していたこと。

② **夫の要件**……配偶者加給年金額が加算される**老齢厚生年金**（240月以上加入）、**障害厚生年金**（障害等級1級又は2級）等の受給権者であること。

③ **夫婦に共通の要件**……夫婦がともに**新法の適用対象者**（大正15年4月2日以後に生まれた者）であること。

（2）振替加算の時期

振替加算は、原則として、前記（1）の支給要件を満たした日の属する月の**翌月**から行われます。したがって、通常は、妻が65歳に達した日の属する月の翌月から行われます（現実の支給が開始されます。）。**2**

また、次頁にある**老齢基礎年金の支給の繰上げ・繰下げ**をした場合の振替加算の時期は、次のとおりです。いずれの場合も**振替加算の額は、増減されません。**

- ① **支給の繰上げをした場合**……振替加算は、「**65歳**」に達した日の属する月の翌月から行われます。つまり、振替加算の時期は、繰り上げられません。
- ② **支給の繰下げをした場合**……振替加算は、老齢基礎年金の繰下げ支給の開始と**同時**に行われます。

3 振替加算の額

振替加算の額は、妻の生年月日に応じて決められており、**若い世代ほど、低い額**となっています（令和6年度価額：最高234,100円〜最低15,732円）。これは、若い世代ほど、新法施行後の強制加入（第3号被保険者）の期間が長くなり、老齢基礎年金の本体部分の額が高くなる（満額に近づく）ためです。**3**

なお、老齢基礎年金は、合算対象期間など年金額に反映されない期間のみを有する者には、原則として、支給されません。ただし、例外として、合算対象期間及び学生納付特例による期間の**みが10年以上**であり、かつ、振替加算の要件を満たす者には、**振替加算に相当する額の老齢基礎年金**が支給されます。

　　本試験では、老齢基礎年金について、「振替加算」と次のLessonの「支給の繰上げ・繰下げ」がよく出題されています。なお、老齢基礎年金を受給する前提となる受給資格期間は、無年金者を減らす観点から、平成29年8月施行の改正により、25年から「10年」に短縮されました。しかし、たとえば10年間だけ保険料を納付した人の老齢基礎年金の額は、満額の4分の1程度（20万円程度）にしかなりません。このような人の年金額を増やすためには、結局のところ、任意加入をするなどの対応が必要となります。

1 「昭和41年4月1日」とは、新法の施行日前にすでに20歳に達している者という意味です。

2 妻が夫よりも年上の場合など、夫の老齢厚生年金に加給年金額が加算される前に、妻が65歳に達していた場合には、妻が65歳の時点では振替加算は行われません。この場合は、その後、加給年金額の要件を満たした時点で生計維持関係があれば、その翌月から振替加算が行われます。

3 保険料納付済期間の長短にかかわらず、振替加算の額は生年月日に応じて決まっているため、旧法で任意加入していた場合には、振替加算後の老齢基礎年金の額は満額を超えることがあります。

1 労基
2 安衛
3 労災
4 雇用
5 徴収
6 労一
7 健保
8 国年
9 厚年
10 社一
11 横断①
12 横断②

老齢基礎年金 （3）

Point

● 「繰上げ＝本来より早くもらう」、「繰下げ＝本来より遅くもらう」ことです。
● 支給繰上げの場合は、年金額が繰上げ1ヵ月あたり「0.4%」減額されます。
● 支給繰下げの場合は、年金額が繰下げ1ヵ月あたり「0.7%」増額されます。

■1 支給の 「繰上げ」 と 「繰下げ」 とは?

老齢基礎年金は、**65歳**から支給するのが原則です。しかし、人のライフスタイルは多種多様であり、年金を必要とする年齢も人によってさまざまです。そこで、老齢基礎年金には、**支給の繰上げ及び繰下げ**の制度が設けられています。

支給の繰上げとは、65歳よりも**早く**年金をもらうことです。早く支給される分、年金額は一定の割合で**減額**されます。一方、**支給の繰下げ**とは、65歳よりも**遅く**年金をもらうことです。遅く支給される分、年金額は一定の割合で**増額**されます。

この制度によって減額又は増額された年金額は、**生涯変わりません**。

■2 支給の繰上げ

（1）繰上げの要件

老齢基礎年金の受給資格期間を満たしている者については、**60歳以上65歳未満**の間に、**厚生労働大臣に支給繰上げの請求**をすることができます。

ただし、**任意加入被保険者**は、支給繰上げの請求をすることができません。

（2）減額率

支給の繰上げを行うと、繰上げの月数**1ヵ月あたり0.4%減額**された年金額が支給されます。減額率は、次のように計算されます。

$$\text{減額率} = \frac{4}{1,000} \times \text{支給繰上げの請求をした月から65歳に達する月の前月までの月数}$$

生涯
変更なし

【例】 | 60歳に達した月 に請求 ▶ 繰上げ月数 は60月 ▶ 減額率は24% (=0.4%×60) ▶ **本来の76%の 年金が生涯支給**

3 支給の繰下げ

（1）繰下げの要件

　65歳となって老齢基礎年金の受給権を取得したときから１年以内（66歳に達する前）に老齢基礎年金の裁定請求 **2** をしていなければ、**厚生労働大臣に支給繰下げの申出 3** をすることができます。

　ただし、65歳に達したときに、**障害又は死亡を支給事由とする年金給付の受給権者である場合等**には、支給繰下げの申出をすることはできません。**4**

（2）増額率

　支給の繰下げを行うと、繰下げの月数**１ヵ月あたり0.7％増額**された年金額が支給されます。増額率は、次のように計算されます。

$$増額率＝\frac{7}{1,000} × \text{受給権を取得した月から支給繰下げの申出月の前月までの月数（120を限度）}$$

生涯変更なし

【例】 | 75歳に達した月 に申出 ▶ 繰下げ月数 は120月 ▶ 増額率は84% (=0.7%×120) ▶ **本来の184%の 年金が生涯支給**

　なお、繰下げの月数は**120を限度**としているため、増額率は**最大で84％**です。

たとえば…

　繰下げを希望しない（選択しない）場合には、最大で**過去５年分さかのぼって**、（原則増額しない）老齢基礎年金を一括で受給することもできます。
　なお、70歳到達日後に（80歳未満で）裁定請求をし、繰下げを希望しない場合は、年金額の算定にあたっては、**５年前の日に繰下げの申出があったもの**とみなして年金が支給されます。たとえば、75歳の時点で裁定請求をし、繰下げを希望しない場合は、70歳の時点で繰下げの申出があったものとみなして（増額率42％）、過去５年分の年金が一括で支給されます。

1 受給権は本来、65歳の時点で発生しますが、繰上げの場合はその請求日に発生します。

2 年金を実際に受ける際に、厚生労働大臣に対してする請求のことを裁定請求といいます。なお、「裁定」とは、厚生労働大臣がその者に受給権があることを正式に認める処分をいいます。

3 すでに65歳で受給権が発生している年金の支給開始時期だけを遅らせる制度であるため、「申出」の語を用います。なお、繰上げの場合は受給権の発生前なので「請求」の語を用います。

4 たとえば、65歳の時点で障害厚生年金を受けている者は、支給繰下げの申出ができません。

1 労基
2 安衛
3 労災
4 雇用
5 徴収
6 労一
7 健保
8 国年
9 厚年
10 社一
11 横断①
12 横断②

障害基礎年金 （1）

- 国民年金の障害等級は、「1級と2級」のみです。
- 障害基礎年金が支給されるためには「3つの要件」を満たす必要があります。
- 保険料納付要件には、原則と特例があり、どちらかを満たせば足ります。

1 障害基礎年金とは？

障害基礎年金は、障害者に対して、長期的な所得保障をすることを目的としています。国民年金では、特に重い障害の状態にある者（国民年金の障害等級は**1級と2級のみが存在する。** 📖）を障害基礎年金の支給対象としています。

それでは、障害基礎年金がどのような場合に支給されるのかというと、原則として、次の**3つの要件**をすべて満たす場合です。

2 支給要件の原則

（1）初診日要件

初診日とは、傷病について初めて医師又は歯科医師の診療を受けた日をいいます。この初診日において、次の①②のいずれかに該当していることが必要です。

① **被保険者**であること（任意加入被保険者であっても可）。

② 被保険者であった者であって、**日本国内**に住所を有し、かつ、**60歳以上65歳未満**であること。

（2）障害認定日要件

障害認定日とは、初診日から起算して**1年6ヵ月を経過した日**（この日よりも前に傷病が治ったとき（**症状が固定したときを含む。**）は、**治った日**）をいいます。

障害基礎年金が支給されるためには、障害認定日において、**障害等級（1級又は2級）に該当する**程度の障害の状態にあることが必要です。

（3）保険料納付要件

初診日の**前日**において 📖、初診日の属する月の**前々月**までに**被保険者期間がある場合には** 📖、次の**原則又は特例**の要件を満たしていなければなりません。

	原則	◀ いずれか一方を満たせばOK ▶	特例
	初診日の属する月の前々月までの被保険者期間のうち、「保険料納付済期間＋保険料免除期間」が**3分の2以上**であること（＝つまり、保険料の未納期間が全体の**3分の1以下**であればよい。）。		初診日が**令和8年4月1日前**にある場合には、初診日の属する月の前々月までの被保険者期間のうち直近の**1年間**に保険料の**未納期間がないこと**。 ➡ただし、初診日において**65歳以上**の者には、この特例は**適用しない**。

（支給要件のまとめ）

① 被保険者等である　② 障害等級に該当
初診日　原則1年6ヵ月　障害認定日
前々月
（前々月までの）被保険者期間
③ 保険料納付要件を満たしている
受給権発生！

③ 障害基礎年金の支給に関する特別ルール

原則の支給要件を満たしていない場合であっても、障害者を救済する観点から、次のように障害基礎年金が支給される特別ルールが設けられています。

① **事後重症による障害基礎年金**……障害認定日に障害等級に**該当しない**場合でも、その後障害の程度が重くなり、**65歳に達する日の前日**までの間に、障害等級に**該当**し、かつ、**請求**したときは、障害基礎年金が支給されます。

② **基準障害による障害基礎年金**……障害等級に**該当しない**障害の状態にある者について、**別の傷病による障害**（これを**基準障害**という。）が発生し、**65歳に達する日の前日**までの間に、これら複数の障害を**併合して初めて障害等級（1級又は2級）に該当**する場合には、障害基礎年金が支給されます。

③ **20歳前の傷病による障害基礎年金**……幼少期などの障害について、**福祉的**に障害基礎年金が支給されるものです。具体的には、**初診日において20歳未満**であった者が、原則として20歳に達した日において障害等級に該当している場合には、障害基礎年金が支給されます。 **4**

---

1 障害の程度は、政令において、たとえば、視力の良い方の眼の視力（矯正視力）が「0.03以下のもの」は1級、「0.07以下のもの」は2級などと定められています。

2 保険料納付要件は、初診日の「**前日**」における納付状況で判断します。これは、初診日当日に過去に滞納していた保険料を駆け込み的に納付することを認めないという趣旨です。

3 前々月までに被保険者期間がない（加入して間もない）場合は、保険料納付要件は問われません。

4 原則の20歳の時点で障害等級に該当していない場合でも、事後重症と同様の取扱いがあります。

国年 Lesson 9 障害基礎年金 (2)

Point
- 障害基礎年金の額は、障害等級に応じた「定額」となっています。
- 障害基礎年金の額には、「子」についての加算が行われます。
- 障害等級「3級」に不該当となった場合に、失権することがあります。

■ 障害基礎年金の額（新規裁定者に係る令和6年度価額）

（1）年金額

障害基礎年金の額は、障害等級に応じた**定額**であることが特徴です。つまり、保険料納付済期間の長短などにかかわらず、障害等級のみで額が決定されます。

年金額	1級	1,020,000円	➡ 2級の額の100分の125相当額
	2級	816,000円	➡ 老齢基礎年金の満額と同じ額

（2）子の加算額

障害基礎年金の受給権者によって**生計を維持**（原則として年収850万円未満であれば認められる。**■**）している次の①又は②に該当する**子**があるときは、障害基礎年金の額に子の加算が行われます。

① **18歳に達する日以後の最初の3月31日**（18歳年度末）までの間にある子
② **20歳未満**であって**障害等級(1級又は2級)**に該当する障害の状態にある子

子の加算額	第1子・第2子	234,800円	➡ いずれも子1人あたりの額
	第3子以降	78,300円	

加算の対象となる子には、障害基礎年金の受給権取得時に生計を維持していた子だけでなく、**受給権取得後に生計を維持することとなった子**も含まれます。
なお、子が死亡したとき等**2**は、翌月から年金額が減額して改定されます。

たとえば…
障害基礎年金の加算の対象となる子には「受給権取得後」に生計を維持することとなった子が含まれますが、これは厚生年金保険の障害厚生年金（1級・2級）に加算される加給年金額の対象となる「配偶者」についても同じです。たとえば、受給権の取得から10年後に配偶者と結婚し、子が生まれた場合には、その配偶者と子は加算の対象となります。これは障害給付に特有の取扱いです。

❷ 失権（受給権の消滅）

　障害基礎年金の受給権は、受給権者が次の①～③のいずれかに該当したときは、消滅します。なお、下記の②と③は、**いずれか遅い日に失権する**という関係です。

① **死亡**したとき。

② 厚生年金保険法に規定する**障害等級3級**に該当しなくなった者 **❸** が**65歳に達したとき**（ただし、障害等級3級に該当しなくなってから3年を経過していないときを除く。）。

③ 障害等級3級に該当しなくなった日から起算して障害等級3級に該当することなく**3年を経過したとき**（ただし、65歳未満であるときを除く。）。

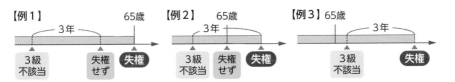

❸ 支給停止

　障害基礎年金は、次の場合にその支給が停止されます。すべての障害基礎年金に**共通**する支給停止事由が「**2つ**」、20歳前の傷病による障害基礎年金については、これに加えてさらに特有の支給停止事由が「**4つ**」あります。 **❹**

種類	支給停止事由 （【 】内は支給停止期間）
すべての障害基礎年金に共通	① 同一の傷病による障害について、**労働基準法**の規定による**障害補償**を受けることができるとき。➡【6年間】 ② 障害等級（1級又は2級）に該当しなくなったとき。➡【その間】
20歳前の傷病による障害基礎年金に特有	③ 労災保険の年金たる給付等を受けることができるとき。➡【その間】 ④ 刑事施設、労役場等に拘禁・収容されているとき。➡【その間】 ⑤ 日本国内に住所を有しないとき。➡【その間】 ⑥ 受給権者の前年の所得が一定額を超えるとき。➡【10月～翌年9月】

❶ 公的年金（国民年金法及び厚生年金保険法）における「生計維持」の基準は、第3号被保険者の認定基準を除き、すべて年収850万円（所得655万5,000円）を基準としています。

❷ 子の加算に係る減額改定事由を略記すると、①死亡のほかに、②生計維持の状態がやんだ、③婚姻、④養子、⑤離縁、⑥18歳年度末の終了、⑦障害等級に不該当、⑧20歳到達があります。

❸ 国民年金なのですが、厚生年金保険の「障害等級3級」を基準としている点に注意しましょう。

❹ 20歳前の傷病による障害基礎年金は、支給停止事由が6つあるということです。

1 労基
2 安衛
3 労災
4 雇用
5 徴収
6 労一
7 健保
8 国年
9 厚年
10 社一
11 横断①
12 横断②

遺族基礎年金 (1)

Point
● 死亡した者の要件の「4つ」の内容は、すべて押さえておくことが必要です。
● 遺族基礎年金の遺族の範囲は、「子のある配偶者」か「子」に限られます。
● 胎児であった子が出生した場合には、その子も受給権者となります。

1 遺族基礎年金とは?

　遺族基礎年金は、家族の生計を維持する者が死亡した場合に支給される年金です。支給対象となる遺族の範囲が狭く、「**子のある配偶者（妻又は夫）**」か「**子**」に限られていることが大きな特徴です。

2 死亡した者の要件は?

　まず、「どのような者」が死亡したときに遺族基礎年金が支給されるのかを確認しましょう。遺族基礎年金は、被保険者又は被保険者であった者（被保険者等）について、次の①～④のいずれかに該当する場合に支給されます。

死亡した者の要件	保険料納付要件
① **被保険者**が、死亡したとき。 ② **被保険者であった者**であって、**日本国内に住所を有し**、かつ、**60歳以上65歳未満**であるものが、死亡したとき。	満たしていることが必要
③ **老齢基礎年金の受給権者**（保険料納付済期間と保険料免除期間とを合算した期間が**25年以上** である者に限る。）が、死亡したとき。 ④ 保険料納付済期間と保険料免除期間とを合算した期間が**25年以上** である者 が、死亡したとき。	不要

　上記のうち、①又は②に該当する場合には、保険料納付要件を満たしていることが必要です。なお、保険料納付要件は、**障害基礎年金と同じ内容**です（ただし、「初診日」を「死亡日」と読み替える。➡ 国年P212 ～ 213）。

3 遺族の範囲はどうなっているか?

（1）遺族の範囲

　遺族基礎年金は、被保険者等の死亡の当時その者によって**生計を維持**（原則年収850万円未満）し、かつ、次の要件に該当する**配偶者又は子**に支給されます。

配偶者の要件	被保険者等の死亡の当時、下記の要件を満たす子と**生計を同じくする**こと（＝子のある妻又は夫）。なお、**年齢要件はありません。**
子の要件	① **18歳年度末**までの間にあるか、又は**20歳未満**であって障害等級（1級又は2級）に該当する障害の状態にあり、かつ、 ② 現に婚姻をしていないこと。

したがって、**子のない妻**又は**子のない夫**には、遺族基礎年金は**支給されません。**なお、ここでは、次のことも押さえておきましょう。 **4**

① **子と配偶者の関係**……「子」は、死亡した者の子（実子又は養子）であればよく、必ずしも配偶者の子であることを要しません（下記【例2】）。

【例1】一般的な場合（夫が死亡）

【例2】死亡した夫が再婚していた場合

② **胎児の出生**……死亡の当時**胎児**であった子が出生したときは、その子は、将来に向かって、生計維持要件を満たした子とみなされます。

たとえば、夫婦がともに第1号被保険者である2人だけの家族がいたとします。そして、妻の妊娠中に夫が死亡し、夫の死亡から6ヵ月後に胎児であった子が生まれたとします。この場合には、子が生まれるまでの6ヵ月間は、妻に遺族基礎年金の受給権は発生しませんが、「子が生まれたとき」から、生まれた子と妻に遺族基礎年金の受給権が発生することになります。

（2）実際には誰に対して支給されるのか？

遺族基礎年金は、実際には次のように支給されます。

配偶者と子が受給権者……年金の全額が配偶者に支給され、**子は支給停止**となる。

子のみが受給権者……**子の人数で割った額**がそれぞれの子に支給される。**5**

1 保険料納付要件を満たしている必要があるのは、死亡した者です。たとえば、夫が死亡した場合に残された妻が保険料を滞納している場合であっても、要件には関係がありません。

2 この期間には、「合算対象期間」も合算することができます（遺族厚生年金も同様➡厚年P252）。

3 本文④には、老齢基礎年金の年齢要件（原則65歳）を満たしていない者が該当します。

4 遺族基礎年金に遺族の順位はありません。要件を満たす配偶者と子はすべて受給権者となります。

5 子のみが受給権者になるのは、たとえば、母子家庭で被保険者である母が死亡した場合等です。

遺族基礎年金 （2）

Point →
- 配偶者に対する遺族基礎年金には、必ず「子の加算額」が加算されます。
- 子のみが受給権者である場合には、「第1子分」の子の加算は行われません。
- 配偶者の受給権は、「すべての子」が死亡したとき等には、消滅します。

1 遺族基礎年金の額 （新規裁定者に係る令和6年度価額）

遺族基礎年金の額は、一律に支給される「**基本額**」に「**子の加算額**」を加算した額となります。「**第1子分**」の子の加算額の取扱いがポイントです。

基本額 （必ず支給）		子の加算額	
		Ⓐ 配偶者と子 が受給権者	Ⓑ 子のみが 受給権者
816,000円 老齢基礎年金 の満額と同額	第1子分	234,800円	なし
+	第2子分	234,800円	234,800円
	第3子以降分	78,300円	78,300円

① **配偶者に対する遺族基礎年金（配偶者と子が受給権者）**……必ず子の加算額が加算されます。配偶者と生計を同じくする子の人数に応じて「基本額」に上表Ⓐの「子の加算額」を加算した額が**全額配偶者に支給されます**。

【例】 妻＋子が3人の場合 ▶ 816,000円＋234,800円＋234,800円＋78,300円
（夫が死亡した場合） ＝1,363,900円（全額妻に支給）

② **子に対する遺族基礎年金（子のみが受給権者）**……子が1人の場合は、「**基本額**」のみが支給されます。子が2人以上であるときは、子の人数に応じて「基本額」に上表Ⓑの「子の加算額」を加算した額が年金の支給総額となり、これを**子の人数で割った額**がそれぞれの子に支給されます。

【例】 子が3人のみの場合 ▶ 816,000円＋234,800円＋78,300円＝1,129,100円
　　　　　　　　　　　 ▶ 子の人数3で割った額≒376,367円（子1人の額）

※1円未満の端数は四捨五入

2 失権 （受給権の消滅）

遺族基礎年金の失権事由には、「**配偶者と子に共通のもの（3つ）**」、「**配偶者に特有のもの（1つ）**」、「**子に特有のもの（4つ）**」があります。

1 労基

2 安衛

3 労災

4 雇用

5 徴収

6 労一

7 健保

8 国年

9 厚年

10 社一

11 横断①

12 横断②

共通	① **死亡**した ② **婚姻**をした（事実婚を含む。） ③ **直系血族又は直系姻族以外の者**の養子となった（事実上の養子を含む。）
配偶者 に特有	④ 生計を同じくしていた**すべての子**が、次のア又はイ（子の加算に係る減額改定事由）に該当した（＝「**子のない配偶者**」となった。） 　ア　子が上記①〜③又は下記⑤〜⑧の**失権事由**に該当した **2** 　イ　子が**配偶者と生計を同じくしなくなった**（＝子は失権しない。）
子に 特有	⑤ **離縁**（養子縁組の解消）によって、死亡した者の子でなくなった ⑥ **18歳年度末**が終了した（障害等級に該当するときを除く。） ⑦ **障害等級に該当しなくなった**（18歳年度末までの間にあるときを除く。） ⑧ （障害等級に該当する子が）**20歳に達した**

【例】　妻と子2人が受給権者の場合（夫が死亡した場合）

亡夫━━妻　　┃子A 子B┃
　⇒　子Aが18歳年度末終了（子Aの受給権消滅）　⇒　妻の年金額を減額改定　⇒　さらに子Bが婚姻（子Bの受給権消滅）　⇒　妻の受給権が消滅

3 支給停止

遺族基礎年金は、次の場合には、その支給が停止されます。

① 被保険者等の死亡について**労働基準法**の規定による**遺族補償**が行われるべきものであるときは、**死亡日から6年間**、支給停止となります。

② 受給権者（配偶者又は子）の所在が**1年以上**明らかでなく、他の受給権者（子）が**申請**をしたときは、所在不明時に**さかのぼって**支給停止となります。

③ 子に対する遺族基礎年金は、**配偶者が遺族基礎年金の受給権を有するとき**は、その間、支給停止となります（配偶者に全額支給）。

④ 子に対する遺族基礎年金は、**生計を同じくするその子の父又は母があるとき**は、その間、支給停止となります。 **3**

1 すべての子が、死亡など子の加算に係る減額改定事由に該当すると配偶者は「子のない配偶者」となり、遺族基礎年金の受給権が消滅します。配偶者は単独で受給権を有することができません。

2 なお、やや細かいですが、減額改定事由の場合には、表の③の「直系血族又は直系姻族以外の者の養子となった」とある箇所を、「配偶者以外の者の養子となった」と読み替えてください。

3 子を養育する遺族基礎年金の受給権者ではない父や母がいる場合です。たとえば、被保険者（夫）が死亡し、後妻と子が残され、子が「実母（先妻）」と生計を同じくする場合などが該当します。

第1号被保険者の独自給付

Point
- 付加年金は、「老齢基礎年金の上乗せ」の年金です。
- 寡婦年金は、60歳以上65歳未満の妻のみに支給される「有期年金」です。
- 死亡一時金は、支給対象となる遺族の範囲が「広い」給付です。

1 付加年金

付加年金とは、第1号被保険者が通常の保険料とは別に付加保険料（⇒ 国年 P223）を納付した場合に、老齢基礎年金に上乗せして支給される年金です。

① **支給要件**……付加年金は、月額400円の付加保険料の納付済期間を1ヵ月でも有する者が老齢基礎年金の受給権を取得したときに、支給されます。

② **年金額**……付加年金の額は、「200円×付加保険料納付済期間の月数」です。つまり、納付する付加保険料は400円、受ける年金額は200円が基準であるため、付加年金は2年間受給すれば、元が取れることになります。 **1**

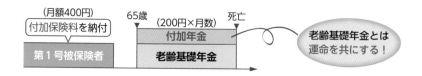

なお、付加年金と老齢基礎年金は、いわば運命共同体です。付加年金は、老齢基礎年金と同様に死亡したときにのみ受給権が消滅し、老齢基礎年金の支給が繰上げ・繰下げされるときは、同じ減額率・増額率により繰上げ・繰下げされます。

2 寡婦年金

寡婦年金とは、妻のみに支給される年金であり、保険料掛捨て防止の観点から、年金を受けずに死亡した第1号被保険者であった夫の老齢基礎年金の一部を、妻に還元する趣旨の年金です。なお、「寡婦」とは、夫と死別した妻のことです。

① **死亡した夫の要件**……第1号被保険者（原則による任意加入被保険者を含む。）としての「保険料納付済期間＋保険料免除期間」が10年以上である夫が老齢基礎年金等の支給を受けずに死亡したことが必要です。 **2**

② **妻の要件**……夫により生計を維持（原則年収850万円未満）しており、夫と

の婚姻関係が10年以上継続していた65歳未満の妻であることが必要です。

③ 年金額……寡婦年金の額は、「死亡した夫の第１号被保険者としての期間に基づく老齢基礎年金の額×４分の３」です。

なお、寡婦年金は、妻自身が老齢基礎年金の受給権者となるまでの**60歳以上65歳未満**の間に限り支給される**有期年金**です。妻が65歳に達したときや繰上げ支給の老齢基礎年金の受給権を取得したときは、寡婦年金の**受給権は消滅**します。

３ 死亡一時金

死亡一時金は、寡婦年金と同様に、年金を受けずに死亡した第１号被保険者の保険料掛捨て防止の観点から支給されます。**遺族の範囲が広い**ことが特徴です。

① 支給要件……**第１号被保険者**（任意加入被保険者を含む。）としての保険料納付済期間など次図の月数 **3** を合算した月数が**36月以上**（＝３年以上）である者が老齢基礎年金等の支給を受けずに死亡したこと等が必要です。

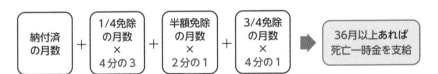

② 遺族の範囲……死亡した者の死亡の当時その者と**生計を同じくしていた配偶者、子、父母、孫、祖父母又は兄弟姉妹**です（順位は記載の順序による。）。

③ 支給額……上記①による月数に応じて、**最低12万円**（36月以上180月未満の場合）**～最高32万円**（420月以上の場合）となっています。**4**

---

1 たとえば、付加保険料を25年間（300月）納付した場合には、納付した付加保険料の総額は12万円（＝400円×300月）、付加年金の額は年額で６万円（＝200円×300月）となります。

2 夫に第２号被保険者や第３号被保険者としての期間があっても、その期間は考慮されません。

3 免除期間の反映割合が老齢基礎年金（→国年P207）と違うのは、老齢基礎年金には1/2の国庫負担があるためです（→P317）。死亡一時金では、純粋な保険料の納付分の割合となっています。

4 死亡者が付加保険料を３年以上納付していた場合は、死亡一時金の額に8,500円を加算します。

1 労基
2 安衛
3 労災
4 雇用
5 徴収
6 労一
7 健保
8 国年
9 厚年
10 社一
11 横断①
12 横断②

保険料（1）

Point
- 令和元年度以後の保険料額は「17,000円×保険料改定率」で計算します。
- 国民年金の保険料の納期限は、すべて「翌月末日」です。
- 付加保険料の額は、「月額400円」です。

1 保険料額

国民年金の保険料は、**月額の定額制**となっています。つまり、所得にかかわらず一律の額となっています（所得に応じた免除制度はある。➡ 国年P224）。

昭和36年4月の制度発足時の国民年金の保険料額は100円（35歳以上は150円）でしたが、経済成長や高齢化などを考慮して年々引き上げられてきました。

現在の公的年金制度には、平成16年の改正により**保険料水準固定方式** が導入されています。国民年金の保険料額は、段階的に引き上げられてきましたが、**令和元年度以後**は、最終的な保険料水準として「**17,000円×保険料改定率**」によって計算されます。 2

毎年4月から適用	令和元年度以後の保険料額	保険料改定率	実際の保険料額
令和6年度	17,000円×保険料改定率 （令和元年度以後は同じ）	0.999	16,980円
令和7年度		1.030	17,510円
令和8年度以後		未定	未定

※なお、保険料額については、「10円未満の端数は四捨五入」する。

「保険料改定率」とは、物価水準や賃金水準の変動を保険料額に反映するための率のことです（その定義は、非常に難しい。）。令和元年度以後は、条文上は保険料額が「17,000円×保険料改定率」で固定されることが規定されていますが、保険料改定率は毎年度改定されるため、令和元年度以後も物価水準や賃金水準が変動すれば、実際の保険料額はそれに応じて変動します。

2 保険料の納付義務など

国民年金の保険料の徴収の対象となるのは、**第1号被保険者及び任意加入被保険者**です。保険料の徴収期間や納付義務などは、次のとおりです。

① 徴収期間	被保険者期間の計算の基礎となる**各月**につき、徴収されます。 ➡つまり、被保険者の資格取得**月**から資格喪失月の**前月**まで が保険料徴収の対象となります（➡国年P204）。
② 納付義務	被保険者本人に納付義務があります（保険料は全額自己負担）。 ➡ただし、**世帯主**及び**配偶者**の一方も**連帯**して保険料を納付 する義務があります。
③ 納期限	毎月の保険料は、**翌月末日**までに納付しなければなりません。 ➡たとえば、3月分の保険料の納期限は4月30日となります。

★第2号被保険者と第3号被保険者の保険料について

　第2号被保険者及び第3号被保険者は、国民年金の保険料を**納付する必要はあ**りません。これは、会社員などが加入する厚生年金保険から、これらの者に係る基礎年金の費用を、まとめて**基礎年金拠出金**という形で支払っているためです。

③ 付加保険料とは？

　付加保険料とは、将来、付加年金（➡国年P220）を受給したい者の希望に基づいて納付することができる任意の保険料です。納付することができるのは、**第1号被保険者**（原則による任意加入被保険者を含む。）に限られます。🔳3️⃣

① 付加保険料の額は**月額400円**であり、**翌月末日**までに納付します。4️⃣

② **厚生労働大臣に申し出る**ことにより、いつでも付加保険料を納付する者となることができ、また、いつでも納付する者でなくなることができます。

③ 次の者は、付加保険料を納付する者となることができません。

- ●特例による任意加入被保険者
- ●保険料の免除者（全額免除・一部免除すべて）
- ●国民年金基金の加入員

1️⃣ 保険料水準固定方式は、少子高齢化が進展しても現役世代の保険料負担が過大なものとならないよう、将来の保険料水準を固定し、その保険料総額の範囲内で給付額を調整する仕組みです。

2️⃣ 第1号被保険者に係る産前産後免除の期間を保険料納付済期間とみなして年金額に反映するための財源として、平成31年4月に保険料の基本額が100円引き上げられ17,000円となりました。

3️⃣ 付加保険料の納付は、通常の保険料が納付された月についてのみ行うことができます。

4️⃣ 付加保険料の納付の申出をしていることを前提に、付加保険料を翌月末日までに納付しなかった場合でも、過去2年分までなら付加保険料を納付することができます。

1 労基
2 安衛
3 労災
4 雇用
5 徴収
6 労一
7 健保
8 国年
9 厚年
10 社一
11 横断①
12 横断②

保険料（2）

- 保険料の免除には、所得などに応じた多段階の免除制度があります。
- 将来の一定の期間の保険料をまとめて納付することを「前納」といいます。
- 免除された保険料は、過去10年分までさかのぼる「追納」が可能です。

◼️ 保険料の免除

　被保険者には、所得が少ないなどの事情により保険料の納付が困難な者が含まれています。そこで、本法では、**第1号被保険者特有**の規定として、所得などに応じた次の多段階の保険料の免除制度を設けています。

免除の種類		免除の方法	免除事由に該当する必要のある者	老齢基礎年金への影響	
				受給資格期間	年金額（原則）
① 法定免除		法律上当然	本人のみ	算入する	8分の4を反映
② 申請全額免除		申請	本人、世帯主、配偶者	算入する	8分の4を反映
一部免除	③ 4分の3免除				8分の5を反映
	④ 半額免除				8分の6を反映
	⑤ 4分の1免除				8分の7を反映
⑥ 学生納付特例		申請	本人のみ	算入する	年金額には反映されない
⑦ 納付猶予			本人、配偶者		

　なお、**任意加入被保険者は、すべての免除制度の対象外**です。また、次の①～③については、すでに納付された保険料は、免除の対象となりません。

① **法定免除**……**障害等級1級又は2級**の障害の状態にある者や生活保護法による**生活扶助🔟**を受ける者は、**法律上当然**に保険料が免除されます。

② **申請全額免除と一部免除**……前年の**所得が一定額以下**の者、生活保護法の**生活扶助以外の扶助を受ける者**等が**申請**することで保険料が免除されます。

【例】 所得基準のイメージ（単身者の場合）

③ 学生納付特例と納付猶予……学生納付特例は学生等、納付猶予（令和12年
6月までの時限措置）は50歳未満の非正規労働者等を対象とする保険料の**全
額**を免除する制度です。**2** 保険料の追納を前提とした（期待する）制度で
あるため、その期間は、**老齢基礎年金の額に一切反映されません。** **3**

★第1号被保険者の産前産後期間に係る保険料の免除（産前産後免除）

　第1号被保険者は、**出産予定月の前月**（多胎妊娠の場合は**3ヵ月前**）から出産
予定月の**翌々月**までの期間の保険料が免除されます。これは、所得の有無にかか
わらず、**4ヵ月間**（多胎妊娠の場合は**6ヵ月間**）の保険料を免除するものです。

　この期間は**保険料納付済期間に算入**されます。また、他の免除制度よりも優先
して適用され、この期間については付加保険料を納付することもできます。

2 保険料の前納とは？

　国民年金の保険料（**付加保険料を含む。**）は、将来の一定の期間の保険料をま
とめて納付することができます。これを保険料の**前納**といいます。前納は、原則
として**6ヵ月又は年**を単位 **4** として行います。また、前納する額は、本来の保
険料額から**一定額を割り引いた額**となります（つまり、**割安**となる。）。

3 保険料の追納とは？

　免除された保険料については、**過去10年分**までさかのぼって納付することがで
きます。これを保険料の**追納**といいます。**5** 追納された期間は、当然ながら保
険料納付済期間となります。追納に関するポイントは、次のとおりです。

① **老齢基礎年金の受給権者**は、追納することが**できません。**

② **付加保険料**は、追納することが**できません。**

③ 追納の際の納付額は、過去の保険料額に**一定額を加算した額**となります。

④ 過去10年間の一部につき追納するときは、原則として、学生納付特例又は
　納付猶予の期間について優先して追納します。 **6**

---

1 生活保護法には8種類の扶助が定められており、最も生活が困窮している者に行われるのが「生活
扶助」です。生活扶助以外の扶助には、医療扶助、介護扶助、教育扶助などがあります。

2 所得基準は「学生納付特例→半額免除」「納付猶予→申請全額免除」（前頁【例】）と同じです。

3 これらの期間中の障害や死亡でも、要件を満たせば、障害基礎年金や遺族基礎年金は支給されます。

4 このほか、「2年」前納も可能です。また、口座振替納付の場合は、「1ヵ月」前納も可能です。

5 これに対し、滞納した保険料は、時効により「過去2年分」までしか納付することができません。

6 本人の判断により、他の免除期間のうち最も古い期間から追納することもできます。

1 労基
2 安衛
3 労災
4 雇用
5 徴収
6 労一
7 健保
8 国年
9 厚年
10 社一
11 横断①
12 横断②

該当レッスン	Let's チャレンジ ○×問題・穴うめ問題
Lesson 1 国民年金法の目的等	**○×** **1** 国民年金は、自営業者等の一般地域住民のみを対象としている。
	穴うめ **2** 国民年金法が全面的に施行されたのは、昭和（A）年4月1日であり、これにより国民（B）が実現した。
Lesson 2・3 被保険者	**○×** **3** 第1号被保険者は、必ず20歳以上60歳未満の者に該当する。
	○× **4** 外国人は、任意加入被保険者となることができない。
	穴うめ **5** 特例による任意加入被保険者となることができるのは、昭和（C）年4月1日以前に生まれた者に限られる。
Lesson 4 被保険者期間・併給調整	**○×** **6** 障害基礎年金と遺族厚生年金は、併給することができない。
	穴うめ **7** 被保険者期間には、被保険者の資格を取得した日の属する（D）からその資格を喪失した日の属する（E）までの期間を算入する。
Lesson 5～7 老齢基礎年金	**○×** **8** 現在の老齢基礎年金の受給資格期間は、5年以上である。
	○× **9** 保険料のいわゆる未納期間は、老齢基礎年金の額に反映されない。
	○× **10** 昭和41年4月2日以後に生まれた妻であっても、満額の老齢基礎年金を受けることができない場合には、振替加算が行われる。
	穴うめ **11** 老齢基礎年金の支給繰下げに係る増額率は、1ヵ月あたり（F）%とされている。
Lesson 8・9 障害基礎年金	**○×** **12** 初診日の属する月の前々月までに被保険者期間がない場合には、障害基礎年金に係る保険料納付要件は問われない。
	穴うめ **13** 障害等級1級の障害基礎年金の額は、障害等級2級の障害基礎年金の額の100分の（G）に相当する額である。
Lesson 10・11 遺族基礎年金	**○×** **14** 遺族基礎年金の支給対象者は、死亡した者の配偶者のみである。
	穴うめ **15** 子に対する遺族基礎年金は、生計を同じくするその子の（H）又は（I）があるときは、その間、その支給が停止される。
Lesson 12 第1号被保険者の独自給付	**○×** **16** 付加年金の受給権は、受給権者が死亡したときにのみ消滅する。
	穴うめ **17** 寡婦年金を受けることができるのは、死亡した夫との婚姻関係が（J）以上継続した65歳未満の妻に限られる。
Lesson 13・14 保険料	**○×** **18** 付加保険料の額は、月額200円である。
	穴うめ **19** 免除された保険料について、過去10年分までさかのぼって納付することができる制度のことを、保険料の（K）の制度という。

解答 **1** × 「全国民」が対象である。 **2** （A）36 （B）皆年金 **3** ○ **4** × 国内居住者であれば任意加入被保険者となり得る。 **5** （C）40 **6** × 65歳以上であれば併給が可能。 **7** （D）月 （E）月の前月 **8** × 「5年」ではなく「10年」である。 **9** ○ **10** × 設問の生年月日の妻に振替加算が行われることはない。 **11** （F）0.7 **12** ○ **13** （G）125 **14** × 「配偶者又は子」である。 **15** （H）父 （I）母 **16** ○ **17** （J）10年 **18** × 月額「400円」である。 **19** （K）追納

第 9 章

厚生年金保険法

・この科目の体系樹
・この科目の特徴／ここだけチェック！！

概要

厚生年金保険は、労働者が加入する公的年金制度です。昭和61年4月からは、国民年金（基礎年金）に上乗せする形で報酬比例の年金を支給する制度となっています。保険給付からの出題が中心で、特に老齢厚生年金が重要となります。国民年金法の理解が制度理解のための前提となるため、横断的な学習が欠かせません。

枝葉

①**費用**……厚生年金保険の保険料は、健康保険と同様の方法によって計算・徴収されます。被保険者の報酬・賞与に基づいて保険料が徴収され、報酬・賞与の多寡が年金額に反映されます。また、育児休業等・産前産後休業をしている期間中は、保険料が免除されます。
②**保険給付の通則等**……国民年金法におけるものとほぼ同様の内容となっています。
③**標準報酬**……健康保険法におけるものとほぼ同様の内容となっています。

時効

不服申立て等

罰則

給付制限

保険給付の通則等

年金額の改定等

脱退一時金等

標準報酬

合意分割・3号分割

土

厚生年金保険法の歴史は、国民年金法よりも長く、戦前の昭和17年に「労働者年金保険法」という名称でスタートしました。昭和29年には、現在のひな形となる給付形態（定額部分と報酬比例部分）が確立され、その後、昭和61年4月からは国民年金の上乗せ年金として支給される仕組みとなりました。平成27年10月からは被用者年金が一元化され、民間被用者のほか、公務員や私立学校教職員も厚生年金保険に加入することとなりました。

根

厚生年金保険では、国民年金と同様に、被保険者等について「長期的に所得が減少（喪失）するアクシデント」、つまり、「老齢、障害、死亡」を保険事故として年金を支給しています。これらの年金は、原則として、国民年金（基礎年金）の2階部分として支給されます。保険料額及び年金額は、その者の報酬に比例して計算されるという特徴があります。

①**被保険者**……適用事業所に使用される**70歳未満**の者が強制的に被保険者とされます。
　このほかに、任意加入の被保険者として、任意単独被保険者、高齢任意加入被保険者、
　第4種被保険者があります。

②**保険給付**……「**老齢厚生年金**」は65歳から支給することを原則としますが、経過措置
　として、65歳前であっても、特別支給の老齢厚生年金が支給されます。「**障害厚生年金**」
　は、障害等級の1級から3級に該当する場合に支給されます。このほか、軽度の障害
　に対して「**障害手当金**」という一時金が支給されることが特徴です。「**遺族厚生年金**」は、
　死亡者の配偶者、子、父母、孫又は祖父母に支給されます。

保険者＝政府

被用者年金一元化に係る特例

被保険者期間

保険給付

① **老齢**

② **障害**

③ **死亡**

届出等

保険料

積立金

費用

国庫負担

被保険者

適用事業所

国民年金法

健康保険法

目 的
労働者の老齢・障害・死亡について報酬比例の年金を基礎年金に上乗せして支給

労働力人口の減少　少子高齢化
基礎年金制度

229

配点 (→ P18) (出題数)	◆ 選択式〔40点満点中〕5点 ◆ 択一式〔70点満点中〕10点	
難易度	普通〜難しい	学習比重度 (→ P16) ★★★★★

すべての試験科目の中で、最も総合力が求められる科目といえます。各学習項目をバランスよく攻略していくという意識が大事であり、理解と記憶、そして事例問題への対応力を磨くことが必要です。一方で、過去問の焼直し問題も多いため、過去問学習が非常に効果的です。

本編で取り上げていない 項目・用語の
『**ここだけチェック!!**』

ここでは、前ページの体系樹を補完するものとして、本編で取り上げていない「その他の項目」や「用語」について、概要と押さえてほしいポイントを示しています。

☑ 年金額の計算の基礎となる期間

報酬比例の年金額 (→ 厚年P239) は、**被保険者期間の月数**などに応じて計算されます。年金額の計算の基礎となる被保険者期間は、次のとおりです。

①老齢厚生年金	特別な規定なし (**受給権を取得した月の前月までの期間**※)
②障害厚生年金	受給権を取得する**障害認定日が属する月までの期間**
③遺族厚生年金	特別な規定なし(死亡した者に係る**すべての**被保険者期間)

※老齢厚生年金の「受給権を取得した月以後の期間」は、①退職をして1ヵ月間再就職しなければ、**退職月の翌月**から年金額に反映され【退職時改定】、②在職中であっても、**毎年9月1日(基準日)に65歳以上の被保険者である場合**には、基準日の属する月前の期間がその月の翌月から年金額に反映される (毎年10月から改定)【在職時改定】。

【例】老齢厚生年金の場合

年金額に反映 ←

(前月)	65歳			
4月	5月	6月	7月	8月

←‥‥ 受給権 ‥‥→

これ以後の期間は、①退職月の翌月から、又は②基準日に被保険者であれば毎年10月から年金額に反映

【例】障害厚生年金の場合

年金額に反映 ←

	障害認定日			
4月	5月	6月	7月	8月

受給権

※月数が300 (25年) に満たないときは、300とみなして計算する (→ 厚年P250)

☑️ 合意分割制度・3号分割制度

　合意分割制度とは、離婚等をした当事者間の**合意**（又は裁判手続）により**2分の1を上限**とする**按分割合**を定めた場合に、当事者の双方又は一方からの請求によって、**婚姻期間中の標準報酬**を、当事者間で分割することができる制度です。

　3号分割制度とは、離婚等をした場合に、国民年金の第3号被保険者であった被扶養配偶者からの請求によって、**平成20年4月以後の特定期間**（婚姻期間のうち、被扶養配偶者が第3号被保険者であった期間）中の標準報酬を、合意がなくとも、**当然に2分の1ずつ**、当事者間で分割することができる制度です。

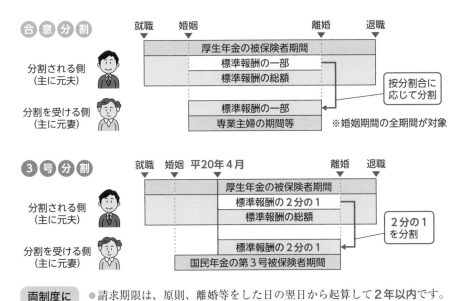

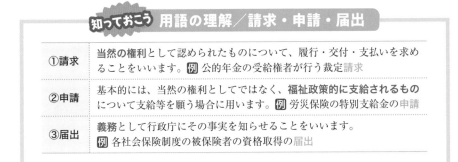

両制度に共通	● 請求期限は、原則、離婚等をした日の翌日から起算して**2年以内**です。 ● 将来の報酬比例の年金額は、分割後の標準報酬に基づき計算されます。

知っておこう　用語の理解／請求・申請・届出

①請求	当然の権利として認められたものについて、履行・交付・支払いを求めることをいいます。**例** 公的年金の受給権者が行う裁定請求
②申請	基本的には、当然の権利としてではなく、**福祉政策的に支給されるもの**について支給等を願う場合に用います。**例** 労災保険の特別支給金の申請
③届出	義務として行政庁にその事実を知らせることをいいます。 **例** 各社会保険制度の被保険者の資格取得の届出

厚生年金保険法の目的等

● 本法は、「労働者」を対象とした「2階部分の年金」を定めた法律です。
● 本法の保険事故は、「老齢、障害又は死亡」の3種類です。
● 常時1人でも従業員を使用する法人の事業所は、強制適用事業所となります。

■ 厚生年金保険の目的とは？

まず、本法に関係する公的年金制度の主な沿革をまとめると次のとおりです。

昭和14年	船員保険法の制定（昭和15年6月施行。昭和61年に**厚生年金保険に統合**）
昭和19年	**厚生年金保険法の制定**（昭和19年10月施行）
昭和36年	**国民年金法の全面施行**（昭和36年4月1日施行。国民皆年金の実現）
昭和61年	**年金法の大改正**（昭和61年4月1日施行。基礎年金の導入）
平成27年	**被用者年金一元化**（平成27年10月施行。**共済年金を厚生年金保険に統合**）

　本法では、**政府**が**保険者**（運営主体）となって、**労働者**（会社員、船員、公務員等）を対象として、**老齢、障害又は死亡**について保険給付を行います。

　保険事故は国民年金と全く同じであり、2階部分の年金を支給します。

 老齢厚生年金
老齢基礎年金

 障害厚生年金
障害基礎年金

 遺族厚生年金
遺族基礎年金

2階部分の
年金を支給！

　また、厚生年金保険の被保険者は、次の**4つの種別**に分けられており、事務処理については、それぞれ次の**実施機関**が行うことになります。

被保険者の種別	該当者	実施機関
第1号厚生年金被保険者	下記以外の者（民間被用者）	**厚生労働大臣**（※実際は委任・委託により日本年金機構）
第2号厚生年金被保険者	国家公務員共済組合の組合員	国家公務員共済組合及び国家公務員共済組合連合会
第3号厚生年金被保険者	地方公務員共済組合の組合員	地方公務員共済組合、全国市町村職員共済組合連合会及び地方公務員共済組合連合会
第4号厚生年金被保険者	私立学校教職員共済制度の加入者	日本私立学校振興・共済事業団

1 労基
2 安衛
3 労災
4 雇用
5 徴収
6 労一
7 健保
8 国年
9 厚年
10 社一
11 横断①
12 横断②

2 保険給付の種類

　厚生年金保険の保険給付の種類は、次のとおりであり、「**報酬比例**」の給付であることが特徴です。被保険者期間中の報酬が高い者ほど、将来の年金額が高くなります。国民年金の給付が、「**定額**」が基本であることと大きく異なります。

保険事故	保険給付の種類
老齢	老齢厚生年金
障害	障害厚生年金、障害手当金 3
死亡	遺族厚生年金

この中では、老齢厚生年金が最も複雑かつ重要です！

※上記の保険給付は、政府及び実施機関(厚生労働大臣を除く。)が行う。

3 厚生年金保険の適用事業所

　厚生年金保険の適用事業所には、**強制適用事業所**及び**任意適用事業所**があります。その範囲や適用の考え方は、**健康保険と同じです**（➡ 健保P173）。

　ただし、適用事業所に「**船舶**」が含まれることのみが健康保険と異なります。

強制適用事業所 ※自動的かつ強制的に適用

① 国、地方公共団体又は**法人**の事業所であって、常時従業員を使用するもの
② **個人経営**で適用業種の事業の事業所であって、常時**5人以上**の従業員を使用するもの
③ 船員法に規定する船員として船舶所有者に使用される者が乗り組む**船舶**

強制適用事業所以外の事業所

加入は任意。**厚生労働大臣の認可**（事業所に使用される者（適用除外者を除く。）の**2分の1以上の同意**が必要）を受けて適用事業所とすることができる。
= **任意適用事業所** 4

適用業種以外の業種 {
① 農林水産業
② サービス業の一部
③ 宗教業
}

個人経営である限り、従業員数にかかわらず、こちら側に該当
【例】個人経営の農業の事業所

※いずれも企業単位ではなく事業所単位で適用

1 国民年金と同様に、本法の保険事故は、業務上であるか業務外であるかは、問われません。

2 被保険者資格の取得及び喪失の規定は、被保険者の種別ごとに適用されます（同時に異なる種別の被保険者資格は取得しない。）。また、被保険者期間も被保険者の種別ごとに計算されます。

3 本法では、障害等級が3級まであり、障害等級1級〜3級の者に障害厚生年金が支給されます。さらに3級に該当しない場合でも、一時金である障害手当金が支給されることがあります。

4 なお、任意適用事業所の事業主は、「被保険者の4分の3以上の同意」を得て、厚生労働大臣の認可を受ければ、任意適用の取消しが可能です。これは健康保険においても同様です。

厚年 Lesson 2 　被保険者（1）

point
- 強制加入の被保険者は、「当然被保険者」のみです。
- 適用事業所に使用される「70歳未満」の者が当然被保険者となります。
- 任意単独被保険者となるには、「事業主の同意＋大臣の認可」が必要です。

① 厚生年金保険の被保険者

（1）被保険者の種類

　厚生年金保険の被保険者には、強制加入・任意加入の別に応じた次の種類があります。これらの被保険者である者は、原則として、**同時に国民年金の第2号被保険者に該当する**こととなります（➡ 国年P200 〜 201）。

　このうち、出題の中心となるのは、**当然被保険者、任意単独被保険者**及び**高齢任意加入被保険者**です。以下では、民間被用者の適用を中心に説明します。

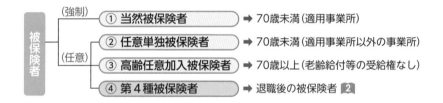

（2）被保険者の位置づけ

　前記①〜③の被保険者は、その者の**年齢（70歳が基準となる。）**及びその者が使用される事業所が「**適用事業所**」**3**であるのか「**適用事業所以外の事業所**」であるのかによって、次のように位置づけられます。

　なお、**高齢任意加入被保険者**は、使用される事業所が適用事業所であるか否かに応じて任意加入の要件が異なるため、**実質的に2種類**存在します。

2 当然被保険者

適用事業所に使用される**70歳未満の者**は、本人の意思にかかわらず、強制的に厚生年金保険の被保険者となります。これが**当然被保険者**です。

① **年齢の下限**……年齢の下限はありません。たとえば、中学校卒業後16歳で適用事業所に使用された場合には、16歳から当然被保険者となります。

② **保険料の負担**……保険料は、事業主と被保険者が**折半負担**します。

　民間被用者について、70歳未満の厚生年金保険の当然被保険者であれば、原則として、同時に健康保険の一般の被保険者にも該当します。たとえば、「短時間労働者（パートタイム労働者等）」や「法人の代表者等」の適用についても、健康保険と同じ取扱いとなります（➡健保P175）。健康保険と厚生年金保険の「被保険者資格取得届」は同じ用紙を提出することになります。

3 任意単独被保険者

たとえば、個人経営の農業の事業所などは、事業主が任意適用の認可を受けない限り、適用事業所とはなりません。このような**適用事業所以外の事業所**に使用される者であっても、**70歳未満の者**であれば、個人で任意に被保険者となることができます。これが**任意単独被保険者**です。加入要件は、次のとおりです。 **4**

① **適用事業所以外の事業所**に使用される**70歳未満の者**であること。
② その事業所の**事業主の同意**を得ること。
③ **厚生労働大臣の認可**を受けること（本人が認可申請をする。）。

また、任意単独被保険者は、いつでも、**厚生労働大臣の認可**を受けて、その資格を喪失することができます。このほかのポイントは、次のとおりです。

① **事業主の同意**……事業主が保険料を半額負担すること等の同意です。
② **保険料の負担**……保険料は、事業主と被保険者が**折半負担**します。

1 ただし、「65歳以上の者であって、老齢給付等の受給権を有するもの」は、厚生年金保険の被保険者であっても、国民年金の第2号被保険者とはなりません（➡国年P201）。

2 第4種被保険者とは、退職後の任意継続被保険者のことです。この制度は新法の施行時に「廃止」されたのですが、既得権保護の観点から対象者を限定して経過措置として規定が残っています。

3 「適用事業所」とは、現実に厚生年金保険の適用を受けている事業所のことです。強制適用事業所であるか任意適用事業所（適用の認可を受けた事業所）であるかは、問いません。

4 なお、健康保険には、適用事業所以外の事業所に使用される者が被保険者となる制度はありません。

1 労基
2 安衛
3 労災
4 雇用
5 徴収
6 労一
7 健保
8 国年
9 厚年
10 社一
11 横断①
12 横断②

被保険者（2）

Point →
- 高齢任意加入被保険者は、老齢給付等の受給権が「ない」ことが前提です。
- 加入要件が「申出のみ」なのか、「同意＋認可」なのかを確認しましょう。
- 厚生年金保険の適用除外者は、健康保険のものと重複しています。

1 高齢任意加入被保険者

（1）高齢任意加入被保険者とは？

　70歳以上の者は、原則として、厚生年金保険の被保険者となりません。しかし、70歳以上になっても老齢厚生年金などの老齢給付等の受給権を有していない者 は、老齢給付等の受給権を取得するまでの間、特例的に個人で任意に被保険者となることができます。これが高齢任意加入被保険者です。

　なお、高齢任意加入被保険者に生年月日の要件や年齢の上限はありません。

- 70歳以上（生年月日不問）
- 老齢給付等の受給権なし

↓

高齢任意加入被保険者

- ① 「適用事業所」と「以外」の2パターンがある。
- ② 受給権を取得するまで加入することができる。

（2）適用事業所に使用される者の場合（高齢任意加入被保険者①）

　適用事業所に使用される者に係る加入要件は、次のとおりです。

> ① 70歳以上の者であり、老齢給付等の受給権を有していないこと。←【前提】
> ② 実施機関に申し出ること（本人が申し出る。）。

　つまり、基本的な加入要件は「申出のみ」であり、事業主の同意は不要です。
　この高齢任意加入被保険者は、いつでも、実施機関に申し出て、その資格を喪失することができます。このほかのポイントは、次のとおりです。

- ① 保険料の負担（原則）……保険料は、原則として、本人が全額負担し、かつ、納付義務を負います。他の被保険者にはない大きな特徴です。
- ② 保険料の負担（例外）……事業主が同意をしたときは折半負担となり、事業主が半額負担及び納付義務を負います。なお、事業主は高齢任意加入被保険者の同意を得て、将来に向かって同意を撤回することもできます。🔸

（3）適用事業所以外の事業所に使用される者の場合（高齢任意加入被保険者②）

適用事業所**以外**の事業所に使用される者に係る加入要件は、次のとおりです。

> ① **70歳以上の者**であり、老齢給付等の**受給権を有していない**こと。← 【前提】
> ② その事業所の**事業主の同意**を得ること。
> ③ **厚生労働大臣の認可**を受けること（本人が認可申請をする。）。

この高齢任意加入被保険者は、いつでも、**厚生労働大臣の認可**を受けて、その資格を喪失することができます。このほかのポイントは、次のとおりです。

　① **事業主の同意**……事業主が保険料を半額負担すること等の同意です。

　② **保険料の負担**……保険料は、（必ず）事業主と被保険者が**折半負担**します。

被保険者のポイントを整理してみると…

被保険者	加入要件	保険料の負担
当然	法律上当然	折半負担
任意単独	同意＋認可	折半負担
高齢任意加入①	申出のみ	全額本人負担（同意→折半）
高齢任意加入②	同意＋認可	折半負担

2 適用除外者

次の者は、当然被保険者、任意単独被保険者及び高齢任意加入被保険者となることができません。なお、いずれも健康保険の適用除外者と共通します。

　① **臨時に使用される者**（船員を除く。）……㋐**日々雇い入れられる者**、㋑**2ヵ月以内**の期間を定めて使用される者であって、当該定めた期間を超えて使用されることが**見込まれないもの**（当該定めた期間を超えて使用されることが**見込まれる**場合は適用除外者とならない。健康保険でも同じ。）。**3**

　② **季節的業務**に使用される者（船員を除く。）……清酒製造業など。**3**

　③ **臨時的事業の事業所**に使用される者……万国博覧会など。**3**

　④ **所在地が一定しない事業所**に使用される者……サーカスなど。

　⑤ **4分の3基準**等の適用要件を満たしていない短時間労働者（➡ 健保P175）

---

1 障害給付や遺族給付の受給権を有していても、高齢任意加入被保険者となることができます。

2 なお、公務員（第2号・第3号厚生年金被保険者）には、②の規定（例外）は適用されません。

3 例外として、①のアの者は「1ヵ月を超えて」・イの者は「定めた期間を超えて」引き続き使用されるに至った場合には、「そのときから」被保険者となり、②の者は「当初から継続して4ヵ月（③の者は6ヵ月）を超えて」使用される予定の場合には、「当初から」被保険者となります。この例外に該当する者は、健康保険においても同様に一般の被保険者となります（➡健保P175）。

厚年 Lesson 4 被保険者期間・標準報酬等

1 被保険者期間

（1）厚生年金保険の被保険者期間

被保険者期間とは、保険料の徴収の対象となる期間のことです。厚生年金保険の年金額等は、この期間の長短に応じて計算されます。被保険者期間の計算の方法は、国民年金法と基本的に同じです（➡ 国年P204 〜 205）。

すなわち、被保険者期間は、**月を単位として計算し、被保険者の資格を取得した月**からその**資格を喪失した月の前月**までの期間を算入します。

（2）計算方法の特例

坑内員又は船員である被保険者（民間被用者）については、かつては労働が過酷であったなどの理由から、被保険者期間の計算について優遇措置が設けられています。具体的には、次のように計算されます。**1**

① S61.3.31までの期間	➡	実期間×3分の4
② S61.4.1からH3.3.31までの期間	➡	実期間×5分の6
③ H3.4.1以後の期間	➡	実期間（優遇措置なし）

※実期間＝原則的な計算方法による被保険者期間のこと。

2 標準報酬（標準報酬月額及び標準賞与額）

厚生年金保険の**標準報酬**（標準報酬月額及び標準賞与額の総称）は、保険料額のみならず、年金額の算定の基礎にもなる重要なものです。その決定の方法などは、健康保険法と基本的に同じです（➡ 健保P178 〜 181）。

健康保険法との相違点のうち最低限押さえてほしいものは、次のとおりです。

① **標準報酬月額の等級区分**……厚生年金保険の標準報酬月額の等級区分は、第1級の**88,000円**から第32級の**650,000円**までの**32等級**です。

② **標準賞与額の上限額**……厚生年金保険の標準賞与額の上限額は、年度累計額ではなく、**1ヵ月（賞与の支払い1回）あたり150万円**です。

❸ 平均標準報酬額と平均標準報酬月額

（1）すべての年金額のベースとなる計算式（報酬比例の年金額）

厚生年金保険には、老齢・障害・遺族の各種の年金がありますが、その年金額（報酬比例の年金額）は、次の計算式をベースにして計算されます。**2** **3**

報酬比例の年金額		
平均標準報酬額 × $\dfrac{5.481}{1,000}$ ×被保険者期間の月数	H15.4.1以後の期間に係る年金額【原則】
平均標準報酬月額× $\dfrac{7.125}{1,000}$ ×被保険者期間の月数	H15.3.31以前の期間に係る年金額【経過措置】

上記の計算式による額を合算した額が、最終的な年金額となります。計算式の中にある**平均標準報酬額**と**平均標準報酬月額**ですが、簡単に言うと、「被保険者として働いてきた期間の報酬（標準報酬）の**1ヵ月あたりの平均額**」のことです。これらの額が高いほど、年金額も高くなります。まさに報酬比例です。

（2）平均標準報酬額と平均標準報酬月額の定義

平成15年4月1日から賞与の額も年金額に反映するといういわゆる**総報酬制**（そうほうしゅうせい）が導入されました。それまでは、賞与の額は年金額に反映していませんでした。

平均標準報酬額とは、**総報酬制の導入後**の被保険者期間における**賞与の額（標準賞与額）を含めた**標準報酬の1ヵ月あたりの平均額をいいます。

平均標準報酬額	平成15年4月以後の被保険者期間の各月の標準報酬月額と標準賞与額に再評価率 **4** を乗じて得た総額÷その期間の月数

平均標準報酬月額とは、**総報酬制の導入前**の被保険者期間における**賞与の額を含めない**標準報酬の1ヵ月あたりの平均額をいいます。

平均標準報酬月額	平成15年3月以前の被保険者期間の各月の標準報酬月額に再評価率を乗じて得た総額÷その期間の月数

1 たとえば、昭和61年3月以前に坑内員であった期間が30年ある場合には、その期間は40年（＝30年×3分の4）として被保険者期間に算入され、厚生年金保険の年金額に反映されます。

2 遺族厚生年金については、「報酬比例の年金額×4分の3」が基本的な年金額となります。

3 「年金額の計算の基礎となる期間」についても、確認しておきましょう（➡厚年P230）。

4 「再評価率」とは、過去の標準報酬を「現在の価値に評価し直すため」に乗じる率のことです。なお、再評価率は、物価水準や賃金水準の変動に応じて毎年度改定されます（➡P294）。

1 労基
2 安衛
3 労災
4 雇用
5 徴収
6 労一
7 健保
8 国年
9 厚年
10 社一
11 横断①
12 横断②

老齢厚生年金 (1)

厚年
Lesson
5

● 老齢厚生年金は、大きく「原則支給」と「特別支給」とに分かれます。
● 特別支給の老齢厚生年金は、「段階的に廃止」されます。
● 受給資格期間は、国民年金の老齢基礎年金の受給資格期間と同じです。

1 老齢厚生年金の全体像

昭和61年4月施行の新法において、老齢厚生年金は、**65歳からの支給**とされました。しかし、旧法では**60歳から老齢年金**（報酬比例部分と定額部分）が支給されており、これを突然に廃止するわけにもいかないため、経過措置として、旧法の老齢年金に相当する老齢厚生年金が**特別に支給**されています。

以下、本書では、65歳から支給される老齢厚生年金を「**原則支給**」、65歳未満の者に支給される老齢厚生年金を「**特別支給**」として、説明していきます。

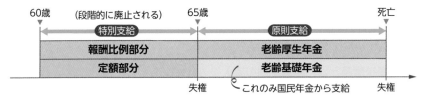

なお、老齢厚生年金をさらに細かく見ると、次のような構成となっています。これら①～⑤の内容は、このあとのレッスン6～8において説明します。

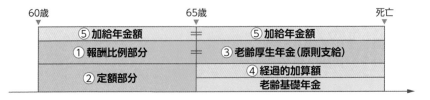

① **報酬比例部分**……平均標準報酬額等に基づいて計算されます。

② **定額部分**……厚生年金保険の加入期間のみに基づいて計算されます。

③ **老齢厚生年金（原則支給）**……上記①と同じ計算式によって計算されます。

④ **経過的加算額**……原則支給の老齢厚生年金に加算されるものです。

⑤ **加給年金額**……生計を維持する配偶者又は子がいる場合に加算されます。

② 老齢厚生年金の対象者など

老齢厚生年金の対象者は、**大正15年４月２日以後生まれ**の者に限られます。考え方は、国民年金の老齢基礎年金の対象者と同じです（➡ 国年P206）。

なお、老齢厚生年金は、次の場合に**受給権が消滅**します。 **3**

特別支給	原則支給
① **死亡**したとき ② **65歳**に達したとき（＝有期年金）	**死亡**したときのみ（＝終身年金）

③ 老齢厚生年金の支給要件

特別支給・原則支給の老齢厚生年金の支給要件は、それぞれ次のとおりです。

特別支給	原則支給
① **60歳以上** **4** であること ② **１年以上**の厚生年金保険の被保険者期間を有すること ③ 国民年金の老齢基礎年金の受給資格期間を満たすこと	① **65歳以上**であること ② **１ヵ月以上**の厚生年金保険の被保険者期間を有すること ③ 国民年金の老齢基礎年金の受給資格期間を満たすこと

③にあるように、老齢厚生年金は、国民年金の老齢基礎年金の受給資格期間（10年要件）と同じ受給資格期間を満たしている場合に支給されます。つまり、**国民年金の老齢基礎年金が支給されることを前提に、老齢厚生年金も支給されます。**

たとえば…

老齢厚生年金は、厚生年金保険に１年（原則支給は１ヵ月）でも加入していれば支給されます。たとえば、１年間だけ厚生年金保険に加入し、39年間は国民年金の第１号被保険者として保険料を納付した者には、①60歳（〜64歳）から特別支給の老齢厚生年金（１年で計算）、②65歳から原則支給の老齢厚生年金（１年で計算）と老齢基礎年金（40年で計算した満額）が支給されます。

1 特別支給の老齢厚生年金は、あくまで経過措置としての年金であるため段階的に廃止され、昭和36年４月２日（民間の女子は昭和41年４月２日）以後生まれの者には、支給されなくなります。

2 特別支給の老齢厚生年金は、「60歳代前半の老齢厚生年金」とも呼ばれます。

3 65歳に達して特別支給の老齢厚生年金の受給権が消滅した後、引き続き65歳から原則支給の老齢厚生年金を受ける際には、新たな裁定請求（ハガキ形式の簡易な請求）が必要です。

4 支給開始年齢が引き上げられる昭和28年４月２日（民間の女子は昭和33年４月２日）以後に生まれた者については、生年月日に応じて「61歳〜64歳」以上と読み替えます（➡ 厚年P242）。

老齢厚生年金 （2）

- 支給開始年齢は、「5つのグループ」に分けることができます。
- 特に生年月日については、「昭和16年」と「昭和36年」がポイントです。
- 報酬比例部分の額は、給付乗率を「有利に読み替える」措置があります。

1 支給開始年齢

　特別支給の老齢厚生年金は、支給開始年齢が次図のように**生年月日に応じて段階的に引き上げられ、最終的には廃止されます**。老齢厚生年金を理解する上で重要な図です。次のように❶～❺の**5つのグループ**に分けることができます。

グループ	生年月日 （ ）内は民間の女子	60歳	61歳	62歳	63歳	64歳	65歳	死亡
❶	S16.4.1以前 （S21.4.1以前）		報酬比例部分				老齢厚生年金	
			定額部分				老齢基礎年金	
❷	S16.4.2～S18.4.1 （S21.4.2～S23.4.1）		報酬比例部分				老齢厚生年金	
				定額部分			老齢基礎年金	
	S18.4.2～S20.4.1 （S23.4.2～S25.4.1）		報酬比例部分				老齢厚生年金	
				定額部分			老齢基礎年金	
	S20.4.2～S22.4.1 （S25.4.2～S27.4.1）		報酬比例部分				老齢厚生年金	
					定額部分		老齢基礎年金	
	S22.4.2～S24.4.1 （S27.4.2～S29.4.1）		報酬比例部分				老齢厚生年金	
						定額部分	老齢基礎年金	
❸	S24.4.2～S28.4.1 （S29.4.2～S33.4.1）		報酬比例部分				老齢厚生年金	
							老齢基礎年金	
❹	S28.4.2～S30.4.1 （S33.4.2～S35.4.1）	61歳		報酬比例部分			老齢厚生年金	
							老齢基礎年金	
	S30.4.2～S32.4.1 （S35.4.2～S37.4.1）		62歳		報酬比例部分		老齢厚生年金	
							老齢基礎年金	
	S32.4.2～S34.4.1 （S37.4.2～S39.4.1）			63歳		報酬比例部分	老齢厚生年金	
							老齢基礎年金	
	S34.4.2～S36.4.1 （S39.4.2～S41.4.1）				64歳	報酬比例部分	老齢厚生年金	
							老齢基礎年金	
❺	S36.4.2以後 （S41.4.2以後）						老齢厚生年金	
							老齢基礎年金	

　　　　は加給年金額

1 労基
2 安衛
3 労災
4 雇用
5 徴収
6 労一
7 健保
8 国年
9 厚年
10 社一
11 横断①
12 横断②

加給年金額は、60歳代前半においては、定額部分が支給される場合に限り、支給されます。また、**女子**（民間被用者）は、旧法での支給開始年齢が55歳であったなどの理由から支給開始年齢の引上げが**男子よりも5年遅れ**となっています。

2 報酬比例部分の額

さて、ここからは年金額がいくらになるのかを確認していきます。まずは、特別支給の老齢厚生年金の**報酬比例部分の額**です。文字どおり、現役時代の「報酬」に「比例」した年金額です。具体的には、次のように計算します。**2**

A 平均標準報酬額 × $\dfrac{5.481}{1,000}$ ×被保険者期間の月数　H15.4.1以後の期間に係る年金額【原則】

B 平均標準報酬月額 × $\dfrac{7.125}{1,000}$ ×被保険者期間の月数　H15.3.31以前の期間に係る年金額【経過措置】

総報酬制が導入された平成15年4月1日前後に被保険者期間がある者（多人数存在する。）の報酬比例部分の額は、上記 **A** と **B** の額を**合算した額**となります。

① **1,000分の5.481（7.125）**……給付乗率と呼ばれる率で、老齢厚生年金の場合は、**昭和21年4月1日以前生まれの者について、生年月日に応じて有利に読み替えられます。3** つまり、**高齢世代ほど有利に計算されます。**

② **被保険者期間の月数**……**上限はありません。**たとえば、被保険者期間が44年（528月）あるような場合でも、すべて年金額に反映されます。

【例】
　　　　20年（240月）　　　　H15.4.1　　　　20年（240月）

平均標準報酬月額40万円	平均標準報酬額50万円

B ＝40万円×1,000分の7.125×240月
＝68万4,000円

A ＝50万円×1,000分の5.481×240月
＝65万7,720円

年金額 ＝ **A** ＋ **B** ＝134万1,720円

（※端数処理：計算後の年金額は1円未満の端数を四捨五入 ⇒ P297）

1 試験対策としては、グループ④と⑤の生年月日と支給形態を把握しておけば十分です。

2 計算式（原則）を別の捉え方をすると、平均標準報酬額に被保険者期間の月数を乗じた額は現役時代の標準報酬の総額（生涯報酬）となります。これの0.5481%が年金額です。たとえば、生涯報酬が2億円なら、年金額は2億円×0.5481%で109万6,200円となることが分かります。

3 具体的には、生年月日に応じて、給付乗率の1,000分の5.481は1,000分の「7.308〜5.562」、1,000分の7.125は1,000分の「9.500〜7.230」の範囲内の率に読み替えられます。

厚年 Lesson 7 老齢厚生年金（3）

- 定額部分の額は、原則「被保険者期間の月数」のみに応じて計算されます。
- 定額部分の額の計算の基礎となる上限月数は、原則「480月（40年）」です。
- 65歳からの原則支給の老齢厚生年金には、「経過的加算額」が加算されます。

1 定額部分の額

定額部分の額は、被保険者期間中の報酬の額は一切考慮せずに、**厚生年金保険の加入期間のみ**を基礎として計算されます。なお、定額部分の額は、国民年金の老齢基礎年金に対応する額となるように設定されており、たとえば40年加入した場合には、満額の老齢基礎年金にほぼ等しい額となるようにされています。

具体的に、定額部分の額は、原則として次のように計算します。

> 1,628円×改定率（×支給乗率）×被保険者期間の月数

〔物価水準や賃金水準の変動に応じて毎年度変更する率（➡P294）〕　〔S21.4.1以前生まれの者にのみ乗じる率〕

① **支給乗率**……本来は乗じる必要はありません。**昭和21年4月1日以前生まれの者に限り**、生年月日に応じて1.875〜1.032の範囲内で定められた支給乗率を乗じて計算します。これにより、**高齢世代ほど有利**に計算されます。

② **被保険者期間の月数**……次のア及びイの措置が適用されます。

　ア **240月みなし**……いわゆる**中高齢者の特例**の要件に該当する者 **1** については、被保険者期間の月数が240（20年）に満たないときは、これを240とみなして計算します。

　イ **上限あり**……次表のように生年月日に応じて計算の基礎となる月数に上限が設けられています（原則**480月（40年）が上限**）。

生年月日	定額部分の上限月数
S 4.4.1以前	420月（35年）
S 4.4.2 〜 S 9.4.1	432月（36年）
S 9.4.2 〜 S19.4.1	444月（37年）
S19.4.2 〜 S20.4.1	456月（38年）
S20.4.2 〜 S21.4.1	468月（39年）
S21.4.2以後	480月（40年）

たとえ40年以上厚生年金保険に加入していたとしても、定額部分の額は40年で計算する。
※国民年金の老齢基礎年金が40年で満額となることに対応している。

1 労基
2 安衛
3 労災
4 雇用
5 徴収
6 労一
7 健保
8 国年
9 厚年
10 社一
11 横断①
12 横断②

2 65歳からの老齢厚生年金の額と経過的加算額

（1）65歳からの老齢厚生年金（原則支給）の額

65歳から支給される原則支給の老齢厚生年金の額は、すでにP243で確認した特別支給の老齢厚生年金における**報酬比例部分の額**と同じ額です。

ただし、当分の間、下記**（2）**の**経過的加算額**が加算されます。

（2）経過的加算額

経過的加算額とは、65歳以後において、**厚生年金保険の加入期間に係る年金額が減少すること等がないように**、次の額が老齢厚生年金に加算されるものです。

$$定額部分の額 - \left(老齢基礎年金の満額 \times \frac{（S36.4以後で20歳以上60歳未満の）厚生年金保険の被保険者期間の月数}{480}\right)$$

【例】

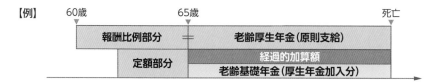

60歳	65歳	死亡
報酬比例部分	老齢厚生年金（原則支給）	
定額部分	経過的加算額	
	老齢基礎年金（厚生年金加入分）	

なお、経過的加算額には、次のように大きく2つの趣旨があります。

① 同じ加入期間であっても、国民年金の老齢基礎年金より定額部分の方が計算方法が有利であるため、その差額分を経過的加算額として補うこと。

② 国民年金の老齢基礎年金の額に反映されない**20歳前及び60歳以後**の厚生年金保険の被保険者期間 **2** を経過的加算額として年金額に反映すること。このため、実際には**定額部分が支給されない**生年月日の者等に対しても、経過的加算額が加算されます（当分の間、生年月日不問で加算される。）。

たとえば…

> 厚生年金保険に1年加入し、国民年金の第1号被保険者として39年保険料を納付した者には、「1年」で計算した定額部分と「1年」で計算した老齢基礎年金との差額が経過的加算額として支給されます。この者は、40年の保険料納付済期間に基づき65歳から満額の老齢基礎年金が支給されますが、経過的加算額の計算では、39年ある第1号被保険者の期間は考慮されません。

1 昭和26年4月1日以前生まれの者であって、40歳（女子、坑内員・船員は35歳）以後の厚生年金保険の被保険者期間（民間被用者のみの期間）を15年～19年有しているものが該当します。

2 この期間は、国民年金では「合算対象期間」とされ（➡国年P206）、老齢基礎年金の額に反映されませんが、厚生年金保険において経過的加算額として年金額に反映しています。

老齢厚生年金（4）

- ◎ 老齢厚生年金の加給年金額の対象者は、「配偶者又は子」です。
- ◎ 配偶者に係る加給年金額には、「特別加算額」が加算される場合があります。
- ◎ 在職老齢年金制度とは、「老齢厚生年金」に特有の制度です。

1 加給年金額

（1）加給年金額の支給要件

加給年金額は、次の老齢厚生年金に加算されます。

① 特別支給の老齢厚生年金のうち**定額部分**が支給されるもの

② **65歳から**支給される原則支給の老齢厚生年金

【例】

報酬比例部分のみが支給される期間は、加給年金額は加算されない（⇒厚年P242）

60歳	61歳～64歳	65歳
	加給年金額	加給年金額
報酬比例部分		老齢厚生年金
	定額部分	老齢基礎年金

具体的に、加給年金額は、老齢厚生年金の額の計算の基礎となる被保険者期間の月数が原則として**240（20年）以上**である受給権者が、**その権利を取得した当時**、その者によって**生計を維持**（原則年収850万円未満）していた次の要件を満たす**配偶者又は子**があるときに加算されます。

① **配偶者**……**65歳未満**の配偶者

② **子**…………**18歳年度末**までの間にある子、及び**20歳未満**であって**障害等級の1級又は2級**に該当する障害の状態にある子

（2）加給年金額（令和6年度価額）

加給年金額は、次のとおりです。特徴として、**配偶者に係る加給年金額**については、受給権者が**昭和9年4月2日以後生まれ**の者である場合には、その**受給権者の生年月日**に応じて**特別加算額**が加算された額となります。**2**

配偶者		234,800円 ＋特別加算額
子	第1子・第2子	234,800円
	第3子以降	78,300円

※子に係る加給年金額に特別加算額はない。

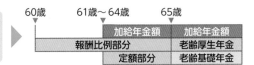

受給権者の生年月日	特別加算額
S9.4.2 ～ S15.4.1	34,700円
S15.4.2 ～ S16.4.1	69,300円
S16.4.2 ～ S17.4.1	104,000円
S17.4.2 ～ S18.4.1	138,600円
S18.4.2以後	173,300円

（3）加給年金額の減額改定事由

加給年金額対象者である配偶者又は子が、次のいずれかに該当するに至ったときは、翌月から年金額が減額して改定されます。

配偶者の場合	子の場合
① 死亡した ② 生計維持の状態がやんだ	① 死亡した ② 生計維持の状態がやんだ
③ 離婚又は婚姻の取消しをした ④ 65歳に達した 配偶者が65歳に達したときは、配偶者自身の老齢基礎年金に「振替加算」が行われるため（➡国年P208）、加給年金額は支給されなくなる。	③ **受給権者の配偶者 3 以外の者の養子**となった ④ 養子縁組による子が**離縁**をした ⑤ **婚姻**をした ⑥ **18歳年度末が終了した**（障害等級1級又は2級に該当するときを除く。） ⑦ 障害等級1級又は2級に該当しなくなった（18歳年度末までの間にあるときを除く。） ⑧ （障害等級1級又は2級の子が）**20歳に達した**

❷ 在職老齢年金制度の概要

老齢厚生年金に**特有の制度**（障害給付や遺族給付にはない。）として、**在職老齢年金制度**があります。これは、1ヵ月あたりの**報酬 4** と**年金 5** の合計額に応じて、年金の一部が支給停止となる制度です。

在職老齢年金制度は、**65歳未満の被保険者及び65歳以上の被保険者**について、**同じ仕組み**となっています。また、**70歳以上の使用される者**（適用事業所に使用され、かつ、適用除外に該当しない者）にも同様の仕組みが適用されます。

具体的には、「**報酬＋年金**」が**支給停止調整額**（令和6年度は**50万円**）を超える場合に、その超える額の**2分の1**に相当する額の年金が支給停止となります。

【例】 報酬40万円・年金14万円（計54万円）➡ （54万円－50万円）×1/2＝2万円停止

1 定額部分が支給される特別支給の老齢厚生年金を受けることができる者については、「定額部分の支給開始年齢に達した当時」に生計を維持していた配偶者又は子があることが必要です。

2 特別加算額は、受給権者が「若い世代であるほど、高い額」となっています。

3 「受給権者の配偶者」には、たとえば、再婚した受給権者の「後妻」などが該当します。

4 ここでいう「報酬」とは、条文上正確には「総報酬月額相当額」といい、賞与額も含めた1ヵ月あたりの報酬の額（標準報酬月額＋過去1年間の標準賞与額の総額÷12）のことです。

5 ここでいう「年金」とは、条文上正確には「基本月額」といい、「老齢厚生年金の額÷12」のことです。加給年金額及び65歳以後の経過的加算額及び繰下げ加算額は調整（計算）の対象外です。

障害厚生年金（1）

Point
- 厚生年金保険の障害等級には、1級から「3級」までがあります。
- 3級に不該当でも一時金として「障害手当金」が支給される場合があります。
- 支給要件については、ほぼ国民年金の障害基礎年金と同じです。

1 障害厚生年金とは？

障害厚生年金は、原則として、**国民年金の障害基礎年金の2階部分**として支給されます。したがって、支給要件などは、障害基礎年金とほぼ同じです。

ただし、国民年金の障害基礎年金との相違点もあります。厚生年金保険では、障害等級が3級まで存在し、障害等級3級以上の場合に障害厚生年金が支給されます。さらに、3級に該当しない場合でも、政令で定める一定の障害の状態にあれば、**一時金**として**障害手当金** が支給されます。

障害給付の全体像は、次図のとおりです。まず、イメージをつかんでください。

厚生年金	配偶者加給年金額	配偶者加給年金額		
	障害厚生年金1級 （2級の1.25倍）	障害厚生年金2級	障害厚生年金3級	障害手当金
国民年金	障害基礎年金1級 （2級の1.25倍）	障害基礎年金2級		3級の2倍相当額の一時金を支給
	子の加算額	子の加算額		

重い ⟵ 障害の程度 ⟶ 軽い

2 支給要件の原則

国民年金の障害基礎年金と同様に、障害厚生年金は、①**初診日要件**、②**障害認定日要件**、③**保険料納付要件**の3要件を満たした場合に支給されます。なお、「初診日」と「障害認定日」の定義は、国民年金法と同じです（➡ 国年P212）。

① **初診日要件**……初診日において、（厚生年金保険の）**被保険者**であることが必要です。本法の初診日要件はこれのみです。

② **障害認定日要件**……**障害等級（1級〜3級）**に該当する程度の障害の状態にあることが必要です。

③ **保険料納付要件**……国民年金の障害基礎年金と全く同じです。具体的には、初診日の**前日**において、初診日の属する月の**前々月**までに国民年金の被保

険者期間がある場合には **3**、次の**原則**又は**特例**の要件を満たしていなければなりません。

原則	← いずれか一方を満たせばOK →	特例
初診日の属する月の前々月までの国民年金の被保険者期間のうち、「**保険料納付済期間＋保険料免除期間**」が**3分の2以上であること**（＝つまり、保険料の未納期間が全体の**3分の1以下**であればよい。）。		初診日が**令和8年4月1日前**にある場合には、初診日の属する月の前々月までの直近の**1年間**に保険料の**未納期間がない**こと。 ➡ただし、初診日において**65歳以上の者**には、この特例は**適用しない**。

3 障害厚生年金の支給に関する特別ルール

原則の支給要件を満たしていない場合であっても、次のように障害厚生年金が支給される特別ルールが設けられています（国民年金の障害基礎年金と同様）。

① **事後重症による障害厚生年金**……障害認定日に障害等級（1級～3級）に**該当しない**場合でも、その後、**65歳に達する日の前日**までの間に、障害等級に該当し、かつ、**請求**したときは、障害厚生年金が支給されます。

② **基準障害による障害厚生年金**……障害等級**1級又は2級に該当しない**障害の状態にある者について**別の傷病**による障害（**基準障害**）が発生し、**65歳に達する日の前日**までの間に、これら複数の障害を**併合**して**初めて障害等級1級又は2級に該当**する場合には、障害厚生年金が支給されます。 **4**

　厚生年金保険には、国民年金における「20歳前の傷病による障害基礎年金」に相当するものがありません。厚生年金保険は、国民年金とは異なり、あくまで保険料を納付した被保険者に保険給付を行う制度であり、福祉的に支給する年金が存在しないのです。たとえば、初診日に20歳未満の者であっても、厚生年金保険の被保険者である場合には、通常の障害厚生年金が支給されます。

1 障害手当金は、初診日から起算して「5年」を経過する日までに傷病が「治った」場合に一定の障害の状態にあれば、障害厚生年金3級の額の2倍相当額を「一時金」として支給するものです。

2 初診日において厚生年金保険の被保険者であれば、通常は国民年金の第2号被保険者にも該当しているため、同時に国民年金の障害基礎年金の初診日要件も満たしていることになります。

3 「国民年金」の期間ですから、第1号・第3号被保険者の期間を含めて納付要件を判断します。

4 「基準障害」の制度は、2階建て年金として障害給付を支給するための特別ルールであるため、厚生年金保険の場合であっても、「初めて1級又は2級」に該当することが必要です。

1 労基
2 安衛
3 労災
4 雇用
5 徴収
6 労一
7 健保
8 国年
9 厚年
10 社一
11 横断①
12 横断②

障害厚生年金（2）

● 障害厚生年金の額の計算には、「300月みなし」があることが特徴です。
● 障害厚生年金1級・2級には、「配偶者」に係る加給年金額が加算されます。
● 障害厚生年金の失権事由は、国民年金の障害基礎年金と全く同じです。

1 障害厚生年金の額

（1）年金額

障害厚生年金の額は、老齢厚生年金（報酬比例部分）と同様に計算され、次のように**報酬比例の年金額**（➡ 厚年P239）を基本とした額となります。

年金額	1級	報酬比例の年金額 × 100分の125 ＋ 配偶者加給年金額
	2級	報酬比例の年金額 ＋ **配偶者加給年金額**
	3級	報酬比例の年金額

ただし、老齢厚生年金とは、次の①～③が異なります。

① **給付乗率は定率**……1,000分の5.481（7.125）は、**定率**です。つまり、老齢厚生年金のように生年月日に応じて有利に読み替える措置はありません。

② **被保険者期間の月数の300月みなし**……額の計算の基礎となる月数が300（25年）に満たないときは、これを**300とみなして**計算します。

③ **最低保障額**……同一の障害について**国民年金の障害基礎年金を受けることができない場合**（3級の場合など）には、「**国民年金の2級の障害基礎年金の額×4分の3**」が最低保障されます。

（2）加給年金額（令和6年度価額）

障害等級1級又は2級に該当する者に支給する障害厚生年金の額には、受給権者によって**生計を維持**（原則年収850万円未満）しているその者の**65歳未満の配偶者**があるときは、加給年金額が加算されます。

配偶者に係る加給年金額	234,800円	➡**特別加算額は存在しない。**

加給年金額の対象となる配偶者は、受給権取得時に生計を維持していた配偶者だけでなく、**受給権取得後に生計を維持することとなった配偶者**も含まれます。

配偶者が死亡したとき等は、翌月から年金額が減額して改定されます。

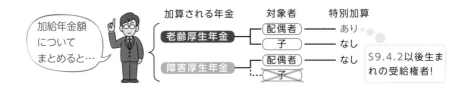

加給年金額についてまとめると…

加算される年金	対象者	特別加算
老齢厚生年金	配偶者	あり
	子	なし
障害厚生年金	配偶者	なし
	子	

S9.4.2以後生まれの受給権者!

2 失権（受給権の消滅）

障害厚生年金の受給権は、受給権者が次の①～③のいずれかに該当したときは、消滅します。下記の②と③は、**いずれか遅い日に失権する**という関係です。つまり、その内容は、国民年金の障害基礎年金と全く同じです（➡ 国年P215）。

① **死亡**したとき。

② **障害等級3級に該当しなくなった者が65歳に達したとき**（ただし、障害等級3級に該当しなくなってから3年を経過していないときを除く。）。

③ 障害等級3級に該当しなくなった日から起算して障害等級3級に該当することなく**3年を経過したとき**（ただし、65歳未満であるときを除く。）。

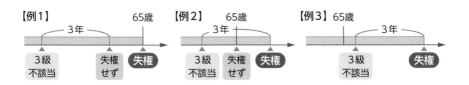

3 支給停止

障害厚生年金は、次の場合には、その支給が停止されます。**4**

① 同一の傷病による障害について**労働基準法**の規定による**障害補償**を受ける権利を取得したときは、**6年間**、支給停止となります。

② **障害等級に該当しなくなったとき**は、その間、支給停止となります。

1 報酬比例の年金額とは、原則として、「平均標準報酬額×1,000分の5.481×被保険者期間の月数」によって計算される額のことです。この計算式は、しっかりと覚えておきましょう。

2 つまり、最低でも25年加入したものとみなして年金額が計算されます。特に、若年期に障害者となってしまった者に対して最低限の所得保障をする観点から、この取扱いがあります。

3 配偶者が①死亡したときのほか、②生計維持の状態がやんだ、③離婚又は婚姻の取消しをした、④65歳に達したときにも、年金額が減額改定されます（④の場合は振替加算が行われる。）。

4 なお、①②の支給停止事由は、国民年金の障害基礎年金の支給停止事由にも共通します。

1 労基
2 安衛
3 労災
4 雇用
5 徴収
6 労一
7 健保
8 国年
9 厚年
10 社一
11 横断①
12 横断②

厚年
Lesson
11

遺族厚生年金 （1）

● 死亡した者の要件は、国民年金の遺族基礎年金と比較しておきましょう。
● 遺族厚生年金の遺族の範囲に「兄弟姉妹」は含まれていません。
● 遺族には受給順位があり、「配偶者と子」は同じ第1順位の遺族です。

▉1 遺族厚生年金とは？

遺族厚生年金は、国民年金の遺族基礎年金の2階部分の年金ですが、実際には**遺族の範囲が異なるため**（次頁▉3）、遺族厚生年金のみが支給される場合も多くあります。遺族基礎年金と名称は似ていますが、異なる内容も多いのです。

▉2 死亡した者の要件は？

遺族厚生年金は、被保険者又は被保険者であった者（被保険者等）について、次の①〜④のいずれかに該当する場合に支給されます。①④は国民年金の遺族基礎年金と共通の要件、②③は遺族厚生年金に特有の要件です。➡ 国年P216

死亡した者の要件▉1		保険料納付要件
短期要件	① **被保険者**が、死亡したとき。 ② **被保険者であった者**が、被保険者の資格を喪失した後に、被保険者であった間に初診日がある傷病により当該初診日から起算して**5年を経過する日前に死亡**したとき。	満たしていることが必要▉2
	③ 障害等級1級又は2級に該当する障害の状態にある**障害厚生年金の受給権者**が死亡したとき。	不要
長期要件	④ **老齢厚生年金の受給権者**（保険料納付済期間と保険料免除期間とを合算した期間が**25年以上**である者に限る。）又は保険料納付済期間と保険料免除期間とを合算した期間が**25年以上**である者が、死亡したとき。	不要

上記②の理解が重要です。「5年」の起算日と「死亡の原因」に注意しましょう。

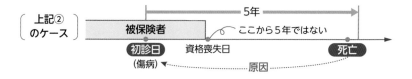

［上記②のケース］ 被保険者　ここから5年ではない　5年

初診日（傷病）　資格喪失日　死亡　原因

1 労基
2 安衛
3 労災
4 雇用
5 徴収
6 労一
7 健保
8 国年
9 厚年
10 社一
11 横断①
12 横断②

3 遺族の範囲はどうなっているか?

(1) 遺族の範囲

遺族厚生年金は、被保険者等の死亡の当時その者によって**生計を維持**（原則年収850万円未満）し、かつ、次の要件（年齢要件）に該当する**配偶者、子、父母、孫又は祖父母**に支給されます。**兄弟姉妹は、含まれていません。**

妻	年齢要件はない。なお、「子のない妻」であっても支給される。
夫、父母、祖父母	55歳以上であること。ただし、55歳以上60歳未満の者は、60歳に達するまで年金が支給停止とされる **3**（若年停止者）。
子、孫	① 18歳年度末までの間にあるか、又は20歳未満であって**障害等級1級又は2級**に該当する障害の状態にあり、かつ、 ② **現に婚姻をしていないこと。**

なお、死亡の当時**胎児**であった子が出生したときは、その子は、**将来に向かって**、生計維持要件を満たした子とみなされ、出生した日から受給権者となります。

(2) 受給順位

遺族には次の受給順位があり、最先順位者のみが受給権者となります。労災保険の遺族（補償）等年金のような**転給の制度**（➡ 労災P109）**はない**ため、先順位者が受給権者となった場合は、後順位者が受給権者となることはありません。

順位	遺族	受給権の取得
第1順位	配偶者と子	両者とも受給権者となる。
第2順位	父母	その者よりも先順位の遺族がいない場合に限り、受給権者となる。
第3順位	孫	
第4順位	祖父母	

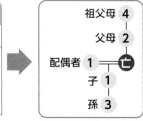

【例】 被保険者である妻が死亡した場合の遺族 ➡ 55歳夫 17歳子 75歳母 ➡ 夫と子が受給権者となる **4**

1 死亡した者の要件は、「短期要件」と「長期要件」とに分けられています。いずれの要件に該当するのかによって、遺族厚生年金の額の計算方法が異なります（➡厚年P254）。

2 遺族厚生年金の保険料納付要件は、障害厚生年金と同じ内容となっています。ただし、この場合には、「初診日」を「死亡日」と読み替えます（➡厚年P248～249）。

3 夫については、国民年金の遺族基礎年金の受給権を有するときは、若年停止となりません。

4 「母」は自分よりも先順位の遺族がいるため、受給権者となることはありません。

遺族厚生年金（2）

Point
- 遺族厚生年金の額は、原則として「報酬比例の年金額×3/4」です。
- 遺族厚生年金の額の計算方法は、「短期要件」か「長期要件」で異なります。
- 中高齢寡婦加算の額は、「遺族基礎年金の額（基本額）×3/4」です。

1 遺族厚生年金の額

遺族厚生年金の額は、原則として「**報酬比例の年金額×４分の３**」です。

ただし、死亡した者が「**短期要件**」又は「**長期要件**」のいずれに該当するのか（➡ 厚年P252）によって、その計算方法が異なります。 **2**

要件	相当するもの		給付乗率	被保険者期間の月数
短期要件	障害厚生年金の額×3/4	→	定率	300月みなしあり
長期要件	老齢厚生年金の額×3/4	→	読替えあり	実際の期間で計算

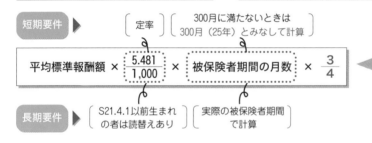

短期要件 ▶

［定率］ ［300月に満たないときは 300月（25年）とみなして計算］

$$\text{平均標準報酬額} \times \frac{5.481}{1,000} \times \text{被保険者期間の月数} \times \frac{3}{4}$$

長期要件 ▶

［S21.4.1以前生まれ の者は読替えあり］ ［実際の被保険者期間 で計算］

たとえば…

たとえば、「被保険者」であって「保険料納付済期間と保険料免除期間とを合算した期間が25年以上である者」が死亡したときは、短期要件と長期要件の両方に該当します。この場合の遺族厚生年金の額は、その遺族が裁定請求をしたときに別段の申出をしない限り、「**短期要件**」のみに該当するものとみなして計算されます。短期要件の場合は、「300月みなし」が適用され、一般に計算上有利なためです。

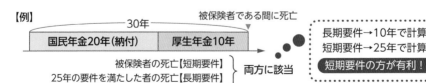

【例】

被保険者である間に死亡

──30年──	
国民年金20年（納付）	厚生年金10年

被保険者の死亡【短期要件】
25年の要件を満たした者の死亡【長期要件】
} 両方に該当

長期要件→10年で計算
短期要件→25年で計算
短期要件の方が有利！

2 中高齢寡婦加算と経過的寡婦加算

（1）中高齢寡婦加算とは？

　国民年金の遺族基礎年金は、「子のない妻」には支給されません。**中高齢寡婦加算とは、子の有無によって生じる年金額の格差を是正することを目的として、「子のない妻」の遺族厚生年金に加算**されるものです。

　なお、子のある妻であっても、すべての子が18歳年度末を終了した場合などは、「子のない妻」となることから、その時点から加算の対象となります。

　中高齢寡婦加算に関する主な要件等は、次のとおりです。

> ① **妻の要件**……夫の死亡の当時、**40歳以上65歳未満**であることが原則です。
> 　ただし、子のある妻の場合は、**40歳の時点で国民年金の遺族基礎年金の受給権者である子と生計を同じくしていればよい**とされています。**3**
>
> ② **中高齢寡婦加算の額**……「国民年金の**遺族基礎年金の額（基本額）×4分の3**（令和6年度価額：612,000円）」です。

（2）経過的寡婦加算とは？

　中高齢寡婦加算は、妻が65歳に達したときに打ち切られ、その後は、妻自身の老齢基礎年金が支給されることとなります。ただし、**昭和31年4月1日以前生まれの妻4**については、新法の国民年金の強制加入の期間が短く（30年未満）、潜在的に老齢基礎年金の額が中高齢寡婦加算の額より低くなる可能性があります。そこで、このような妻に対して、**経過的寡婦加算**が行われます。

【例】子のある妻の場合（昭和31年4月1日以前生まれ）

夫死亡	妻40歳	「子のない妻」に該当	妻65歳		妻死亡
遺族厚生年金			遺族厚生年金		
遺族基礎年金		中高齢寡婦加算	経過的寡婦加算		
			老齢基礎年金		

> **1** 配偶者以外の者に支給する場合において、受給権者が2人以上であるときは、この額を受給権者の数で除して得た額が（1人あたりの）遺族厚生年金の額となります。
>
> **2** なお、老齢厚生年金の受給権を有する65歳以上の配偶者に対する年金額は、「①本文の原則的な額」と「②原則的な額×2/3＋老齢厚生年金の額×1/2」のいずれか多い額とされています。
>
> **3** つまり、子のある妻の場合には、夫の死亡の当時に40歳未満であっても構いません。
>
> **4** 経過的寡婦加算が行われるための基本的な要件は、生年月日の要件のみです。なお、その額は、妻の生年月日に応じて決まっており、「若い世代ほど、少ない額」となっています。

255

遺族厚生年金 （3）

- 失権事由については、労災保険・国民年金の遺族給付と比較しましょう。
- 30歳未満の妻に対する遺族厚生年金は、「5年の有期年金」となっています。
- 受給権者が配偶者と子の場合は、原則として、配偶者優先で支給されます。

■ 失権 （受給権の消滅）

　ここでは、遺族厚生年金の失権事由を確認します。表中の「労災」とは労災保険の遺族（補償）等年金、「国年」とは国民年金の遺族基礎年金のことです。

	遺族厚生年金の失権事由	比較
(1) すべての受給権者に共通	① 死亡した ② 婚姻をした（事実婚を含む。） ③ 直系血族又は直系姻族以外の者の養子となった（事実上の養子を含む。） ④ 離縁（養子縁組の解消）によって、死亡した者との親族関係が終了した	労災・国年にも存在 →P108・P219
(2) 子、孫に特有	① 18歳年度末が終了した（障害等級1級又は2級に該当するときを除く。） ② 障害等級1級又は2級に該当しなくなった（18歳年度末までの間にあるときを除く。） ③ （障害等級1級又は2級の者が）20歳に達した	国年にも存在 →P219
(3) 父母、孫、祖父母に特有	被保険者等の死亡の当時胎児であった子が出生した ※「父母、孫、祖父母」とは、第2順位以降の遺族のことで、第1順位の子が出生したときは失権する。	厚年に独自
(4) 30歳未満である妻に特有	次の①又は②の日から起算して5年を経過した 2 ① 【子のない妻】受給権取得当時に30歳未満の妻 →遺族厚生年金の受給権を取得した日 ② 【子のある妻】30歳に到達する日前に国民年金の遺族基礎年金の受給権が消滅した妻 →遺族基礎年金の受給権が消滅した日	厚年に独自

256

【例】30歳未満の妻の失権

② 支給停止

遺族厚生年金は、次の場合には、その支給が停止されます（主なもの）。

① 被保険者等の死亡について**労働基準法**の規定による**遺族補償**が行われるべきものであるときは、**死亡日から６年間**、支給停止となります。

② 受給権者が複数おり、いずれかの所在が**１年以上**明らかでなく、他の受給権者が**申請**をしたときは、所在不明時に**さかのぼって**支給停止となります。

③ 子に対する遺族厚生年金は、**配偶者が遺族厚生年金の受給権を有するとき**は、その間、支給停止となります（**配偶者に全額支給**）。**❸**

④ **夫、父母又は祖父母**に対する遺族厚生年金は、受給権者が**60歳に達するまで**の期間、支給停止となります（**若年停止**）。ただし、**夫**については、被保険者等の死亡について国民年金の**遺族基礎年金**の受給権を有するときは、55歳以上60歳未満であっても、若年停止となりません。

⑤ **65歳以上の受給権者❹** が老齢厚生年金の受給権を有するときは、遺族厚生年金は、老齢厚生年金の額に相当する部分が支給停止となります（老齢厚生年金を優先して支給し、遺族厚生年金は差額のみを支給）。

たとえば…

　　配偶者と子は、同じ順位の遺族であり、要件を満たせばそれぞれに遺族厚生年金の受給権が発生します。しかし、実際には、上記③の支給停止があるため、「配偶者→子」といった優先度により支給されます。たとえば、夫が死亡し、妻と子が受給権者となった場合には「妻に全額支給」されます。妻が死亡し、夫と子が受給権者となった場合には「夫に全額支給」されます。

❶ 障害の状態（障害等級１級又は２級）にある者が20歳に達したときに失権するのは、代わりに国民年金の「20歳前の傷病による障害基礎年金」が支給されるためです（➡国年P213）。

❷ 30歳未満の若年期にある妻に対する遺族厚生年金については、諸外国の状況やその妻の就労可能性を考慮して、平成19年４月施行の改正により「５年の有期年金」とされています。

❸ 例外として、国民年金の遺族基礎年金の受給権が、配偶者になく、子のみにある場合（子が別居している場合等）は、配偶者に対する遺族厚生年金が支給停止となります（子に全額支給）。

❹ 配偶者のみならず、すべての受給権者が対象となっている点に注意しましょう。

1 労基
2 安衛
3 労災
4 雇用
5 徴収
6 労一
7 健保
8 国年
9 厚年
10 社一
11 横断①
12 横断②

257

厚年 Lesson 14　保険料

Point

- 保険料は、「資格取得月から資格喪失月の前月まで」の期間、徴収されます。
- 保険料率は、最終的に「1,000分の183」で固定されます。
- 保険料は、原則「折半負担」で「事業主」が「翌月末日」までに納付します。

■ 保険料の徴収期間と計算

（1）保険料の徴収期間

　厚生年金保険の保険料の徴収の仕組みは、健康保険と同じです（➡ 健保P190）。具体的には、厚生年金保険の保険料は、**被保険者期間**の計算の基礎となる各月につき、徴収されます。つまり、被保険者の資格を**取得した月**から喪失した月の**前月まで**が保険料徴収の対象となります。■

（2）保険料額の計算方法

　保険料額は、**標準報酬月額及び標準賞与額**にそれぞれ**保険料率**を乗じて得た額となります。賞与の支払いの有無により、保険料額は次のようになります。■

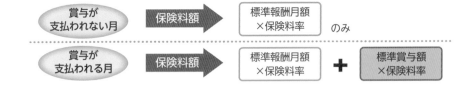

■ 保険料率

　厚生年金保険の保険料率は、段階的な引上げを経て、最終的な水準である**1,000分の183**で固定されます。公務員や私立学校教職員は、民間被用者よりも有利な（低い）率となっていたため、**1,000分の183**となる時期が異なります。

民間被用者及び公務員については、現在、適用されている保険料率は、**1,000分の183**で固定されています。

③ 保険料の負担等

保険料の負担割合などをまとめると、次のとおりです（民間被用者）。なお、ここでは、退職後の被保険者である「第4種被保険者」を含めてまとめています。

被保険者の種類	原則 当然・任意単独・高齢任意加入②	高齢任意加入①		第4種
		同意あり	同意なし	
負担割合	折半負担	折半負担	**全額本人負担**	全額本人負担
納付義務	事業主	事業主	**被保険者本人**	被保険者本人
納付期日	翌月末日	翌月末日	翌月末日	その月の10日

表中の「同意」とは、保険料の半額負担等に係る「事業主の同意」のことです。各被保険者の特徴は、P235〜237を再度確認しておきましょう。

このほか、保険料については、次の取扱い（健康保険と同じ。）があります。

① 源泉控除……事業主は、被保険者負担分については、**前月の標準報酬月額**に係る保険料（月額保険料）を報酬から控除することができ**3**、標準賞与額に係る保険料（賞与保険料）をその賞与から控除することができます。

② 保険料の免除…… 3歳未満の子に係る**育児休業等**又は**産前産後休業**をする被保険者は、**事業主の申出**により、**休業開始日の属する月**から**休業終了日の翌日が属する月の前月**までの間、保険料（月額保険料と賞与保険料）が免除されます。なお、育児休業等の場合は、㋐休業開始日と休業終了日の翌日が属する月が同一であり、その**休業日数が14日以上**であるときは、その月の**月額保険料は免除**されます。また、㋑休業期間が**1ヵ月以下**であるときは、**賞与保険料は免除されません**（月額保険料のみが免除される。）。**4**

---

1 同じ月に被保険者の資格を取得→喪失した場合は、原則として、その月は保険料が徴収されます。

2 標準賞与額に係る保険料の納付期日は、標準報酬月額に係る保険料と同じ「翌月末日」です。

3 なお、例外的に「月末退職」の場合には、前月及びその月の2ヵ月分の標準報酬月額に係る保険料を、報酬から控除することができます。これは、健康保険においても同様です。

4 これらの規定により月額保険料が免除された期間は、保険料免除期間ではなく、休業開始前の標準報酬月額に基づく保険料が納付された期間（保険料納付済期間）として取り扱われます。

1 労基
2 安衛
3 労災
4 雇用
5 徴収
6 労一
7 健保
8 国年
9 厚年
10 社一
11 横断①
12 横断②

該当レッスン	Let's チャレンジ ○×問題・穴うめ問題
Lesson 1 厚生年金保険法の目的等	**○×** **1** 平成27年10月からは公務員も厚生年金保険の被保険者となった。
	穴うめ **2** 厚生年金保険は、（A）を対象とした制度であり、老齢、（B）又は死亡の3種類の保険事故について保険給付を行う。
Lesson 2・3 被保険者	**○×** **3** 適用事業所に使用される70歳未満の者が当然被保険者となる。
	○× **4** 事業主の同意がなくても任意単独被保険者となることはできる。
	穴うめ **5** 70歳以上の者が、老齢給付等の受給権を取得するまでの間、特例的になることが認められる被保険者のことを、（C）という。
Lesson 4 被保険者期間・標準報酬等	**○×** **6** 厚生年金保険の標準報酬月額は、40等級に区分されている。
	穴うめ **7** 平均標準報酬額の算定の基礎となる標準報酬月額と標準賞与額には、（D）が乗じられ、現在の価値に評価し直される。
Lesson 5〜8 老齢厚生年金	**○×** **8** 特別支給の老齢厚生年金を受けるためには、1年以上の厚生年金保険の被保険者期間を有していなければならない。
	○× **9** 昭和36年4月2日以後に生まれた男子については、原則として、65歳に達する前において、特別支給の老齢厚生年金は支給されない。
	○× **10** 平均標準報酬額は、定額部分の額の計算の基礎となっていない。
	穴うめ **11** 老齢厚生年金の受給権者が昭和（E）年4月2日以後生まれである場合には、配偶者に係る加給年金額に（F）が加算される。
Lesson 9・10 障害厚生年金	**○×** **12** 初診日に被保険者でない者には、障害厚生年金は支給されない。
	穴うめ **13** 障害厚生年金の額の計算の基礎となる被保険者期間の月数が（G）に満たないときは、これを（G）とみなして計算する。
Lesson 11〜13 遺族厚生年金	**○×** **14** 遺族厚生年金を受けることができる遺族の範囲には、祖父母及び兄弟姉妹は含まれていない。
	○× **15** 中高齢寡婦加算は、妻が65歳に達したときは打ち切られる。
	穴うめ **16** 子のない（H）歳未満の妻に対する遺族厚生年金の受給権は、受給権の取得日から起算して（I）を経過したときは消滅する。
Lesson 14 保険料	**○×** **17** 保険料率は、最終的に1,000分の189で固定される。
	穴うめ **18** 育児休業等期間中の保険料免除の対象となるのは、原則として、休業開始日の属する（J）から休業終了日の翌日が属する（K）までの間である。

解答 **1** ○ **2**（A）労働者（B）障害 **3** ○ **4** × 事業主の同意は必ず得なければならない。
5（C）高齢任意加入被保険者 **6** ×「40等級」ではなく「32等級」である。 **7**（D）**再評価率**
8 ○ **9** ○ **10** ○ **11**（E）9（F）特別加算額 **12** ○ **13**（G）300 **14** ×「祖父母」は含まれている。 **15** ○ **16**（H）30（I）5年 **17** ×「1,000分の189」ではなく「1,000分の183」である。 **18**（J）月（K）月の前月

第 10 章

社会保険に関する一般常識

- この科目の体系樹
- この科目の特徴／ここだけチェック！！

概要

社会保険に関する一般常識は、国民健康保険法や社会保険労務士法などの社会保険諸法令のほか、「社会保険の共通6要素」、「社会保険各制度の沿革」などの基礎的理論（知識）、厚生労働白書などを出典とする医療・年金制度の動向など、社労士として必要となる幅広い知識により構成される科目です。

社労士法

社審法

社会保険諸法令

確定給付企業年金法

確定拠出年金法

白書

高齢者政策

医療政策

医療・年金などの動向

年金政策

枝葉

①**社会保険諸法令**……国民健康保険法、高齢者医療確保法、介護保険法、社会保険労務士法が中心となります。また、福利厚生として行われている企業年金についての法律である**確定給付企業年金法と確定拠出年金法**も押さえる必要があります。このほかにも、船員保険法、児童手当法、社会保険審査官及び社会保険審査会法（社審法）などがあります。

②**社会保険に関する理論・沿革**……保険理論、共通事項、社会保険制度の沿革などが対象となります。共通事項では、6要素を中心に社会保険制度を横断的に確認することが必要です。沿革では、医療保険制度と年金制度の成り立ちが問われます。

③**医療・年金などの動向**……厚生労働白書の内容を中心に、医療・年金・介護など社会保障に関する諸政策やその動向が出題されています。

根

社労士の業務を円滑に行う上で必要な**社会保険制度全般のつながり**を理解することがこの科目の大きな目的です。

たとえば、医療や介護の制度に関する業務を行うためには、独立科目となっている健康保険法を理解するだけでは足りません。一般地域住民を対象とした国民健康保険法や高齢者を対象とした高齢者医療確保法、介護保険法などに精通している必要もあります。また、年金制度について、公的年金の上乗せである企業年金を知ることで、より適切なアドバイスをすることなどが可能となります。このように、社会保険のプロである社労士にとって必要不可欠な知識を身につけるために、この科目が存在しているといえます。

社労士は**労働社会保険諸法令**の専門家です。この科目では、その知識を底上げするという観点から大きく次の分野について出題されます。
①**社会保険諸法令**
②**社会保険に関する理論・沿革**
③**医療・年金などの動向**

① **社会保険諸法令**

② **社会保険に関する理論・沿革**

③ **医療・年金などの動向**

社労士なら知っておくべきこと

社会保険諸法令

国民健康保険法

健康保険法

介護保険法

児童手当法

高齢者医療確保法

社会保険に関する理論・沿革

共済組合

沿革

保険理論

社会保険諸法令を理解する上で欠くことができないのが、その**制定趣旨と沿革**です。どのような必要からその法律が制定されたのかを理解し、その後の改正を押さえていくことが必要です。

また、厚生労働白書や数値統計は、近年では、医療保険制度、年金制度ともに高齢化の進展による費用の高騰が大きな問題となっています。

社会保険制度の背景　医療費の増大

社会保険制度の運用上の課題等　少子高齢化

配点 （➡ P18） (出題数)	◆ 選択式〔40点満点中〕**5点** ◆ 択一式〔70点満点中〕**5点** （労一5点とセットで出題） ※ ※近年は、「労一4点＋社一6点」の配分で出題されている。	
難易度	普通	学習比重度 （➡ P16） ★★☆☆☆

一見すると出題範囲が広く、学習を進めるのが難しく感じるかもしれませんが、よく出題される分野（法令）に偏りがあります。また、数字要件と主体（行政機関等の名称）を論点にした出題が目立つため、これらを意識しながら、学習を進めていくとよいでしょう。

本編で取り上げていない 項目・用語の

『ここだけチェック!!』

ここでは、前ページの体系樹を補完するものとして、本編で取り上げていない「その他の項目」や「用語」について、概要と押さえてほしいポイントを示しています。

☑ 船員保険法

　船員保険は、船員を対象とした社会保険制度であり、①**職務外の事由**に関する保険給付（健康保険に相当する給付）及び②**職務上・通勤**に関する保険給付（労災保険の上乗せ給付）を行います。**保険者は、全国健康保険協会**です。

- ●船員には、同時に「労災保険、雇用保険及び厚生年金保険」も適用する。
- ●強制被保険者＝船員法に規定する船員として**船舶所有者に使用される者**

☑ 確定給付企業年金法・確定拠出年金法

　確定給付企業年金及び確定拠出年金は、公的年金の上乗せを担うものです。

確定給付 企業年金	●将来の給付額を確定し、資産は**企業が運用**する制度（掛金は変動）。 ●規約型企業年金と基金型企業年金の2種類がある。 ※規約型＝厚生労働大臣の**承認**、基金型＝厚生労働大臣の**認可**が必要。
確定拠出年金	●掛金を確定し、資産は**加入者が運用**する制度（将来の給付額は変動）。 ●企業型年金と個人型年金の2種類がある。 ※ともに厚生労働大臣の**承認**が必要。

- 厚生年金保険の被保険者が加入者となる。ただし、**公務員は加入することができない**。
- 給付には、法定給付として**老齢給付金及び脱退一時金**があり、任意給付として**障害給付金及び遺族給付金**がある。
- 掛金は、**全額事業主が負担**（規約の定めで加入者に一部を負担させることも可）し、**年1回以上、定期的**に拠出する。

確定拠出年金のポイント

- 個人型年金は、**国民年金基金連合会**が実施する。
- 【企業型年金】は、厚生年金保険の被保険者（公務員を除く。）が加入者となる。

  【個人型年金】は、①国民年金の**第1号被保険者**、②厚生年金保険の被保険者（**公務員を含む。**）、③国民年金の**第3号被保険者**、④国民年金の**原則による任意加入被保険者**（第1号被保険者の適用除外者を除く。）が加入者となる。

- 給付には、**老齢給付金、障害給付金及び死亡一時金**がある。当分の間、一定の要件に該当する者は、**脱退一時金**の支給を請求することができる。
- 掛金は、**年1回以上、定期的**に、企業型年金は**全額事業主**（規約で定めるところにより加入者が自ら拠出することも可）が、個人型年金は、原則として**加入者**が拠出する。

知っておこう 横断学習とは？／遺族の範囲の例

　学習が進むと「似ているけど少し違う規定」が多く出てきて混乱してきます。直前期には、科目間等で自分が混乱している項目を横断的に比較・整理し、記憶の強化を図りましょう。これが横断学習です。その際には、異なるポイントをシンプルに捉えることが大切です。たとえば、次図で「遺族の範囲」を比較・整理してみましょう。

★国年の遺族基礎年金（→ P216）
　ポイント▶ 配偶者と子のみ

★厚年の遺族厚生年金（→ P253）
　ポイント▶ 兄弟姉妹は除く

★労災の遺族(補償)等年金（→ P107）
　ポイント▶ 最も範囲が広い

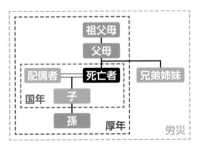

この科目の出題分野・理論等

Point

● この科目には「社会保険諸法令・共通事項・理論等」の3分野があります。
● 現在、わが国の社会保険は、「5つの分野」で制度化されています。
● 昭和36年4月1日に「国民皆保険体制」が実現しました。

◱ この科目の出題分野は?

この科目（社会保険に関する一般常識）の出題分野は、①社会保険諸法令、②社会保険の共通事項、③社会保険の理論等 ◼ の3分野に大きく分かれます。

この中でも、特に多く出題されているのが、①の社会保険諸法令です。単独の科目となっていない国民健康保険法、介護保険法などの法令が出題の対象です。本書では、次のレッスン2以降において、重要度が高い法令を取り上げます。

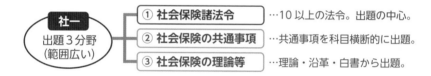

社一
出題3分野
（範囲広い）

① 社会保険諸法令	…10以上の法令。出題の中心。
② 社会保険の共通事項	…共通事項を科目横断的に出題。
③ 社会保険の理論等	…理論・沿革・白書から出題。

◲ 社会保険の理論等

（1）社会保険の分類

わが国の社会保険は、①労災保険、②雇用保険、③医療保険、④年金保険、⑤介護保険の5つの分野で制度化されています。また、対象者の属性によって、会社員、公務員等の被用者を対象とする「被用者保険」と自営業者、学生等の一般地域住民を対象に含んでいる「地域保険」とに分類することができます。

社会保険	被用者保険		地域保険
	一般職域	特殊職域（船員・公務員）	一般地域住民が対象に含まれる制度
① 労災保険	労災保険	船員保険（労災の上乗せ）	
② 雇用保険	雇用保険		
③ 医療保険	健康保険	船員保険、共済組合等	国民健康保険、後期高齢者医療
④ 年金保険	厚生年金保険	厚生年金保険	国民年金
⑤ 介護保険			介護保険

（2）社会保険の共通6要素

社会保険の内容を構成する要素には、次の共通する**6つの要素**があります。

① 保険者	社会保険事業を管掌し、**責任を持って運営する主体**のこと。保険者は、法律で明確に定められている。**政府が保険者である制度が多い**。
② 被保険者	各社会保険制度によって**保険される者**のこと。社会保険では、強制加入を原則とするが、一部の制度には任意加入の仕組みもある。
③ 保険事故	社会保険制度が担う保障目的であり、保険者が**保険給付を行うきっかけとなる事故**のこと。代表的な保険事故は、疾病、負傷、死亡など。
④ 保険給付	**保険事故が起きた場合に行われる給付**のこと。給付の性質によって、現物給付と現金給付の給付方式がある。社会保険では現金給付が中心。
⑤ 費用（財源）	その制度を運営していくための**財源**のこと。社会保険事業に要する費用は、その多くが保険料と公費負担（租税）によって賄われている。
⑥ 不服申立て（不服審査機関）	保険者が行った処分に**不服がある者**に対して、簡易迅速に権利の救済を図るための仕組みのこと。制度に応じた**不服審査機関 3**がある。

3 医療保険制度の主な沿革

ここでは、医療保険制度の主な沿革を紹介します。なお、年金制度の沿革は、国民年金法及び厚生年金保険法で紹介しています（➡ 国年P198、厚年P232）。

大正11年	**健康保険法**の制定（昭和2年全面施行。わが国最初の社会保険制度）
昭和13年	**旧国民健康保険法**の制定（国民健康保険組合に任意加入する形の制度）
昭和33年	**新国民健康保険法**の制定（全国の市町村に実施を義務づけ）
昭和36年	**国民皆保険体制**の実現（昭和36年4月1日に実現） **4**
昭和48年	老人医療費支給制度（70歳以上の高齢者の医療費を無料化）
昭和57年	**老人保健法**の制定（昭和58年施行。高齢者にも一部負担を求める制度）
平成9年	**介護保険法**の制定（平成12年4月施行。5つ目の分野の社会保険制度）
平成20年	**高齢者医療確保法**の施行（老人保健法を改称。後期高齢者医療の創設）

1 「厚生労働白書」を主な根拠として理論、沿革、改正の動向などが本試験で出題されています。

2 特殊職域の船員や公務員については、船員保険、共済組合等という独自の仕組みによって、医療保険などが運営されています。これらの内容の詳細は、社労士試験では重要ではありません。

3 たとえば、健康保険、国民年金、厚生年金保険については、「社会保険審査官」及び「社会保険審査会」という専門的な不服審査機関が設けられています。➡P322

4 昭和36年4月1日には、「国民皆保険」とともに、「国民皆年金」も実現しています。

1 労基
2 安衛
3 労災
4 雇用
5 徴収
6 労一
7 健保
8 国年
9 厚年
10 社一
11 横断①
12 横断②

社一 Lesson 2 国民健康保険法・高齢者医療確保法

Point
- 国民健康保険及び後期高齢者医療は、一般地域住民を対象とする制度です。
- 「都道府県等及び国民健康保険組合」「広域連合」がそれぞれの運営主体です。
- 給付には「法定必須給付」「法定任意給付」「任意給付」の分類があります。

1 制度の位置づけ

　ここでは、**国民健康保険**及び高齢者医療確保法に規定する**後期高齢者医療**について説明していきます。ともに**一般地域住民**を対象とする医療保険です。

　大まかな捉え方としては、会社員等であれば健康保険、自営業者等であれば国民健康保険に加入し、これらの制度の加入者が**75歳以上の者**（後期高齢者）になった場合には、職業を問わず、後期高齢者医療の被保険者となります。

　なお、**保険事故**は、国民健康保険が「**疾病、負傷、出産又は死亡**」、後期高齢者医療が「**疾病、負傷又は死亡（出産は含まれていない。）**」です。これらの保険事故は、いずれも業務上であるか業務外であるかは問われません。

2 制度の運営主体と被保険者

（1）制度の運営主体（国民健康保険では保険者）

　① **国民健康保険の保険者**……**都道府県**は、当該**都道府県内の市町村**（特別区を含む。）**とともに**、国民健康保険を行います（保険者＝都道府県等）。
また、特定の業種（弁護士、医師等）については、**国民健康保険組合**が設立されており（設立は任意）、国民健康保険組合も保険者となります。

　② **後期高齢者医療の運営主体**……**都道府県の区域ごとに市町村が加入する後期高齢者医療広域連合（広域連合）**が運営主体となっています。

（2）被保険者

　国民健康保険及び後期高齢者医療には、**被扶養者という概念がなく**、赤ちゃんから高齢者まで一人ひとりが被保険者となります。その範囲は次のとおりです。

1 労基

2 安衛

3 労災

4 雇用

5 徴収

6 労一

7 健保

8 国年

9 厚年

10 社一

11 横断①

12 横断②

① **国民健康保険の被保険者**……原則として、**都道府県の区域内に住所を有する者**は、都道府県等が行う国民健康保険の被保険者となります。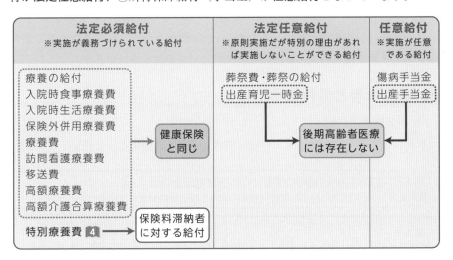2 ただし、健康保険等の被用者保険の加入者は、健康保険等の適用が優先されます。

② **後期高齢者医療の被保険者**……原則として、**広域連合の区域内に住所を有する75歳以上の者**が、後期高齢者医療の被保険者となります。3

3 どのような給付を行うのか?

国民健康保険及び後期高齢者医療の給付は、内容が基本的に同じ（出産給付を除く。）であり、3つの分類があります。①療養の給付などのいわゆる医療給付（内容は健康保険と基本的に同じ。）が**法定必須給付**、②死亡給付・出産の一時金給付が**法定任意給付**、③所得保障給付（手当金）が**任意給付**となっています。

一部負担金の割合は、国民健康保険5 は健康保険と基本的に同じ（⇒ 健保 P183）であり、後期高齢者医療は原則1割6 となっています。

1 都道府県が財政運営の責任主体となり、市町村が適用徴収や保険給付に関する事業等を行います。

2 保険者が国民健康保険組合の場合には、組合員とその世帯に属する者が被保険者となります。

3 なお、このほか、例外的に「65歳以上75歳未満の者であって、一定の障害の状態にある旨の広域連合の認定を受けた者」も後期高齢者医療の被保険者となります。

4 保険料滞納者（原則1年以上滞納者）に対するペナルティーとして、現物給付は行わずに、病院等の窓口でいったん医療費を全額支払わせて、後で現金給付として払戻しを行うという給付です。

5 70歳以上で3割負担となる「現役並み所得者」とは、課税所得が原則145万円以上の者をいいます。

6 現役並み所得者は3割負担・一定以上所得者（課税所得が原則28万円以上）は2割負担となります。

介護保険法

Point
- 介護保険の保険事故は、「要介護状態」及び「要支援状態」です。
- 被保険者は、「第1号被保険者」及び「第2号被保険者」の2種類です。
- 介護保険の保険給付を受けるためには、「認定」を受けることが必要です。

■ 介護保険法とは?

　介護保険法は、近年増加を続けている介護を要する高齢者を**国民の共同連帯の理念によって支える仕組みとして、平成12年4月に施行**された法律です。

　介護保険制度では、要介護認定・要支援認定を受けた高齢者が、費用の原則1割**■**を自己負担することで、各種の介護サービスを受けることができます。

　介護保険は、**市町村**（特別区を含む。）が**保険者**となり、保険事故である**要介護状態又は要支援状態**にある被保険者に対して保険給付を行います。

■ 被保険者と保険給付

（1）被保険者

　介護保険の被保険者は、**第1号被保険者**と**第2号被保険者**の2種類です。**■**

第1号 被保険者	**市町村の区域内に住所を有する65歳以上の者** ➡ 要介護状態又は要支援状態となった**原因を問わず**に保険給付を行う。
第2号 被保険者	**市町村の区域内に住所を有する40歳以上65歳未満の医療保険加入者** ➡ 要介護状態又は要支援状態の原因である障害が**特定疾病 ■** によって生じたものである場合に限り、保険給付を行う。

　なお、介護保険料は、第2号被保険者からは医療保険料に上乗せする形で徴収し（➡ 健保P190）、第1号被保険者からは市町村が個別に徴収します。

（2）保険給付

　介護保険の保険給付には、次の**3種類**があります。

介護給付	被保険者の**要介護状態**に関する保険給付	幅広いサービス （居宅・施設）が対象
予防給付	被保険者の**要支援状態**に関する保険給付	施設サービスは 対象外（居宅のみ）
市町村特別給付	市町村が条例で定めることができる**任意給付**	

1 労基
2 安衛
3 労災
4 雇用
5 徴収
6 労一
7 健保
8 国年
9 厚年
10 社一
11 横断①
12 横断②

3 要介護認定・要支援認定

　介護保険では、サービス事業者等に被保険者証を提示することだけでは、保険給付を受けることはできません。保険給付を受けるためには、**要介護認定又は要支援認定**を受けることが前提となっています。その流れは、次のとおりです。

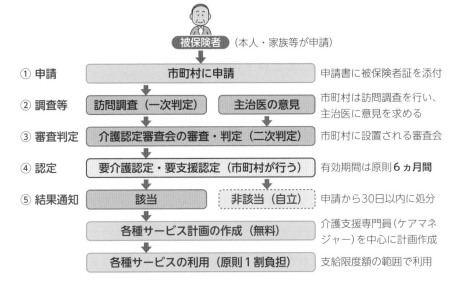

被保険者 （本人・家族等が申請）

① 申請	市町村に申請	申請書に被保険者証を添付
② 調査等	訪問調査（一次判定）　主治医の意見	市町村は訪問調査を行い、主治医に意見を求める
③ 審査判定	介護認定審査会の審査・判定（二次判定）	市町村に設置される審査会
④ 認定	要介護認定・要支援認定（市町村が行う）	有効期間は原則**6ヵ月間**
⑤ 結果通知	該当　非該当（自立）	申請から30日以内に処分
	各種サービス計画の作成（無料）	介護支援専門員（ケアマネジャー）を中心に計画作成
	各種サービスの利用（原則1割負担）	支給限度額の範囲で利用

　なお、認定の有効期間満了後においても引き続き介護保険のサービスを利用するためには、被保険者は、更新認定の申請をする必要があります。**4**

たとえば…

　要介護状態及び要支援状態には、「区分」があります。**区分は重い方から、「要介護5→要介護4→要介護3→要介護2→要介護1→要支援2→要支援1」**となっています。そして、状態が重いほど、介護保険のサービスを原則1割負担で利用できる範囲（支給限度額）が多くなっています。たとえば、1ヵ月あたりの支給限度額は、要介護5では約36万円、要支援1では約5万円となっています。

1 65歳以上の者については、所得に応じて2割負担又は3割負担となります。

2 介護保険法9条1号・2号に根拠があることから、このような名称となっています。なお、海外に居住する者は、介護保険の被保険者となりません。

3 特定疾病には、「加齢」に伴って生ずる心身の変化に起因する16種類の疾病が定められています。たとえば、脳血管疾患、パーキンソン病、関節リウマチ、がん（末期）などが該当します。

4 更新認定の申請は、原則として、有効期間満了日の60日前から有効期間満了日までの間に行わなければなりません。なお、更新後の有効期間は原則12ヵ月間となります。

社会保険労務士法

- 社労士法の「目的」や「職責」の規定は、選択式での出題に要注意です。
- 社労士となるためには、「連合会」の「登録」を受けなければなりません。
- 懲戒処分には、「戒告」「1年以内の業務停止」「失格処分」があります。

1 社会保険労務士法とは？

　この科目の最後では、**社会保険労務士法（社労士法）**を取り上げます。社労士法は、経済社会の発展に伴い、特に中小企業の事業所における労務管理業務の重要性を背景として**昭和43年**6月に制定され、同年12月に施行されました。

　社労士法には、その目的と職責が次のように規定されています。

目的	社会保険労務士の制度を定めて、その**業務の適正**を図り、もって**労働及び社会保険に関する法令の円滑な実施**に寄与するとともに、**事業の健全な発達と労働者等の福祉の向上に資すること。**
職責	社会保険労務士は、常に**品位 1** を保持し、業務に関する**法令及び実務に精通**して、**公正な立場**で、**誠実**にその業務を行わなければならない。

　上記には、社労士の役割や社会的責任に応えるべきプロとしての身の処し方が規定されています。社労士の業務については、Introductionで詳しく説明しているため（➡ P30 ～ 39）、以下では、「登録」や「懲戒処分」の概要を説明します。

2 登録

　社労士となる資格を有する者は、原則として「試験合格者であって、労働社会保険諸法令に関する事務に従事した期間が**通算して2年以上になる者 2**」です。

　そして、実際に社労士となるためには、**全国社会保険労務士会連合会（連合会）**に備える**社会保険労務士名簿**に氏名等の**登録**を受けなければなりません。また、各都道府県には**社会保険労務士会**が設立されており、登録を受けた時は、当然に（自動的に）、社会保険労務士会の会員となります。**【登録即入会のシステム】**

有資格者 ➡ 連合会の名簿に登録 ＝ 各都道府県の社労士会に入会 ➡ 社労士となる

なお、登録については、次のような「欠格事由（そもそも社労士となる資格を有しない。）」、「登録拒否事由」及び「登録取消事由」が定められています。 **3**

欠格事由	**登録拒否事由**	**登録取消事由**
● 未成年者 ● 破産手続開始の決定を受けて復権を得ない者 ● 次の事由に該当した日から**3年**を経過しない者 ・社労士の**失格処分**を受けた ・社労士の**登録取消処分**を受けた ・社労士法・労働社会保険諸法令の**罰金以上の刑**を受けた　など	● **心身の故障**で業務を行うことができない ● 社会保険料の滞納処分を受け、**3ヵ月以上**引き続き滞納している ● 社労士としての**適格性**を欠く　　　　　　など	● 登録を受ける資格に関する重要事項について告知せず又は不実の告知を行い登録を受けた ● **心身の故障**で業務を行うことができない ● **2年以上**継続して所在が不明である

3 懲戒処分

社労士の職責や法令の遵守義務に反する行為を行った者等には、**懲戒処分**が行われます。懲戒処分には次の**3種類**があり、いずれも**厚生労働大臣**が行います。

① **戒告**（本人の将来を戒める旨を申し渡す処分【**最も軽い処分**】）

② **1年以内**の社労士の**業務停止**

③ **失格処分**（社労士の資格を失わせる処分【**最も重い処分**】）　**4**

たとえば…

社労士として最も行ってはならない行為とは何でしょうか？　それは「不正行為の指示等」です。これについては、社労士法で最も重い罰則（3年以下の懲役又は200万円以下の罰金）が適用され、「失格処分」の対象にもなります。なお、失格処分を受けた場合でも、再び社労士となる際には改めて試験に合格する必要はありません。試験合格という結果自体は一生ものです。

1 ここでいう「品位」とは、いわゆる上品や下品などの「品」のことではなく、国家資格者である社労士の専門的職能に対する社会の信頼に応える「社会的責任」のことを意味しています。

2 事務に従事した期間が通算して2年に満たない者は、「事務指定講習」（原則として、4ヵ月間の通信指導課程とeラーニング講習）を修了すれば、これと同等の経験を有すると認められます。

3 登録取消処分を受けると名簿から氏名等を抹消するという「登録抹消」の手続きがとられます。このほかに、「本人からの申請」「死亡」「欠格事由に該当」によっても登録が抹消されます。

4 失格処分を受けると欠格事由に該当し、登録が抹消され、3年間再登録ができなくなります。

1 労基
2 安衛
3 労災
4 雇用
5 徴収
6 労一
7 健保
8 国年
9 厚年
10 社一
11 横断①
12 横断②

該当レッスン	Let's チャレンジ ○×問題・穴うめ問題	
Lesson 1 この科目の出題 分野・理論等	○× **1**	わが国の社会保険は、①労災保険、②雇用保険、③医療保険、④年金保険の4つの分野で制度化されている。
	○× **2**	社会保険の内容を構成する要素の1つに「費用（財源）」がある。
	穴うめ **3**	国民皆保険体制が実現したのは、（A）年4月1日のことである。
Lesson 2 国民健康保険 法・高齢者医療 確保法	○× **4**	後期高齢者医療は、高齢者の疾病、負傷、出産又は死亡に関して必要な給付を行う。
	○× **5**	都道府県は、当該都道府県内の市町村（特別区を含む。）とともに、国民健康保険を行うものとされている。
	穴うめ **6**	後期高齢者医療の被保険者となるのは、原則として、後期高齢者医療（B）の区域内に住所を有する（C）以上の者である。
Lesson 3 介護保険法	○× **7**	介護保険は、被保険者の要介護状態又は要支援状態に関し、必要な保険給付を行う制度である。
	○× **8**	介護認定審査会は、申請に係る被保険者が要介護状態にあると認められる場合には、要介護認定を行うものとされている。
	穴うめ **9**	介護保険の保険給付には、①介護給付、②（D）及び③市町村が条例で定める任意給付である（E）の3種類がある。
Lesson 4 社会保険労務士 法	○× **10**	社会保険労務士となるための社会保険労務士名簿の登録は、全国社会保険労務士会連合会が行う。
	○× **11**	社会保険労務士に対する懲戒処分には、①戒告、②3年以内の社会保険労務士の業務停止、③失格処分の3種類がある。
	穴うめ **12**	社会保険労務士は、常に（F）を保持し、業務に関する（G）に精通して、公正な立場で、（H）にその業務を行わなければならない。

解答 **1**× 「介護保険」を含めた「5つ」の分野で制度化されている。 **2**○ **3**（A）昭和36
4× 「出産」は保険事故に含まれていない。 **5**○ **6**（B）広域連合（C）75歳 **7**○ **8**× 要介護認定を行うのは「介護認定審査会」ではなく「市町村」である。 **9**（D）予防給付（E）市町村特別給付 **10**○ **11**× 「3年」ではなく「1年」以内の業務停止である。 **12**（F）品位（G）法令及び実務（H）誠実

この章では、科目間の横断
理解として、まとめて学習
をすると効率的なテーマを
取り上げています。

第 **11** 章

まとめて確認！
横断理解①

労働者、使用者、賃金等の定義

point
- 法令により、用語の定義が異なります。比較して違いを押さえましょう。
- 労働組合法の「労働者」には、失業者が含まれます。
- 労働基準法の「使用者」が最も広い範囲で定義されています。

1 労働者等の定義

このレッスンでは、比較してほしい法令の「用語の定義」を確認していきます。まずは、「労働者」と「日雇労働者」の定義です。

労働者	労基	職業の種類を問わず、事業に**使用**される者で、**賃金**を支払われる者（➡労基P52）
	労契	使用者に**使用**されて労働し、**賃金**を支払われる者 ➡労働基準法の労働者と同じ意味。
	労組	職業の種類を問わず、賃金、給料その他これに準ずる収入によって**生活する者** ➡**失業者を含む。**■
日雇労働者	雇用	①日々雇用される者、②30日以内の期間を定めて雇用される者 ➡一定の地理的条件を満たせば**日雇労働被保険者**となる（➡雇用P118）。
	派遣	日々又は30日以内の期間を定めて雇用する者 ➡上記「雇用」と同じ意味。**日雇派遣は原則禁止**（➡労一P161）。
	健保	①**臨時に使用される者**（日々・２ヵ月以内の期間）、②**季節的業務**に使用される者、③**臨時的事業**の事業所に使用される者 ➡適用事業所に使用される者は**日雇特例被保険者**となる（➡健保P174）。

※労契…労働契約法、労組…労働組合法、派遣…労働者派遣法（以下同じ。）

なお、「**短時間労働者**」の定義は、健康保険法等において「１週間の所定労働時間が同一の事業所に使用（雇用）される通常の労働者（正社員）の１週間の所定労働時間に比し**短い労働者**」とされており、通常はこの定義によります。■

2 使用者等の定義

次に「**使用者**」の定義です。この用語については、労働基準法及び労働契約法にその定義が登場しますが、意味が異なります。

1 労基
2 安衛
3 労災
4 雇用
5 徴収
6 労一
7 健保
8 国年
9 厚年
10 社一
11 横断①
12 横断②

| 使用者 | 労基 | ①事業主 3、②事業の経営担当者、③その事業の労働者に関する事項について、事業主のために行為をするすべての者（➡ 労基P52） |
| | 労契 | その使用する労働者に対して賃金を支払う者
➡上記「労基」①の事業主に相当するものとされている。 |

なお、労働安全衛生法では「**事業者**（➡ 安衛P79）」の用語を、労災保険などの社会保険制度では「**事業主**」の用語を使いますが、いずれも上表「労基」①の事業主に相当するものです（結局は、**労働基準法の使用者の範囲が最も広い**。）。

3 賃金等の定義 （保険料の算定の基礎となるもの）

労働保険では「**賃金**」、社会保険（健康保険・厚生年金保険）では「**報酬**」に基づいて保険料が徴収されます。基本的に、いずれも**労働の対償**として支払われるすべてのものが該当しますが、「**3ヵ月を超える**期間ごとに支払われるもの」及び「**臨時に支払われるもの** 4」の取扱いが、次のように異なります。

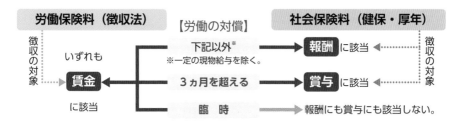

労働保険の確定保険料は、その年度中に支払いが確定した賃金に基づいて計算されます。たとえば、令和7年3月25日締切り・4月5日支払いの賃金は、締切日が属する年度（令和6年度）の賃金として処理されます。

一方、社会保険料の算定の基礎となる標準報酬月額の場合は、4月～6月に実際に支払われた報酬に基づいて定時決定が行われます。たとえば、3月25日締切り・4月5日支払いの報酬は、4月の報酬として処理されます。

1 労働組合法の労働者に失業者が含まれるのは、たとえば、労働組合が、解雇された者についての処遇（解雇の取消し等）について使用者と交渉することができるようにするためです。

2 正社員よりも週所定労働時間が短い者が短時間労働者であり、具体的な労働時間数の要件はありません。ただし、週30時間未満という要件がある法令（障害者雇用促進法など）も存在します。

3 事業主とは、法人経営なら法人そのもの、個人経営なら個人事業主を指します。

4 「臨時に支払われるもの」には、目標達成の際に支払われる「大入り袋」などが該当します。

被保険者の資格の得喪時期

 Point

- 原則として、「取得時期＝当日」「喪失時期＝翌日」となります。
- 年齢要件に該当した場合の取得・喪失の時期は、「当日（達した日）」です。
- 喪失時期は、例外の「当日」に喪失するものをしっかりと押さえましょう。

■ 基本的な考え方

被保険者の資格の取得及び喪失（得喪）の時期について、社会保険制度共通の考え方をすると、原則として、①**取得時期**は資格取得事由に該当した日（当日）となり、②**喪失時期**は資格喪失事由に該当した日の翌日となります。

試験では、資格の得喪時期については、健康保険法、国民年金法及び厚生年金保険法でよく出題されているため、以下ではこれらについてまとめています。

 ▶ 原則当日　　　　 ▶ 原則翌日 例外当日

2 資格取得時期

資格取得事由（取得・喪失事由は以下略記）と時期は、次のとおりです。「**当日に取得**」と覚えて、表内の**太字・赤字**の箇所をチェックすれば十分でしょう。

制度	被保険者	当日に取得
健保	一般	①**適用事業所に使用されるに至った**
厚年	当然	②（適用事業所以外の）事業所が適用事業所となった
		③（適用除外者が）適用除外者に該当しなくなった
健保	任意継続	**一般の被保険者の資格喪失日（さかのぼって取得）** ➡ 健保P175
厚年	任意単独	取得の認可があった ➡ 厚年P235
	高齢任意加入①	取得の申出が受理された ➡ 厚年P236
	高齢任意加入②	取得の認可があった ➡ 厚年P237
国年	第1号	①**20歳に達した**　②日本国内に住所を有するに至った
		③老齢給付等の受給権者・適用除外すべき特別の理由がある者でなくなった
	第2号	厚生年金保険の被保険者の資格を取得した
	第3号	①**20歳に達した** ■　②被扶養配偶者となった
	任意加入	取得の申出をした

3 資格喪失時期

資格喪失時期は、**原則** が「翌日に喪失」と覚えてから、表内の**太字・赤字**を中心に、特に **例外** の「当日に喪失」するものをチェックしておきましょう。

制度	被保険者	**原則** 翌日に喪失	**例外** 当日に喪失 2
健保	一般	①死亡、②事業所に使用されなくなった（退職）、③適用除外者に該当、④任意適用事業所の**取消しの認可**があった	左欄の日に被保険者となった
厚年	当然		①**70歳に達した**、②左欄の日に被保険者となった
健保	任意継続	①任意継続被保険者となった日から起算して**2年を経過した**、②死亡、③**保険料を納付期日までに納付しなかった**、④**喪失の申出受理月の末日**が到来した	（一般の）被保険者、船員保険の被保険者、後期高齢者医療の被保険者等となった
厚年	任意単独	①死亡、②退職、③適用除外者に該当、④喪失の認可があった	①**70歳に達した**、②左欄の日に被保険者となった
厚年	高齢任意加入①	①死亡、②退職、③適用除外者に該当、④**老齢給付等の受給権**を取得した、⑤任意適用事業所の**取消しの認可**があった、⑥**喪失の申出**が受理された	左欄の日に被保険者となった
厚年	高齢任意加入②	①死亡、②退職、③適用除外者に該当、④**老齢給付等の受給権**を取得した、⑤喪失の認可があった	左欄の日に被保険者となった
国年	第1号	①死亡、②海外に居住等、③適用除外すべき特別の理由がある者に該当	①**60歳に達した**、②老齢給付等の受給権者となった
国年	第2号	死亡	厚生年金保険の被保険者の資格を喪失した
国年	第3号	①死亡、②被扶養配偶者に非該当	**60歳に達した**
国年	任意加入	①死亡、②任意加入の要件に非該当、③国内居住者が**督促状の指定期限**までに保険料を納付しない、④海外居住者が保険料を滞納して**2年間が経過した**、⑤特例による任意加入被保険者が**老齢給付等の受給権**を取得、⑥適用除外すべき特別の理由がある者に該当	①**65歳**（特例の場合は**70歳**）**に達した**、②**喪失の申出**が受理された、③強制被保険者の要件に該当、④老齢基礎年金の額に反映される月数を合算した**月数が480に達した**

1 たとえば、18歳のときに国民年金の第2号被保険者である者と婚姻をして被扶養配偶者となった者であっても、第3号被保険者の資格を取得するのは「20歳に達した日」からです。

2 表内の「左欄の日に被保険者となった」とは、資格喪失事由に該当した日にさらに被保険者の資格を取得した場合を指します。資格が重複するため、例外的に「当日喪失」となります。

1 労基
2 安衛
3 労災
4 雇用
5 徴収
6 労一
7 健保
8 国年
9 厚年
10 社一
11 横断①
12 横断②

届出 (1)

Point
- 雇用保険＝10日以内、健康保険・厚生年金保険＝5日以内が基本です。
- 雇用保険の被保険者資格取得届は「翌月10日まで」に提出します。
- 被保険者の資格の得喪は、原則として、「確認」によって効力を生じます。

1 被保険者の資格の得喪等に関する主な届出

　レッスン3では、雇用保険、健康保険及び厚生年金保険の届出を比較します。まずは、事業主が行う「被保険者の資格の得喪等に関する届出」です。

	届出の種類	届出期限	届出先
雇用	①被保険者資格取得届	その月の翌月10日まで	所轄公共職業安定所長 ※③は転勤後の所轄公共職業安定所長
	②被保険者資格喪失届	10日以内	
	③被保険者転勤届 ◀ 雇用独自		
健保	①被保険者資格取得届	5日以内	機構又は組合
	②被保険者資格喪失届		
	③被保険者氏名・住所変更届	遅滞なく **1**	大臣（機構）又は組合
厚年	①被保険者資格取得届	5日以内	大臣（機構）
	②被保険者資格喪失届		
	③70歳以上被用者該当・不該当届 **2** ◀ 厚年独自		
	④被保険者氏名・住所変更届	速やかに **1**	

※機構…日本年金機構、組合…健康保険組合、大臣…厚生労働大臣（以下同じ。）
※「厚年」については、船員・船舶関係の届出は除く。また、すべて「民間被用者（第1号厚生年金被保険者）」に係る届出についての記載である（以下、レッスン5まで同じ。）。
※特定の法人（資本金等が1億円を超える法人等）は、一定の手続きについて、電子申請が義務とされている。上表では、雇用の①〜③（資格取得届・資格喪失届・転勤届）は電子申請が必要。 **3**
※健保③と厚年④の届出（被保険者氏名・住所変更届）は、大臣（又は組合）が機構保存本人確認情報（ネットワークシステムにより確認する情報）を確認できる者については不要。

　なお、被保険者の資格の得喪は、原則として、次の方法による厚生労働大臣（健康保険では保険者等）の確認 **4** によって、その効力を生ずるとされています。

　① 事業主の**届出**（＝資格取得届又は資格喪失届） ◀ これが原則
　② 被保険者又は被保険者であった者の**確認の請求**（＝いつでも請求が可能）
　③ 厚生労働大臣（保険者等）の**職権**（＝事業所への立入検査等による。）

1 労基
2 安衛
3 労災
4 雇用
5 徴収
6 労一
7 健保
8 国年
9 厚年
10 社一
11 横断①
12 横断②

たとえば…

前表では、雇用保険の資格取得届の期限が「翌月10日まで」となっている点に注意しましょう。たとえば、4/1に就職して、被保険者となった者については、翌月10日である5/10までに届出をすれば足ります。

また、学習上は、基本的な期限として、雇用は10日以内、健保・厚年は5日以内（被保険者等本人が行う届出は原則10日以内）、国年は14日以内と押さえておき、これらに該当しないものを意識して覚えると効率的です。

2 事業所等に関する主な届出

次に、事業主が行う「事業所等に関する届出」です。

	届出の種類	届出期限	届出先
雇用	①適用事業所設置届	10日以内	所轄公共職業安定所長
	②適用事業所廃止届		
	③事業主事業所各種変更届		
	④代理人選任・解任届	定めなし（そのつど）	
健保	①新規適用事業所の届出 ➡初めて適用事業所となった場合	5日以内	大臣（機構）又は組合
	②適用事業所全喪届 ➡適用事業所に不該当となった場合		
	③事業主の氏名等変更届		
	④事業主変更届 ➡変更後の事業主のみが行う。		
	⑤事業主代理人選任・解任届	あらかじめ	
厚年	①新規適用事業所の届出	5日以内	大臣（機構）
	②適用事業所全喪届		
	③事業主の氏名等変更届	健保と同じ	
	④事業主変更届		
	⑤事業主代理人選任・解任届	あらかじめ	

1 「遅滞なく」及び「速やかに」は、ともに即時の行動を求める用語です。「遅滞なく」の方がやや強く即時性を求めていますが、法令上の用例は必ずしも一貫していません。

2 原則として、70歳以上の在職老齢年金（➡厚年P247）の対象者（＝適用事業所に使用され、かつ、適用除外に該当しない70歳以上の者）に該当した場合又は該当しなくなった場合に行う届出です。

3 このほか、【雇用】高年齢雇用継続基本給付金・育児休業給付の支給申請、【健保・厚年】算定基礎届・報酬月額変更届・賞与支払届、【徴収】年度更新の申告書等についても、電子申請が必要です。

4 確認とは、法律関係又は特定の事実の存否を判断し、確かめる行為のことです。確認が行われなければ、保険料が徴収されず、結果として給付を受ける権利も発生しないことになります。

届出（2）

Point
- 標準報酬に関する届出は、健康保険と厚生年金保険で共通しています。
- 被保険者本人が行う届出＝「10日以内」か「5日以内」かに注意です。
- 2以上の事業所に同時に使用される者に係る届出期限は「10日以内」です。

1 標準報酬に関する届出

事業主が行う健康保険及び厚生年金保険に共通する届出として、「**標準報酬に関する届出**」があります。具体的には、以下の届出に記載された報酬月額又は賞与額に基づいて、標準報酬月額及び標準賞与額が決定されることになります。

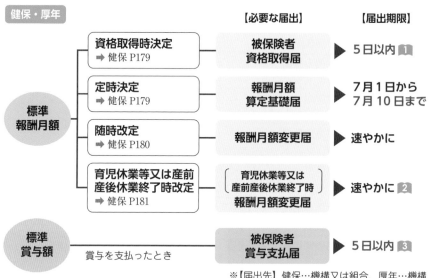

	【必要な届出】	【届出期限】
資格取得時決定 ➡ 健保 P179	被保険者資格取得届	▶ 5日以内 ■
定時決定 ➡ 健保 P179	報酬月額算定基礎届	▶ 7月1日から7月10日まで
随時改定 ➡ 健保 P180	報酬月額変更届	▶ 速やかに
育児休業等又は産前産後休業終了時改定 ➡ 健保 P181	育児休業等又は産前産後休業終了時報酬月額変更届	▶ 速やかに ■

健保・厚年／標準報酬月額

標準賞与額／賞与を支払ったとき／被保険者賞与支払届 ▶ 5日以内 ■

※【届出先】健保…機構又は組合、厚年…機構

2 被保険者本人が行う主な届出

（1）2以上の事業所に同時に使用される者が行う届出

健康保険及び厚生年金保険では、**2以上の事業所に使用される者**については、要件を満たしていれば、同時に2以上の事業所で被保険者として取り扱われます。

この場合には、その者の事務処理を一本化すること等を目的として、**10日以内**に、**被保険者本人が届出を行わなければならない**こととされています。

	届出の種類	届出期限	届出先
健保	①保険者の選択の届出	10日以内	大臣（機構）又は組合
	②年金事務所の選択の届出		
	③2以上の事業所勤務の届出		
厚年	①年金事務所の選択の届出	10日以内	大臣（機構）
	②2以上の事業所勤務の届出 （健保②③と同じ）		

　　上表の「健保」について、①は「保険者が2以上」ある場合（協会と組合、異なる組合など）、②は協会管掌健康保険に係る事務が「2以上の年金事務所」に分掌されている場合、③は①②以外の場合の届出です。
　　たとえば、保険者がいずれも協会であって、新宿と品川にある複数の事業所に勤務する場合のように、日本年金機構の事務が2以上の年金事務所に分掌されているときは「年金事務所の選択の届出」を行い、新宿のみにある複数の事業所に勤務するときは「2以上の事業所勤務の届出」を行います。

（2）被保険者が行うその他の主な届出

健康保険及び厚生年金保険におけるその他の届出として、次のものがあります。

	届出の種類	届出期限	届出先
健保	①被扶養者（異動）届　➡被扶養者を有する場合や異動がある場合	5日以内	大臣（機構）又は組合　※事業主を経由する
	②介護保険第2号被保険者該当・非該当の届出	遅滞なく	
	③任意継続被保険者の氏名・住所変更の届出	5日以内	保険者
厚年	①適用事業所に使用される高齢任意加入被保険者の氏名・住所変更の届出 4	10日以内	大臣（機構）
	②第4種被保険者の氏名・住所変更の届出		

1 健康保険及び厚生年金保険の被保険者資格取得届には、資格取得時決定を行う観点から、初任給等に基づく報酬月額を記載することとされています。

2 育児休業等又は産前産後休業終了時改定の申出は、事業主を経由して行います。被保険者からの申出に基づき、報酬月額変更届を速やかに提出することによって、標準報酬月額が改定されます。

3 賞与支払届は5日以内ですが、賞与に係る保険料の納付期日は「翌月末日」です（➡健保P191）。

4 厚生労働大臣が機構保存本人確認情報を確認できる者については、この①の届出は不要です。

届出（3）

Point
- 国民年金の届出期限は、「14日以内」が基本です。
- 国民年金の第2号被保険者本人には、届出義務はありません。
- 年金の受給権者については、多様な届出が義務づけられています。

1 国民年金の被保険者本人が行う主な届出

国民年金の被保険者が行う届出は、次表のとおりです。なお、届出義務を負うのは、強制被保険者のうち、**第1号被保険者及び第3号被保険者**です。

届出の種類	届出期限	届出先（➡国年P196）
①資格取得の届出 ②資格喪失の届出 ➡死亡・60歳に達したことによる喪失の場合は不要	14日以内	**第1号被保険者** ▶市町村長 **第3号被保険者** ▶厚生労働大臣 （機構） ※事業主等を経由する。
③種別変更の届出 ④種別確認の届出（第3号被保険者のみ）		
⑤氏名変更の届出 ⑥住所変更の届出 ⑦被保険者の死亡の届出 ➡戸籍法の規定による死亡の届出義務者が行う。		

★種別変更の届出（上記③）

たとえば、婚姻（共働き）をしている第2号被保険者である女性が退職をして被扶養配偶者となった場合には、第3号被保険者に種別が変更するため、14日以内に、厚生労働大臣に対して、種別変更の届出を行わなければなりません。

★種別確認の届出（上記④）

第3号被保険者の配偶者である第2号被保険者が、転職等により（実施機関が）**異なる制度に加入**した場合（民間被用者⇔公務員など）に行う届出です。

【例】
転職
国家公務員 ➡ 民間被用者 ▶ 種別確認の届出が必要
第2号被保険者（配偶者）　引き続き異なる制度に加入　第3号被保険者

② 年金の受給権者に関する主な届出

　届出の最後は、国民年金と厚生年金保険（民間被用者）の「**年金の受給権者に関する届出**」のうち、主なものをまとめています。

	届出の種類	届出期限
国年	①受給権者の氏名変更の届出・住所変更の届出 **4**	14日以内
	②障害基礎年金の受給権者が子を有するに至ったときの届出	
	③加算額対象者の不該当の届出	
	④遺族基礎年金の失権の届出	
	⑤受給権者の死亡の届出 **5**	
	⑥寡婦年金の失権の届出	
	⑦障害基礎年金の受給権者の障害状態不該当の届出	速やかに
厚年	①受給権者の氏名変更の届出・住所変更の届出 **4**	10日以内
	②障害厚生年金の受給権者が配偶者を有するに至ったときの届出	
	③加給年金額対象者の不該当の届出	
	④遺族厚生年金の失権の届出	
	⑤受給権者の死亡の届出 **5**	
	⑥障害厚生年金の受給権者の障害不該当の届出	速やかに
共通	①現況の届出（現況届）➡生存を確認するための届出 **4**	大臣が指定する日 ➡誕生月の末日
	②生計維持確認届 ➡加算額・加給年金額対象者がある場合に毎年提出	
	③障害状態確認届 ➡障害状態にある受給権者が1～5年ごとに提出	
	④世帯員が行う所在不明の届出 ➡受給権者が1ヵ月以上所在不明	速やかに

※届出先…すべて厚生労働大臣（機構）

1 第1号被保険者の属する世帯の世帯主は、本人に代わって届出をすることができます。第2号被保険者については、厚生年金保険制度で事業主が届出を行うため、本人に届出義務はありません。

2 20歳に達したことによりその資格を取得する場合に、厚生労働大臣が機構保存本人確認情報により20歳に達した事実を確認できるときは、「第1号被保険者の資格取得の届出」は不要です。

3 被保険者の種別とは、第1号被保険者、第2号被保険者又は第3号被保険者のいずれであるかの区別をいいます。第1号被保険者又は第3号被保険者への種別変更の際に届出が必要です。

4 氏名変更の届出・住所変更の届出と現況の届出は、厚生労働大臣が機構保存本人確認情報を確認できる者については不要です（海外居住者等のみが行えば足りる。）。

5 戸籍法の規定による死亡の届出義務者に届出義務があります。なお、死亡の日から7日以内に戸籍法の規定による死亡の届出をした場合には、被保険者と受給権者の死亡の届出は不要です。

6 「民間被用者⇔民間被用者」など加入する制度が前後で同じときは、種別確認の届出は不要です。

1 労基
2 安衛
3 労災
4 雇用
5 徴収
6 労一
7 健保
8 国年
9 厚年
10 社一
11 横断①
12 横断②

未支給給付の取扱い

Point →
- 未支給給付は、一定の遺族が「自己の名で」請求することができます。
- 請求権者の範囲は、制度により異なるため、注意して押さえましょう。
- 雇用保険の未支給の失業等給付等のみに、請求期限の定めがあります。

1 未支給給付とは？

社会保険の各種の給付の支給を受けることができる者が**死亡**した場合において、**死亡した者に支給すべき給付でまだ支給されていないもの**を、本書では「未支給給付」と記載しています。未支給給付（主要なもの）については、労災保険、雇用保険、国民年金及び厚生年金保険において、一定の遺族が、**自己の名で**（遺族本人の固有の権利として）、請求することができる旨が定められています。

死亡した者に支給すべき給付でまだ支給されていないもの **1** ＝
【労災】未支給の保険給付
【雇用】未支給の失業等給付等
【国年】未支給年金
【厚年】未支給の保険給付
▶ 一定の遺族が自己の名で請求可能

※健保には規定なし
※失業等給付等…失業等給付及び育児休業等給付のこと（以下同じ。）

2 請求権者となる「一定の遺族」とは？

次表の者のうち、最先順位者が、未支給給付の請求権者となります。

	対象		請求権者（順位は記載の順序による）
労災	未支給の保険給付	遺族（補償）等年金以外の保険給付	受給権者の死亡の当時その者と**生計を同じくしていた**①配偶者、②子、③父母、④孫、⑤祖父母、⑥兄弟姉妹
		遺族（補償）等年金	遺族（補償）等年金を受けることができる他の遺族 ➡同順位者又は次順位者のこと
雇用	未支給の失業等給付等		受給資格者等の死亡の当時その者と**生計を同じくしていた**①配偶者、②子、③父母、④孫、⑤祖父母、⑥兄弟姉妹
国年	未支給年金		受給権者の死亡の当時その者と**生計を同じくしていた**①配偶者、②子、③父母、④孫、⑤祖父母、⑥兄弟姉妹、
厚年	未支給の保険給付		⑦これらの者（上記①～⑥）以外の**3親等内の親族**

1 労基

2 安衛

3 労災

4 雇用

5 徴収

6 労一

7 健保

8 国年

9 厚年

10 社一

11 横断①

12 横断②

各制度とも原則的には、**生計を同じくしていた**「**配偶者、子、父母、孫、祖父母又は兄弟姉妹**」が請求権者となります。次の①②に注意しておきましょう。

① **労災の場合**……未支給の遺族（補償）等年金については、転給の制度（➡ 労災P109）があることから、**同順位者**又は**次順位者**が請求権者となります。

【例】

70歳 **母** ＝次順位者 ──────→ 請求○

亡 ─ **妻** 死亡 ▶ **未支給の 遺族（補償）等年金**

30歳 **子** ＝受給資格なし ──────→ 請求✕

② **国年・厚年の場合**……**3親等内の親族**（➡ 健保P176）が含まれており、甥姪、子の配偶者、伯叔父母、曾孫、曾祖父母なども請求権者となり得ます。

たとえば…

　3親等内の親族が2人以上あるときは、親等数にかかわらず、これらの者は同順位者となります。たとえば、他に先順位者がいない場合において、「子の配偶者（＝1親等の姻族）」と「叔母（＝3親等の血族）」のみが遺族であるときは、「子の配偶者」と「叔母」の両者が、国民年金の未支給年金及び厚生年金保険の未支給の保険給付の請求権者となります。

3 請求期限等

(1) 請求期限（雇用のみ）

　雇用保険の未支給の失業等給付等**のみ**に請求期限の定めがあり、「受給資格者等が**死亡した日の翌日から起算して6ヵ月以内**」に請求しなければならないこととされています。なお、他の制度では、請求期限の定めは特にありません。**3**

(2) 同順位の請求権者が2人以上あるとき（共通）

　同順位者が2人以上あるときは、その1人のした請求は、全員のためその全額につきしたものとみなし、その1人に対してした支給は、全員に対してしたものとみなされます。つまり、**最も早く請求した者に全額支給**されます。

1 基本的には、すべての給付が対象となりますが、国民年金では未支給「年金」であり、年金給付のみを対象としています。つまり、死亡一時金は対象となりません。

2 健康保険には、未支給給付に関する規定がありません（民法上の相続人が受領する。）。

3 他の制度では、時効によって処理されます。たとえば、未支給給付が年金であれば、支給事由の発生から5年が経過したときは、基本的にその権利は時効によって消滅します。なお、雇用保険の未支給の失業等給付等は、請求期限の経過後でも、時効（2年）の期間内であれば請求可能です。

Lesson

7 死亡の推定、不正受給の取扱い

- 死亡の推定の規定は、「船舶と航空機」の事故に限り、適用されます。
- 死亡の推定では、「3ヵ月」「さかのぼる」「推定する」がキーワードです。
- 不正受給に関する規定は、社会保険でほぼ共通した内容となっています。

1 死亡の推定

(1) 死亡の推定とは？

　労災保険、国民年金及び厚生年金保険では、**船舶と航空機の事故に限り**、労働者や被保険者の生死が**3ヵ月間不明**である場合等においては、次図の死亡に関する保険給付について、その死亡に関して、「**死亡の推定**」の規定が適用されます。遺族に対する迅速な保護を目的としています。**1**

労災	遺族補償給付、葬祭料、障害補償年金差額一時金、遺族給付、葬祭給付、障害年金差額一時金
国年	遺族基礎年金、寡婦年金、死亡一時金
厚年	遺族厚生年金

3ヵ月間生死不明
死亡の推定
迅速に給付

(2) 死亡の推定までの流れ

　死亡の推定までの流れは、次のとおりです（航空機の事故の場合も同様）。

対象者	①船舶が沈没し、転覆し、滅失し、又は行方不明となった際現にその船舶に乗っていた労働者（国年・厚年では「被保険者又は被保険者であった者」） ②船舶は沈没等していないが、船舶に乗っていてその船舶の航行中に行方不明となった労働者（国年・厚年では「被保険者又は被保険者であった者」）

⬇

要件	①上記の者の生死が**3ヵ月間**分からない場合　又は ②上記の者の死亡が**3ヵ月以内**に明らかとなり、かつ、その死亡の時期が分からない場合

⬇

取扱い	船舶が沈没し、転覆し、滅失し、若しくは行方不明となった日又はその者が行方不明となった日に（**さかのぼって**）死亡したものと**推定する**。**2**

❷ 不正受給の取扱い

　ここでは、労災保険、雇用保険、健康保険、国民年金及び厚生年金保険の5つの制度について、偽りその他不正の行為（手段）により給付を受けた者（**不正受給者**）に関する不正受給金の徴収等の規定を比較しています。

　なお、表中の【連帯の対象者】とは、不正受給が事業主等の虚偽の報告・証明等に基づく場合（事業主等が不正に加担した場合）に、不正受給者と**連帯**して、不正受給金の納付等を命ずることができるときの対象者を示しています。

	規定の名称	不正受給者に対して行われること（いずれも任意規定）
労災	不正受給者からの費用徴収	政府は、保険給付に要した費用に相当する金額の全部又は一部を不正受給者から徴収することができる。 【連帯の対象者】➡**事業主**
雇用	返還命令等 ➡雇用P114	政府は、不正受給者に対して、支給した失業等給付等の全部又は一部の**返還命令**及び不正受給額の**2倍**相当額以下の金額の**納付命令**をすることができる。 【連帯の対象者】➡**事業主、職業紹介事業者等、募集情報等提供事業（=求人情報サイト等）を行う者、指定教育訓練実施者**
健保	不正利得の徴収等	保険者は、不正受給者からその給付の価額の全部又は一部を徴収することができる。 【連帯の対象者】➡**事業主、保険医、主治の医師**
		上記のほか、保険者は、**保険医療機関等**が**診療報酬 ❸** を不正受給した場合には、その支払った額につき返還させるほか、その返還させる額に**100分の40**を乗じて得た額を支払わせることができる。
国年	不正利得の徴収	厚生労働大臣は、受給額に相当する金額の全部又は一部を不正受給者から徴収することができる。 【連帯の対象者】➡**なし**
厚年	不正利得の徴収	実施機関は、受給額に相当する金額の全部又は一部を不正受給者から徴収することができる。 【連帯の対象者】➡**なし**

❶ 民法の「失踪の宣告」では、生死が原則7年間分からないときに、行方不明者を死亡したものとみなします。社会保険制度では、迅速な保護を図るため、「死亡の推定」の規定を設けています。

❷ 「推定」の場合は、それと異なる事実があれば反証が許されます。一方、「みなす」の場合は、反証が許されません（覆すには、裁判所の判決・審判等が必要）。意味の違いに注意しましょう。

❸ 「診療報酬」とは、健康保険制度（保険者）から保険医療機関等（病院等）に対して支払われる医療費のことです。診療報酬の不正受給については、40%の加算金の徴収が可能となっています。

1 労基
2 安衛
3 労災
4 雇用
5 徴収
6 労一
7 健保
8 国年
9 厚年
10 社一
11 横断①
12 横断②

受給権の保護等

- 受給権については、「譲渡・担保提供・差押え」が原則禁止です。
- 社会保険の給付は、原則として「非課税」です。
- それぞれ「例外」を意識して押さえることが重要です。

1 受給権の保護

　このレッスンでは、労災保険、雇用保険、健康保険、国民年金及び厚生年金保険の5つの制度について**受給権の保護**及び**公課の禁止**の規定を比較します。

例外を押さえることが重要です！

　まず、社会保険制度では、共通して、給付が確実に行われるようにするため、給付を受ける権利（受給権）について、「**譲り渡し、担保に供し、又は差し押さえる**ことが**できない**」とする**受給権の保護**の規定が置かれています。

　ただし、例外があるものも存在し、これをまとめると次表のとおりです。

制度	受給権の保護の例外
労災	例外なし
雇用	例外なし
健保	例外なし
国年	**老齢基礎年金、付加年金及び脱退一時金**（➡ P311）を受ける権利は、国税滞納処分（その例による処分を含む。）により差し押さえることができる。
厚年	**老齢厚生年金及び脱退一時金**（➡ P311）を受ける権利は、国税滞納処分（その例による処分を含む。）により差し押さえることができる。

たとえば…

付帯事業である労災保険の特別支給金や雇用保険の雇用保険二事業として支給される助成金も前記の受給権の保護の対象となるのでしょうか？

答えは…、対象となりません。いずれも給付（労災保険では保険給付、雇用保険では失業等給付等）には該当しないためです。受給権の保護の規定は、給付を受ける権利のみを保護の対象としています。

★労災保険に特有の受給権の保護規定

前記のほか、**労災保険**では、「保険給付を受ける権利は、労働者の**退職によって変更されることはない。**」という特有の規定が置かれています。つまり、要件に該当する限り、退職後であっても支給されることが明確にされています。

2 公課の禁止

社会保険制度では、**租税その他の公課**❶は、給付として支給を受けた金銭（現物給付がある制度では「金品」）を標準として**課することができない**ものとされています。つまり、社会保険の給付は、原則として、**非課税**です。

ただし、**例外**があるものも存在し、これをまとめると次表のとおりです。

制度	公課の禁止の例外
労災	例外なし（すべての保険給付が非課税）❷
雇用	例外なし（すべての失業等給付等が非課税）
健保	例外なし（すべての保険給付が非課税）
国年	老齢基礎年金及び付加年金については、課税することができる。❸
厚年	老齢厚生年金については、課税することができる。❸

例外をおおまかに捉えると…

譲渡	担保提供	差押え	公課
▼	▼	▼	▼
なし	なし	老齢給付 脱退一時金	老齢給付

❶ 「その他の公課」とは、国又は地方公共団体が公の目的のため課するもののうち、租税以外のものをいいます。各種の負担金、分担金、国民健康保険の保険料などがこれに該当します。

❷ なお、労災保険の特別支給金についても、税法上の非課税所得として取り扱われています。

❸ 脱退一時金は、税法上、退職所得とみなされます（厚生年金保険の脱退一時金は源泉徴収あり）。

1 労基
2 安衛
3 労災
4 雇用
5 徴収
6 労一
7 健保
8 国年
9 厚年
10 社一
11 横断①
12 横断②

年金の支給期間、支払期月等

- 年金の支給期間は、「受給権の発生月の翌月から消滅月まで」です。
- 年金の支給停止期間の考え方も同様であり、「翌月から当月まで」です。
- 年金の支払期月は年6回の偶数月であり、その前月分までが支払われます。

■ 年金の「基本権」と「支分権」とは？

このレッスンでは、年金が支給される社会保険制度である労災保険、国民年金及び厚生年金保険について、その年金の支払いのルールを説明します。

まず、少し難しいですが、年金の**基本権**と**支分権**という用語を説明しておきます。**基本権**とは、「年金の支給を受ける権利（受給権）そのもの」のことです。基本権は請求等に基づき確定します。これに対し、**支分権**とは、確定した基本権に基づいて、支払期月ごとに法律上当然に生じる「具体的な年金の支払いを受ける権利」のことです。以下では、年金の支払いに関するルールを記載していますが、これらはいずれも支分権について定めたものです。■ 2

2 年金の支給期間と支給停止期間

（1）年金の支給期間

年金の支給は、**月を単位**として行われ、年金を支給すべき事由が**生じた月の翌月**から始め、権利が**消滅した月**で終わります。

たとえば、4月に受給権（基本権）が発生したときは、その翌月の5月分の年金から具体的な支払いを受ける権利（支分権）が発生します。また、12月に受給権が消滅したときは、12月分の年金まで支払いを受けることができます。

【例】

受給権発生								受給権消滅
4月	5月	6月	7月	8月	9月	10月	11月	12月

翌月　　　　　　　　　　　　　　　　　　　　　当月

← 年金の支給期間 →

（2）年金の支給停止期間

年金は、その支給を停止すべき事由が生じたときは、その事由が生じた月の**翌月**からその事由が**消滅した月**までの間は、支給しません。 ■3

たとえば…

　たとえば、年金の受給権が4月に発生し、その4月中に受給権が消滅してしまった場合には、年金は支給されるのでしょうか？

　答えは…、支給されません。この場合には、年金の基本権は発生していますが、具体的な支払いを受ける支分権は発生していない（支分権は、基本権が発生した月の翌月から発生する）と解されているためです。

③ 年金の支払期月

　それでは次に、年金が「いつ支払われるのか」について説明します。年金が支払われる月のことを支払期月といい、これは次のように定められています。

　年金は、**毎年2月、4月、6月、8月、10月及び12月**（偶数月）の**6期**にそれぞれ**その前月分まで**が支払われます。

※「年金額÷6」による額がそれぞれの支払期月に支払われる。

★支払期月の例外

　次の年金は、支払期月でない月（奇数月）であっても支払われます。

労災	支給を受ける権利が消滅した場合におけるその期の年金 **4**
国年 厚年	①前支払期月に支払うべきであった年金 **5** ②権利が消滅した場合又は年金の支給を停止した場合におけるその期の年金

> **1** 「年金の支給期間」は、年金の支分権が「いつからいつまで発生するのか」を定めたものです。
>
> **2** 「支給停止」とは、支分権を一定期間行使することができない状態のことをいいます。基本権は存在しているため、支給停止期間が終了すれば、年金は再び支給されることになります。
>
> **3** 期間の取り方の考え方は、支給期間と同じです。「翌月から当月まで」と覚えましょう。
>
> **4** たとえば、12月に受給権が消滅した場合において、その「12月分」の年金の本来の支払期月は翌年の2月ですが、2月を待たずに1月（奇数月）に年金が支払われるということです。
>
> **5** たとえば、公的年金の裁定請求が遅れた場合には、裁定後の支払期月を待たずに、すでに経過してしまった月分の年金は支払期月でない月（奇数月）でも支払われるということです。

年金額等の改定ルール（公的年金）

Point

- 年金額等は、「改定率」と「再評価率」の改定により、毎年度改定されます。
- 新規裁定者＝「賃金」、既裁定者＝「物価」が原則的な改定基準となります。
- 調整期間中はマクロ経済スライドにより、給付水準が抑制されます。

1 年金額等の改定の基本的な考え方

　このレッスンでは、公的年金（国民年金と厚生年金保険）の「年金額等の改定ルール」について、基本事項を確認していきます。

　年金額等は、①国民年金の老齢基礎年金の満額等については法定額に乗じる「**改定率**」**1**を、②厚生年金保険の報酬比例の年金額等については標準報酬に係る「**再評価率**」**2**を、加給年金額等の定額で支給するものは国民年金と同じ「**改定率**」**1**を改定することにより、**毎年度、自動的に改定**されます（次図）。**3**

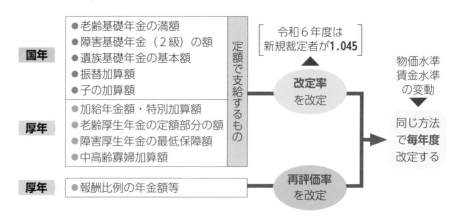

2 原則的な改定の方法

　改定率及び再評価率は、同じ方法で、毎年度改定されます。これらの率は、原則として、受給権者の年齢に応じて、次の率を基準として改定されます。

　① **68歳に達する年度前**にある受給権者（新規裁定者）に係る改定基準

　　➡**名目手取り賃金変動率**（＝賃金水準の変動により改定）

　② **68歳に達する年度以後**にある受給権者（既裁定者）に係る改定基準

　　➡**物価変動率**（＝物価水準の変動により改定）

1 労基
2 安衛
3 労災
4 雇用
5 徴収
6 労一
7 健保
8 国年
9 厚年
10 社一
11 横断①
12 横断②

❸ マクロ経済スライドによる改定の方法（現在はこれにより改定）

　マクロ経済スライドとは、賃金や物価のほか、現役世代の減少（被保険者数の減少）及び平均余命の伸びという年金財政にマイナスとなる要素を「調整率」という形で年金額等に反映し、給付水準を自動的に調整（抑制）する仕組みです。

　マクロ経済スライドが行われる期間を調整期間といい、調整期間中の改定率及び再評価率は、受給権者の年齢に応じて、次の率を基準として改定されます。

　① 68歳に達する年度前にある受給権者（新規裁定者）に係る改定基準

　　➡名目手取り賃金変動率×調整率×前年度の特別調整率（未調整分） 4

　② 68歳に達する年度以後にある受給権者（既裁定者）に係る改定基準

　　➡物価変動率×調整率×前年度の特別調整率（未調整分） 4

★調整率（スライド調整率）とは？

　調整率とは、公的年金被保険者総数変動率に平均余命の伸び率である0.997（－0.3％）を乗じて得た率のことです。

★マクロ経済スライドの名目下限について

　現在のマクロ経済スライドによる調整は、次図のように、いわゆる名目額を下回らない範囲で行われます。賃金や物価が下落したときには、行われません。 4

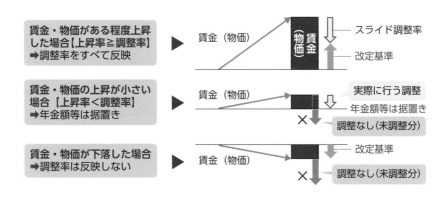

---

❶ 老齢基礎年金の満額等は「780,900円×改定率」、子の加算額・加給年金額は「224,700円×改定率」（第3子以降の子に係る額は「74,900円×改定率」）によって計算されます（法定額）。

❷ 再評価率（➡厚年P239）は、厚生年金保険の被保険者であった月の属する期間及び受給権者の生年月日に応じて、きめ細かく定められています。この細かい数字を覚える必要はありません。

❸ 国民年金の付加年金及び死亡一時金は自動改定の対象外です。

❹ 未調整分（図の紫色の部分）は、翌年度以降に繰り越され、その後、賃金・物価が上昇した際に、その上昇の範囲内で、「特別調整率」として年金額に反映されます（未調整分のキャリーオーバー）。

横断① Lesson 11 端数処理に関するルール

Point → ● 端数処理については、大まかに捉えておき、直前期に改めて確認しましょう。
● 特に公的年金の端数処理の方法に注意しておきましょう。
● 公的年金では、毎支払期月における支払額の端数処理の方法が特徴的です。

1 端数処理のまとめ①：労災・徴収・健保

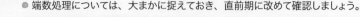

　端数処理については、細かなものを含めると数多くのルールがあります。このレッスンでは、主要な法令の主な端数処理の方法についてまとめています。

　以下では、**太字**と赤字の部分を中心に確認しておけばよいでしょう。

制度	対象となる額	端数処理の方法（略記）
労災	**給付基礎日額**➡労災P101	**1円未満切上げ**
	自動変更対象額 ❶	10円未満四捨五入
徴収	**賃金総額**➡徴収P144	**1,000円未満切捨て**
	一般保険料等の額➡徴収P144等	1円未満切捨て（※一般法による。）
	延納の場合の納付額➡徴収P149	1円未満の端数は、すべて**最初の期分にまとめて納付する**。❷
	追徴金に係る保険料額➡徴収P139	1,000円未満切捨て
健保	**標準賞与額**➡健保P181	**1,000円未満切捨て**
	一部負担金（自己負担額）➡健保P183	**10円未満四捨五入**
	傷病手当金・出産手当金の額➡健保P186、189	1円未満四捨五入 ※計算過程の「標準報酬月額の平均額×1/30」は10円未満四捨五入
	高額療養費算定基準額➡健保P187	1円未満四捨五入

※「一般法」とは、国等の債権債務等の金額の端数計算に関する法律のことである。

たとえば…

　このレッスンの表中に記載されているもの以外で注意しておきたいものに「延滞金」に関する端数処理があります。その方法は、各制度共通で、基本的に、①延滞金の額の計算の対象となる保険料額＝1,000円未満切捨て、②計算後の延滞金の額＝100円未満切捨てとなりますが、国民年金の延滞金のみ、①＝500円未満切捨て、②＝50円未満切捨てとなります。➡P319

2 端数処理のまとめ②：国年・厚年

ここでは、国民年金及び厚生年金保険の端数処理の方法をまとめています。

制度	対象となる額	端数処理の方法（略記）
共通	年金給付・保険給付の額（裁定時・改定時）	1円未満四捨五入
	年金給付・保険給付の額の計算過程	1円未満四捨五入（任意）
	毎支払期月における年金の支払額	1円未満切捨て
	➡毎年3月から翌年2月までの間に上記により切り捨てた金額の合計額（1円未満切捨て）は、当該2月の支払期月の年金額に加算して支払う。**3**	
国年	老齢基礎年金の満額 **4** ➡国年P207	100円未満四捨五入
	2級の障害基礎年金の額 **5** ➡国年P214	
	遺族基礎年金の基本額➡国年P218	
	子の加算額➡国年P214、218	
	保険料の額➡国年P222	10円未満四捨五入
厚年	加給年金額・特別加算額➡厚年P246、250	100円未満四捨五入
	障害厚生年金の最低保障額➡厚年P250	
	中高齢寡婦加算額➡厚年P255	
	老齢厚生年金の定額部分の単価➡厚年P244	1円未満四捨五入
	標準賞与額	1,000円未満切捨て
	在職老齢年金の支給停止調整額➡厚年P247	1万円未満四捨五入

【例】 特別支給の老齢厚生年金の端数処理（上表の「共通」の例）

| 報酬比例部分の額 / 定額部分の額 | ➡ | 合計額（裁定時・改定時） | ➡ | 毎支払期月の支払額 |

それぞれ1円未満四捨五入（計算過程の端数処理）　1円未満四捨五入　1円未満切捨て⇨2月に加算

1 労災保険の自動変更対象額とは、給付基礎日額の最低保障額（約4,000円）のことです。

2 たとえば、概算保険料の額が200万円で延納回数が3回である場合の各期の納付額は、端数を第1期にまとめて、①第1期666,668円、②第2期666,666円、③第3期666,666円となります。

3 たとえば、年金額が50万円である場合（50万円÷6期＝83,333.333…円）には、4月・6月・8月・10月・12月の支払額はそれぞれ83,333円、翌年2月の支払額は83,335円となります。

4 満額ではない「フルペンション減額方式」による額の端数処理は、1円未満四捨五入となります。

5 障害等級「1級」の額（2級の額×100分の125）の端数処理は、1円未満四捨五入となります。

297

制度間の主な支給の調整

- 労災保険と公的年金との調整は、労災保険給付が減額支給となります。
- 老齢厚生年金との調整の対象は、「基本手当及び高年齢雇用継続給付」です。
- 健康保険の傷病手当金は、多くの給付や報酬との調整が行われます。

1 労災保険と公的年金との調整

　社会保険制度では、同一の事由等について異なる制度から複数の給付が行われることがあります。このレッスンでは、この場合の調整規定を確認します。

　まず、労災保険と公的年金との調整です。**同一の事由による障害又は死亡**について、労災保険の保険給付と国民年金・厚生年金保険の年金が支給される場合には、**労災保険の保険給付が**減額して支給されます（公的年金は100%支給）。**1**

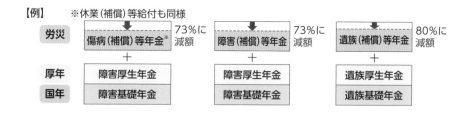

【例】　※休業（補償）等給付も同様

労災	傷病（補償）等年金※	73%に減額
厚年	障害厚生年金	
国年	障害基礎年金	

障害（補償）等年金	73%に減額
障害厚生年金	
障害基礎年金	

遺族（補償）等年金	80%に減額
遺族厚生年金	
遺族基礎年金	

2 雇用保険と厚生年金保険との調整

　雇用保険と厚生年金保険との調整は、「**基本手当と老齢厚生年金**」及び「**高年齢雇用継続給付と老齢厚生年金（在職老齢年金）**」の間でのみ行われます。**2**

　基本的な理解としては、**雇用保険の給付が優先して支給される**というイメージを捉えてください。その概要は、次表のとおりです。

調整の対象	基本手当と老齢厚生年金	高年齢雇用継続給付と在職老齢年金
調整の方法	老齢厚生年金を全額支給停止（基本手当を優先支給）	在職老齢年金による支給停止に加えて、さらに標準報酬月額の4% [改正]の範囲内で老齢厚生年金を支給停止
対象者	65歳未満の者（失業者）	65歳未満の被保険者

★基本手当と老齢厚生年金との調整

　老齢厚生年金の支給が停止される期間（調整対象期間）は、基本手当に係る**求職の申込みがあった月の翌月**から、①基本手当の**受給期間が経過した月**又は②所定給付日数分の基本手当の**支給を受け終わった月**までです。

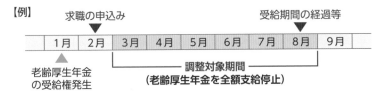

【例】

| | 1月 | 2月 | 3月 | 4月 | 5月 | 6月 | 7月 | 8月 | 9月 |

求職の申込み　　　　　　　　　　　　　　　　　受給期間の経過等

老齢厚生年金の受給権発生

調整対象期間（老齢厚生年金を全額支給停止）

★高年齢雇用継続給付と在職老齢年金との調整

　高年齢雇用継続給付が多く支給される場合に、年金が多く支給停止とされる仕組みとなっており、高年齢雇用継続給付の給付率が最も高い10％となる場合（➡雇用P131）に、年金の支給停止率が最も高い4％となります。 改正 3

3 健康保険と他の制度等との調整

　最後に、健康保険と他の制度等との調整です。ここでは、傷病手当金及び出産手当金に関して、各種の原則的な調整方法を記載しています。

傷病手当金と出産手当金との調整	●出産手当金が支給されるときは、**傷病手当金は不支給**（※出産手当金の額が傷病手当金の額より少ないとき➡差額支給） ●傷病手当金が支払われたとき➡出産手当金の内払いとみなす。
報酬との調整	●報酬が支払われるときは、**傷病手当金・出産手当金は不支給**（※報酬の額が手当金の額より少ないとき➡差額支給）
傷病手当金と他の制度との調整 ▼ 傷病手当金に特有	●次の給付が支給されるときは、**傷病手当金は不支給**（※その額（①②は360で割った額）が傷病手当金の額より少ないとき➡差額支給） 　①同一の傷病に基づく障害厚生年金・障害基礎年金等 　②資格喪失後に受ける老齢厚生年金・老齢基礎年金等 　③労災保険の休業（補償）等給付

1 調整率（減額後の支給割合）は、給付の組合せにより73％〜88％の範囲で定められています。ここでは、「労災保険の保険給付が減額される」ことのみを理解しておけば十分です。

2 雇用保険の給付との調整が行われるのは、老齢厚生年金のみです（障害厚生年金と遺族厚生年金は対象外）。また、基本手当及び高年齢雇用継続給付以外の給付とは、調整が行われません。

3 高年齢雇用継続給付が支給されない場合（低下後の賃金割合75％以上）は、調整が行われません。

1 労基
2 安衛
3 労災
4 雇用
5 徴収
6 労一
7 健保
8 国年
9 厚年
10 社一
11 横断①
12 横断②

該当レッスン	Let's チャレンジ ○×問題・穴うめ問題
Lesson 1・2 労働者、使用者、賃金等の定義／被保険者の資格の得喪時期	**○×** **1** 労働組合法の労働者には、失業者が含まれる。 **○×** **2** 任意適用事業所の取消しの認可があった場合であっても、健康保険の一般の被保険者は、その資格を喪失しない。 **○×** **3** 厚生年金保険の任意単独被保険者は、70歳に達した日の翌日にその資格を喪失する。
Lesson 3～5 届出	**○×** **4** 健康保険の被保険者資格喪失届の提出期限は、10日以内である。 **○×** **5** 厚生年金保険の標準報酬月額の随時改定に係る報酬月額変更届については、速やかに、提出しなければならない。 **穴うめ** **6** 国民年金の第3号被保険者への種別変更の届出は、（A）以内に、（B）等を経由して、厚生労働大臣に対して行う必要がある。
Lesson 6 未支給給付の取扱い	**○×** **7** 甥姪は、国民年金の未支給年金の請求権者となり得る。 **穴うめ** **8** 雇用保険の未支給の失業等給付等は、受給資格者等が（C）した日の翌日から起算して（D）以内に請求しなければならない。
Lesson 7・8 死亡の推定、不正受給の取扱い／受給権の保護等	**○×** **9** 登山の途中に行方不明となり、生死が3ヵ月間分からない国民年金の被保険者については、死亡の推定の規定は適用されない。 **○×** **10** 健康保険において、不正受給者からその給付の価額の全部又は一部を徴収することができるのは、政府である。 **○×** **11** 老齢厚生年金については、課税することが認められている。
Lesson 9 年金の支給期間、支払期月等	**○×** **12** 公的年金の支払期月は、年6期の偶数月である。 **穴うめ** **13** 労災保険の年金たる保険給付の支給は、支給すべき事由が生じた（E）から始め、支給を受ける権利が消滅した（F）で終わる。
Lesson 10 年金額等の改定ルール	**○×** **14** 老齢基礎年金の満額は、毎年度、自動的に改定される。 **○×** **15** 調整率とは、公的年金被保険者総数変動率に平均余命の伸び率である0.997を乗じて得た率である。
Lesson 11 端数処理に関するルール	**○×** **16** 健康保険と厚生年金保険の標準賞与額はともに、支払われた賞与額の1,000円未満の端数を切り捨てることによって決定される。 **○×** **17** 国民年金の子の加算額の計算では1円未満の端数を切り捨てる。
Lesson 12 制度間の主な支給の調整	**○×** **18** 基本手当と障害厚生年金との間では、支給の調整は行われない。 **穴うめ** **19** （G）を支給すべき場合において傷病手当金が支払われたときは、その支払われた傷病手当金は、（G）の内払いとみなす。

解答 **1**○ **2**× 資格を（翌日に）喪失する。 **3**× 「翌日」ではなく「その日」に喪失する。 **4**× 「5日以内」である。 **5**○ **6**(A)14日 (B)事業主 **7**○ **8**(C)死亡 (D)6ヵ月 **9**○ **10**× 「政府」ではなく「保険者」である。 **11**○ **12**○ **13**(E)月の翌月 (F)月 **14**○ **15**○ **16**○ **17**× 100円未満の端数を四捨五入する。 **18**○ **19**(G)出産手当金

この章では、科目間の横断理解として、まとめて学習をすると効率的なテーマを取り上げています。

第**12**章

まとめて確認！
横断理解②

女性に関する制度等

Point →

● 女性労働者には、産前産後休業、育児時間、生理休暇などが認められます。
● 産前産後休業の期間は、出産予定日以前6週間～出産日後8週間が原則です。
● 妊娠中の女性と出産後1年を経過しない女性に対する解雇は、原則無効です。

❶ 産前産後休業等（労働基準法）

（1）産前産後休業

　女性については、母性を保護する観点から、労働基準法において様々な保護規定が設けられています。その中でも重要なのが次の産前産後休業です。**❶**

① **産前休業**……使用者は、**6週間**（双子以上の**多胎妊娠**の場合は14週間）**以内に出産する予定の女性が休業を請求した場合においては、その者を就業させてはなりません**。つまり、産前休業は、出産予定日以前6週間（多胎妊娠の場合は14週間）について、女性の請求により認められる**任意的な休業**です。

② **産後休業**……使用者は、**産後8週間を経過しない女性を就業させてはなりません**。産後休業は、出産日後8週間について、請求の有無にかかわらず就業が禁止される**絶対的な休業**です。ただし、**産後6週間を経過した女性が請求**した場合には、**医師が支障がないと認めた業務に就かせる**ことができます。

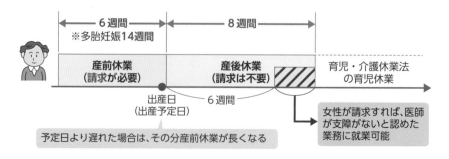

（2）軽易な業務への転換

　使用者は、**妊娠中の女性が請求**した場合においては、**他の軽易な業務に転換**させなければなりません。これは、妊娠中に就業する女性と胎児を保護するために、本人の希望に応じて負担の軽い業務に配置転換させる趣旨です（新たに業務を創設してまで転換させる必要はない。）。**妊娠中の女性（妊婦）のみ**が対象です。

1 労基
2 安衛
3 労災
4 雇用
5 徴収
6 労一
7 健保
8 国年
9 厚年
10 社一
11 横断①
12 横断②

（3）育児時間

　生後満1年に達しない生児 **2** を育てる**女性**は、**休憩時間のほか、1日2回各々少なくとも30分**、その生児を育てるための時間（**育児時間**）を**請求**することができます。**3** これは、女性労働者が、1歳未満の子に授乳その他の世話をするための時間を、休憩時間とは別に確保できるようにしたものです。女性のみが対象であり、**男性は対象外**です。

（4）生理休暇

　生理日の就業が著しく困難な女性は、**生理休暇を請求**することができます。休暇の日数に制限はありません。なお、生理休暇は、暦日単位である必要はなく、**半日や時間単位**であっても構いません。

たとえば…

　産前産後休業や育児時間、生理休暇を取得した日・時間について、賃金を支払う必要はあるのでしょうか？　答えは…、法律上は賃金を支払う義務はありません。労働基準法には、「ノーワーク・ノーペイの原則（労働なきところに賃金なし）」という考え方があるためです。有給とするか無給とするかは、労働者と使用者の話合いにより自由に決定することができます。

② 解雇無効（男女雇用機会均等法）

　これは男女雇用機会均等法の規定ですが、**妊娠中の女性労働者及び出産後1年**を経過しない女性労働者に対してなされた**解雇**は、**無効**となります。

　ただし、**事業主**が、その解雇が妊娠又は出産に関する事由を理由とする解雇でないことを**証明**したときは、無効となりません。**4**

妊娠中
産後1年以内　→　解雇　▶

原則	例外
無効	事業主が妊娠・出産等を理由とする解雇でないことを証明 ➡解雇有効

1 産前産後休業の期間については、健康保険の出産手当金の支給対象となります（➡健保P189）。

2 「生児」とは、その女性が出産した子であるか否かを問わないものとされています。

3 育児時間は、休憩時間とは異なり、労働時間の途中にある必要はありません。勤務時間の始めや終わりに接して請求することもできます（この場合は、勤務時間の繰下げ又は繰上げとなる。）。

4 産前産後休業の期間及びその後30日間は、妊娠又は出産に関する事由かどうかを問わず、解雇が制限されます（➡労基P56）。

年少者・児童に関する制度等

Point
- 労働基準法では、満18歳未満の者を「年少者」として特別に保護しています。
- 15歳年度末までの間にある「児童」の使用は、原則禁止です。
- 児童手当は、支給要件児童を監護する国内居住の父母等に支給します。

1 年少者等に係る特別の保護（労働基準法）

（1）特別の保護の対象となる年少者と児童

労働基準法では、特に年齢の低い者について、心身の発育や教育の機会を阻害しないよう特別の保護をしています。具体的には、主に次の**年少者**と**児童**を対象とした保護規定が定められています。**1** なお、年少者には児童も含まれます。

年少者		満18歳未満の者　➡労働時間等の特例など
	児童	満15歳に達した日以後の最初の３月31日（15歳年度末＝義務教育終了年度末）までの間にある者　➡原則使用禁止など

（2）児童の原則使用禁止等

児童については、義務教育を優先させる観点から、その使用（労働）が原則として**禁止**されます。ただし、例外として次のように使用することが認められます。

年齢	例外として使用が認められる業務	
満13歳以上	非工業的事業 **2** に係る職業（業務）で、児童の**健康及び福祉に有害**でなく、かつ、その**労働が軽易**なもの	行政官庁（所轄労働基準監督署長）の許可を受けて、**修学時間**※外に使用可能
満13歳未満	映画の製作又は演劇の事業における業務（**子役**）のみ	

 児童

※修学時間＝義務教育の授業時間

① 児童の労働時間は、**修学時間を通算して、１週間について40時間、１日について７時間**が限度です。

② 児童については、**午後８時から午前５時まで**（演劇の子役は、午後９時から午前６時まで）の深夜業は**禁止**されます。

1 労基
2 安衛
3 労災
4 雇用
5 徴収
6 労一
7 健保
8 国年
9 厚年
10 社一
11 横断①
12 横断②

（3）年少者に係る労働時間等の特例

　児童に該当しない年少者については、許可を受けることなく使用することができます（所定の就業制限業務を除く。）が、次の規制を受けます。

　① 基本的には、労働時間、休憩及び休日に関する**原則的な規定**（➡ 労基P62〜 63）が**厳格に適用**されます。週44時間の**労働時間の特例**や**36協定に基づく時間外・休日労働**（➡ 労基P62、64）などの規定は**適用されません**。

　② **午後10時から午前5時までの深夜業は、原則として禁止**されます。

2 児童手当（児童手当法）

（1）児童手当とは？

　児童手当は、次代の社会を担う児童の健やかな成長を社会全体で支援するため、児童を養育している者に支給するものです（所得制限なし [改正]）。

　ここでいう「児童」とは、労働基準法と異なり、**18歳年度末までの間にある者**であって、**日本国内に住所を有するもの**等をいいます。

（2）支給要件と支給額

　児童手当は、支給要件児童を**監護**（監督・保護）し、かつ、これと**生計を同じ**くするその**父母**等であって、**日本国内に住所を有するもの**等 **3** に対して支給されます。児童手当の支給を受けるためには、**市町村長の認定**を受けることが必要です。 **4**

国内居住

児童手当を支給

父母等

支給要件児童

監護

生計同一

支給額（児童1人あたりの月額）[改正]		
年齢 順位	3歳未満	3歳以上 18歳年度末まで
第1子・ 第2子	1万5,000円	1万円
第3子 以降	一律3万円	

1 このほか、未成年者を対象とした労働契約等に関する保護規定もあります。

2 「非工業的事業」とは、工業的業種（製造業、鉱業、建設業、運輸交通業及び貨物取扱業）の事業以外の事業のことです。したがって、たとえば製造業で児童を使用することはできません。

3 このほか、海外居住の父母が指定する国内居住の者（祖父母等）、未成年後見人、児童が入所する施設の設置者、里親などに対して、児童手当が支給されることもあります。

4 児童手当は、認定の請求をした月の翌月から支給が開始され、毎年2月、4月、6月、8月、10月及び12月の6期に、それぞれの前月までの分が支払われます。 [改正]

高齢者に関する制度等

Point
- 労働者の募集・採用において、年齢制限を設けることは原則禁止です。
- 事業主には、65歳までの高年齢者雇用確保措置が義務づけられています。
- 雇用保険の高年齢求職者給付金は高年齢被保険者が失業した場合の給付です。

■ 高齢者の雇用（労働施策総合推進法・高年齢者雇用安定法）

（1）募集及び採用に係る年齢制限の禁止

ここでは、高齢者の就業を促すための規定を説明します。

まず、労働者の**募集及び採用**については、事業主は、原則として、その**年齢にかかわりなく均等な機会を与えなければなりません**。つまり、募集・採用において**年齢制限を設ける**ことは、原則として**禁止**されています。**1**

（2）定年年齢

定年とは、一定の年齢に達したときに自動的に退職する制度のことです。定年の定めをするかどうかは自由ですが、**定年の定めをする**場合には、その定年は、**60歳を下回ることができません**。**2**

（3）高年齢者雇用確保措置

年金の支給開始年齢は原則65歳であることから、高年齢者 **3** については、65歳までの収入確保が課題です。そこで、**65歳未満の定年の定めをしている**事業主は、高年齢者の**65歳までの安定した雇用を確保**するため、次の①〜③の措置（**高年齢者雇用確保措置**）の**いずれかを講じなければなりません**。**4**

高年齢者雇用確保措置	①定年の引上げ ②継続雇用制度の導入 ③定年の定めの廃止

①〜③のいずれかを講ずる（義務）　→　65歳までの安定した雇用を確保

たとえば…

上記②の継続雇用制度とは、現に雇用している高年齢者が希望するときは、その者を定年後も引き続いて雇用する制度のことです。これは、原則として、希望者全員を対象とするものでなければなりません。

たとえば、定年を60歳と定めた上で継続雇用制度を導入した場合は、60歳で定年を迎えた高年齢者のうち希望する者全員を、解雇事由などに該当しない限り、65歳まで雇い続けなければなりません。

2 高年齢求職者給付金 （雇用保険法）

（1）受給資格要件

ここでは、雇用保険の給付のうち、高年齢求職者給付金について説明します。

雇用保険では、**65歳以上の者は高年齢被保険者**となり（➡ 雇用P118）、この**高年齢被保険者が失業**した場合には、基本手当ではなく、**高年齢求職者給付金**が支給されます。**5** ただし、次の受給資格要件を満たすことが必要です。

高年齢求職者給付金の受給資格要件
離職の日以前1年間（算定対象期間）に被保険者期間が通算して**6ヵ月以上**であること

※算定対象期間は、基本手当と同様の**延長措置あり**（➡雇用P121）。被保険者期間は、基本手当と同様に計算。

（2）受給手続

上記の要件を満たす者（高年齢受給資格者）は、離職の日の翌日から起算して**1年を経過する日（受給期限日）**までに、管轄公共職業安定所に出頭し、**求職の申込み**をした上で、**失業の認定**を受けなければなりません。失業の認定は、別途定められた失業の認定日に、管轄公共職業安定所に再度出頭して受けます。ここで失業の状態にあると認定されると、高年齢求職者給付金が支給されます。**6**

なお、受給期限日については、基本手当と異なり、**延長措置はありません**。

（3）支給額

高年齢求職者給付金は、**算定基礎期間**（被保険者であった期間）の長短に応じて、次の額が**一時金**として支給されます。

算定基礎期間	高年齢求職者給付金の額
1年未満	基本手当の日額の30日分
1年以上	基本手当の日額の50日分

減額
失業の認定日から受給期限日までの日数が左記の30日又は50日に満たない場合は、その日数分のみを支給

---

1 例外として、定年年齢を下回る労働者に限定する場合や長期勤続によるキャリア形成を図る観点から青少年に限定する場合などは、年齢制限を設けることができます。

2 唯一の例外として、坑内作業の業務については60歳を下回る定年の定めをすることができます。

3 高年齢者雇用安定法では、55歳以上の者を「高年齢者」と定義しています。

4 さらに、70歳までの安定した就業を確保するよう、高年齢者就業確保措置（定年の引上げ・廃止、65歳以上継続雇用制度の導入、創業支援等措置）を講ずることが努力義務として課されます。

5 支給回数に制限はありません。要件を満たせば何度でも支給されます。

6 基本手当と同様の待期期間と給付制限（➡雇用P123、125）があります。

1 労基
2 安衛
3 労災
4 雇用
5 徴収
6 労一
7 健保
8 国年
9 厚年
10 社一
11 横断①
12 横断②

日雇労働者に関する制度等

- 日雇労働者が被保険者となった際の手続きが雇用保険と健康保険で違います。
- 雇用保険は賃金支払いのつど、健康保険は日ごとに、印紙保険料を納付します。
- 日雇特例被保険者が療養の給付等を受ける場合は、受給資格者票が必要です。

1 雇用保険の日雇労働被保険者

（1）日雇労働被保険者となったとき

　このレッスンでは、日雇労働者（➡ P276）に適用される雇用保険と健康保険について、給付を受けるまでの流れを比較していきましょう。

　まず、雇用保険では、**日雇労働被保険者**（➡ 雇用P118）となった者は、**日雇労働被保険者資格取得届**を管轄公共職業安定所長に提出しなければなりません。

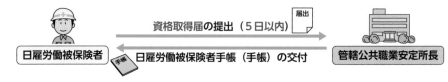

（2）日雇労働被保険者の保険料の納付方法

　日雇労働被保険者については、一般保険料（➡ 徴収P144）に加えて、印紙保険料１の納付も必要です（ともに事業主が納付）。

（3）日雇労働求職者給付金（普通給付）の受給方法

　日雇労働被保険者が失業した場合には、日雇労働求職者給付金（普通給付又は特例給付）が支給されます。普通給付を受給するまでの流れは次のとおりです。

本人

①日々、その者の選択する公共職業安定所に出頭して手帳を提出し、求職の申込みをする。

職安

②その日について失業の認定を行い、その日分の普通給付を支給する。２

支給要件

その者について、失業の日の属する月前２ヵ月間に、印紙保険料が通算して26日分以上納付されていること

1 労基
2 安衛
3 労災
4 雇用
5 徴収
6 労一
7 健保
8 国年
9 厚年
10 社一
11 横断①
12 横断②

2 健康保険の日雇特例被保険者

（1）日雇特例被保険者となったとき

　健康保険では、**日雇特例被保険者**（➡健保P174）となった者は、**厚生労働大臣に日雇特例被保険者手帳（手帳）の交付を申請**しなければなりません。

※実際の申請書の提出先は、日本年金機構又は指定市町村長

（2）日雇特例被保険者の保険料の納付方法

　標準賃金日額（賃金日額 **3** を11等級に区分した標準賃金日額等級表にあてはめて決定したもの）**に係る印紙保険料 4** の納付が必要です（事業主が納付）。

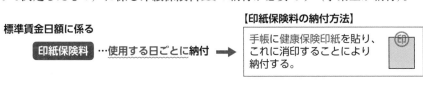

【印紙保険料の納付方法】

手帳に健康保険印紙を貼り、これに消印することにより納付する。

（3）日雇特例被保険者に係る保険給付の受給方法

　一般の被保険者に係る保険給付とほぼ同様のものを受けることができますが、療養の給付等を受ける際には**受給資格者票**が必要です。

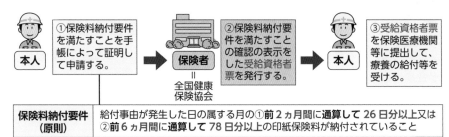

①保険料納付要件を満たすことを手帳によって証明して申請する。

保険者＝全国健康保険協会

②保険料納付要件を満たすことの確認の表示をした受給資格者票を発行する。

③受給資格者票を保険医療機関等に提出して、療養の給付等を受ける。

保険料納付要件（原則）	給付事由が発生した日の属する月の①**前2ヵ月間に通算して26日分以上**又は②**前6ヵ月間に通算して78日分以上**の印紙保険料が納付されていること

---

1 雇用保険の印紙保険料の額は、賃金日額に応じた定額（3等級の額）です。

2 普通給付の日額は、印紙保険料の納付状況に応じた定額（4,100～7,500円の3種類）です。また、1ヵ月あたりの支給日数に上限（印紙保険料の納付状況に応じて13～17日分）があります。

3 日雇労働者が労働の対償として受けるもの（3ヵ月を超える期間ごとに受けるものを除く。）を「賃金」といいます。この賃金の1日あたりの額が賃金日額です。

4 健康保険の印紙保険料の額は、標準賃金日額の等級に応じた定額（11等級の額）です。

横断② Lesson 5 外国人に関する制度等

Point

- 労働社会保険諸法令は、基本的に外国人にも適用されます。
- 外国人の雇入れの際と離職の際には、外国人雇用状況の届出が必要です。
- 脱退一時金は、外国人のみが対象であり、出国後2年以内に請求します。

1 労働社会保険諸法令の外国人への適用

このレッスンでは、日本国籍を有しない者を「**外国人**」といいます。

さて、労働社会保険諸法令は、外国人にも適用されるのでしょうか？ 答えとしては、基本的には**適用されます**。多くの規定では国籍要件を設けていないからです。**1** ただし、日本国内に住所を有しない者（海外に居住する者）に対する規定では、国籍要件を設けている場合もあります。

たとえば…

国民年金において、日本国内に住所を有する20歳以上60歳未満の外国人は、第2号被保険者及び第3号被保険者や適用除外に該当しない限り、第1号被保険者となります。国民年金の強制被保険者には、国籍要件がないからです。

一方、日本国内に住所を有しない20歳以上65歳未満の外国人は、任意加入被保険者となることはできません。日本国内に住所を有しない任意加入被保険者には、国籍要件があるからです。➡国年P200、203

2 外国人雇用状況の届出（労働施策総合推進法）

事業主は、新たに外国人を**雇い入れた場合**又はその雇用する外国人が**離職した場合**には、その者の氏名、在留資格、在留期間等について確認し、その確認した事項を厚生労働大臣に**届け出なければなりません**。

この外国人雇用状況の届出は、その外国人が**雇用保険の被保険者であるか否か**により、次の期限までに、所轄公共職業安定所長に対して行います。

	雇い入れた場合	離職した場合
雇用保険の被保険者である外国人※	雇い入れた日の属する月の翌月10日まで	離職した日の翌日から起算して10日以内
雇用保険の被保険者でない外国人	雇い入れた日又は離職した日の属する月の翌月末日まで	

※雇用保険の被保険者である外国人については、雇用保険の被保険者資格取得届又は資格喪失届（➡P280）と併せて、外国人雇用状況の届出を行う。

3 脱退一時金（国民年金法・厚生年金保険法）

（1）脱退一時金とは？

　国民年金や厚生年金保険は、原則として、国籍を問わず適用されます。しかし、在留期間の短い外国人については、受給資格期間を満たせずに、保険料の納付が将来の年金に結びつかない「**保険料の掛捨て**」という問題が生じます。

　そこで、そのような**外国人**を対象として、保険料の一部を払い戻す趣旨の**脱退一時金**の制度が、国民年金と厚生年金保険のそれぞれに設けられています。

（2）支給要件と支給額

　次の①～④の支給要件を満たすことが必要です。**2** このうち、②～④は、国民年金と厚生年金保険とで内容は同じと考えればよいでしょう。

	国民年金	厚生年金保険	
支給要件	①保険料納付済期間等の月数 **3** が６ヵ月以上であること ②日本国籍を有しないこと ③被保険者でないこと ④老齢基礎年金の受給資格期間を満たしていないこと	①被保険者期間が６ヵ月以上であること ②日本国籍を有しないこと ③国民年金の被保険者でないこと ④老齢厚生年金の受給資格期間を満たしていないこと	いずれも納付した保険料のおよそ半額を支給
支給額	「保険料の額×２分の１×保険料納付済期間等の月数に応じた数（6～60）」による額	「平均標準報酬額×支給率」による額 ※平均標準報酬額は、再評価率（➡厚年P239）を乗じないで計算する。 ※支給率＝前年10月の保険料率×2分の1×被保険者期間に応じた数（6～60）	

　なお、脱退一時金の支給の請求は、日本を**出国後２年以内**に行わなければなりません（日本国内に住所を有するときは請求することができない。）。**4**

　脱退一時金の支給を受けた者は、その額の計算の基礎となった被保険者であった期間は、**被保険者でなかったものとみなされます**。

---

1 不法就労の外国人であっても、日本国内における労働であれば、労働基準法、労災保険法、労働者派遣法などの労働関係法令は適用されます。

2 脱退一時金は、日本国籍を有する者には支給されません。なお、国民年金と厚生年金保険の脱退一時金の支給要件をそれぞれ満たす場合は、両方の支給を請求することができます。

3 請求月の前月までの第１号被保険者としての「保険料納付済期間の月数＋４分の１免除期間の月数×3/4＋半額免除期間の月数×1/2＋４分の３免除期間の月数×1/4」による月数をいいます。

4 脱退一時金の支給回数に制限はありません。要件を満たせば何回でも請求することができます。

311

横断②
Lesson
6

給付制限等 (1)

Point
- 「故意に」＝絶対的給付制限、「故意の犯罪行為」＝相対的給付制限です。
- 障害厚生年金については、国民年金にはない特有の給付制限があります。
- 定期報告や現況の届出を怠ると、一時差止めの対象となります。

■ 労災保険の支給制限等

業務災害等の発生について労働者に責任がある場合には、保険給付の支給が制限されることがあります。これを支給制限といいます。

支給制限には、「保険給付を**全く行わない**」とする**絶対的支給制限**と、「保険給付の**全部又は一部を行わないことができる**」とする**相対的支給制限**があります。

	対象となる場合	制限の内容
絶対的支給制限	①**故意に**負傷、疾病、障害、死亡又はその直接の原因となった事故を生じさせた場合	保険給付は、すべて行わない。
	②**刑事施設、少年院**等に拘禁・収容されている場合	**休業（補償）等給付**は、支給しない。 ➡ ②は休業（補償）等給付に特有
相対的支給制限	③**故意の犯罪行為**又は**重大な過失**により負傷、疾病、障害、死亡又はその原因となった事故を生じさせた場合	保険給付の全部又は一部を行わないことができる。 　具体的には、次の制限を行う。 ●**休業（補償）等給付** ●**傷病（補償）等年金**　｝支給のつど、給付額の30% ●**障害（補償）等給付**　相当額を減額
	④**正当な理由がなくて療養に関する指示に従わない**ことにより、負傷、疾病、障害の程度を増進させ、又はその回復を妨げた場合	保険給付の全部又は一部を行わないことができる。 　具体的には、次の制限を行う。 ●**休業（補償）等給付**…10日分を減額 ●**傷病（補償）等年金**…365分の10相当額を減額

上記のほか、受給権者が、正当な理由がなくて、**定期報告書**等を提出しないとき等は、保険給付の支払いを**一時差し止める**ことができます。

② 国民年金・厚生年金保険の給付制限等

　国民年金と厚生年金保険にも、労災保険と同じ趣旨の給付制限があります。両制度の給付制限の内容はほぼ同じですが、厚生年金保険に特有のものもあります。

	対象となる場合	制限の内容
絶対的給付制限	①故意に障害又はその直接の原因となった事故を生じさせた場合	次の給付（保険給付）は支給しない。 **国年** 障害基礎年金 **厚年** 障害厚生年金、障害手当金
絶対的給付制限	②被保険者等を**故意に死亡させた**場合 ③被保険者等の死亡前に、その者の死亡によって受給権者となるべき者を**故意に死亡させた**場合	次の給付（保険給付）は支給しない。 **国年** 遺族基礎年金、寡婦年金、死亡一時金 **厚年** 遺族厚生年金
絶対的給付制限	④遺族基礎年金又は遺族厚生年金の受給権者が他の受給権者を**故意に死亡させた**場合	次の受給権は消滅する。 **国年** 遺族基礎年金 **厚年** 遺族厚生年金
相対的給付制限	⑤**故意の犯罪行為**若しくは**重大な過失**により、又は正当な理由がなくて**療養に関する指示に従わない**場合	**国年** の給付又は **厚年** の保険給付の全部又は一部を行わないことができる。
相対的給付制限	⑥障害厚生年金の受給権者が、**故意**若しくは**重大な過失**により、又は正当な理由がなくて**療養に関する指示に従わない**ことにより、 (ア)その障害の程度を**増進させた**場合 (イ)その障害の**回復を妨げた**場合	**厚年** の障害厚生年金について、 (ア)の場合は、**増額改定を行わない**ことができる。 (イ)の場合は、**減額改定を行う**ことができる。 ➡ ⑥は厚年に特有

　上記のほか、受給権者が、正当な理由がなくて、**現況の届出**（生存を確認するための届出➡P285）等を行わないときは、国民年金の年金給付又は厚生年金保険の保険給付の支払いを**一時差し止める**ことができます。**4**

1 労災保険では「支給制限」といいますが、他の制度では「給付制限」といいます（意味は同じ）。

2 「故意の犯罪行為」とは、事故の発生を意図した故意はないが、その原因となる犯罪行為が故意によるものであることをいいます。たとえば、信号無視、速度違反等に故意がある場合です。

3 年金の受給権者は、原則として、毎年、傷病・障害の状態や遺族の状況等を報告するため、厚生労働大臣が指定する日までに、定期報告書を所轄労働基準監督署長に提出しなければなりません。

4 「支給停止」の場合は、支給停止事由がなくなっても、停止された分は支給されませんが、「一時差止め」の場合は、差止め事由がなくなれば、差し止められた分がさかのぼって支払われます。

1 労基
2 安衛
3 労災
4 雇用
5 徴収
6 労一
7 健保
8 国年
9 厚年
10 社一
11 横断①
12 横断②

給付制限等 (2)

Point

- 健康保険で「故意の犯罪行為」は、絶対的給付制限の対象となります。
- 健康保険の保険給付を不正受給すると、手当金が制限されます。
- 国民健康保険と後期高齢者医療の給付制限の内容は、健康保険と同じです。

1 健康保険の給付制限

次に、健康保険の給付制限について説明します。「故意の犯罪行為」が絶対的給付制限の対象とされるなど、労災保険などとは大きく異なる点があります。

	対象となる場合	制限の内容
絶対的給付制限	①自己の故意の犯罪行為により、又は故意に給付事由を生じさせた場合	保険給付の**全部を行わない。**
	②**少年院、刑事施設**等に収容・拘禁された場合	**疾病・負傷・出産に関する保険給付**（傷病手当金・出産手当金は一定の場合に限る。）**の全部を行わない。** → 死亡に関する保険給付は制限されない
相対的給付制限	③**闘争、泥酔又は著しい不行跡** 2 により給付事由を生じさせた場合 ④正当な理由なしに保険者の文書提出命令、答弁、受診等を拒んだ場合	保険給付の**全部又は一部を行わない**ことができる。
	⑤**偽りその他不正の行為**により保険給付を受け、又は受けようとした場合（いわゆる不正受給の場合）	**6ヵ月以内**の期間を定め、**傷病手当金・出産手当金の全部又は一部を支給しない**旨の決定をすることができる（不正行為があった日から**1年**を経過したときを除く。）。 3
	⑥正当な理由なしに**療養に関する指示**に従わない場合	保険給付の**一部を行わないことができる。** → 一部のみが給付制限の対象 具体的には、療養の給付についておおむね10日間、傷病手当金について1ヵ月につきおおむね10日間を標準として、不支給とする。

なお、**自殺**については、故意に基づく事故ですが、死亡は最終1回限りの絶対的な事故であることから、**給付制限の対象とされません**（死亡に関する保険給付が支給される。）。**4** これは、労災保険を除き、社会保険に共通する考え方です。

前表②について、たとえば、被保険者が刑事施設に拘禁された場合は、その被保険者に関する保険給付が制限されますが、被扶養者に関する保険給付までは制限されません。逆に、被扶養者が少年院に収容された場合は、その被扶養者に関する保険給付が制限されますが、被保険者に関する保険給付までは制限されません。あくまでも、少年院、刑事施設等に収容・拘禁された本人に関する保険給付のみが制限されるということですね。

2 他の医療保険制度の給付制限

国民健康保険と後期高齢者医療の給付制限の内容は、**健康保険と同じ**です。試験で出題されたときは、健康保険と同様に解答を判断してください。船員保険の給付制限の内容も、健康保険とほぼ同じと考えればよいでしょう。

最後に、給付制限について、最低限覚えておいてほしいキーワードを表にまとめます。

特に、「**故意の犯罪行為**」と「指示に従わない」は、健保・国保等での取扱いが異なる点に注意しましょう。

	労災・国年・厚年	健保・国保等
絶対的給付制限 （全部を行わない）	故意に	故意に 故意の犯罪行為
相対的給付制限 〔全部又は一部を行わ ないことができる〕	故意の犯罪行為 重大な過失 指示に従わない	闘争、泥酔、著しい 不行跡
〔一部のみを行わな いことができる〕		指示に従わない

1 少年院、刑事施設等に収容・拘禁されたときは、公費負担により医療が行われるため、給付制限の対象とされます。なお、この場合には、保険料も徴収されません。

2 「著しい不行跡」とは、品行がはなはだしく悪い行いのことで、薬物乱用などがこれに該当します。実際に該当するかどうかは、一般社会通念により、そのつど判断されます。

3 たとえば、療養の給付等を不正受給した場合でも、その後に受ける療養の給付等（医療給付）は制限されず、ペナルティーとして傷病手当金・出産手当金（所得保障給付）の支給が制限されます。医療給付の制限は、場合によっては生死にかかわるからです。

4 自殺未遂による傷病については、その傷病の発生が精神疾患等に起因するものと認められる場合を除き、給付制限の対象とされます。

1 労基
2 安衛
3 労災
4 雇用
5 徴収
6 労一
7 健保
8 国年
9 厚年
10 社一
11 横断①
12 横断②

国庫負担等

point →

- 雇用保険の失業等給付等には、国庫負担のあるものとないものとがあります。
- 健康保険の保険給付等に対する国庫補助は、協会にしかありません。
- 国民健康保険の国庫負担等は、保険者によって内容が大きく異なります。

1 労働保険の国庫負担等

（1）労災保険

労働保険や社会保険の事業に要する費用は、保険料のほか、国税等を財源とする国庫負担や国庫補助 **1** によっても賄われます。その主なものを紹介します。

まず、労災保険については、事業全体に対する国庫補助の定めがあります。

	対象	国庫補助の内容
補助	労災保険事業（全体）	予算の範囲内で一部を補助することができる。

ポイント
- 具体的な補助の割合は定められていない。

負担…国庫負担　補助…国庫補助（以下同じ）

（2）雇用保険

失業等給付等の一部と事務費に対して国庫負担があります。

	対象	国庫負担の内容（割合）	
負担	①求職者給付（下記②③及び高年齢求職者給付金を除く）	雇用情勢等の悪化時	左記以外
		4分の1	40分の1
	②広域延長給付➡雇用P115 ③日雇労働求職者給付金	3分の1	30分の1
	④雇用継続給付 改正 （介護休業給付金に限る）	令和8年度まで、8分の1の割合による額の100分の10	
	⑤育児休業給付 改正	8分の1	
	⑥事務費	予算の範囲内で負担する。	

ポイント
- 名称に「高年齢」とある給付（高年齢求職者給付金、高年齢雇用継続給付）には国庫負担はない。
- 就職促進給付、教育訓練給付、出生後休業支援給付及び育児時短就業給付にも国庫負担はない。

2 社会保険の国庫負担等

（1）健康保険

事務費に対する国庫負担と、保険給付等に対する国庫補助があります。

1 労基
2 安衛
3 労災
4 雇用
5 徴収
6 労一
7 健保
8 国年
9 厚年
10 社一
11 横断①
12 横断②

	対象	国庫負担・補助の内容（割合）
負担	①事務費	予算の範囲内で負担する。
補助	②協会の保険給付等 ③	1,000分の130～1,000分の200の範囲内（当分の間、1,000分の164）
	③特定健康診査等 ④	予算の範囲内で一部を補助することができる。

ポイント
- 保険給付等に対する国庫補助は協会にしかない。
- 特定健康診査等に対する国庫補助は保険者を問わない。

※協会…協会管掌健康保険

（2）国民年金・厚生年金保険

国庫負担のみがあります。国民年金と厚生年金保険とでほぼ同じ内容です。

	対象	国庫負担の内容（割合）
負担	① 国年 3種類の基礎年金、厚年 基礎年金拠出金 ⑤	2分の1（20歳前の傷病による障害基礎年金は100分の60）
	② 国年 付加年金	4分の1
	③ 国年 厚年 事務費	予算の範囲内で負担する。

ポイント
- 学生納付特例と納付猶予による期間は、国庫負担の対象とならない。

★国民健康保険の国庫負担等

以上までのほか、国民健康保険にも次の国庫負担と国庫補助があります。保険者によって内容が大きく異なる点が特徴です。

	対象	国庫負担・補助の内容（割合）
負担	①国保組合の事務費	（全額を）負担する。
	②都道府県等の医療給付費等	100分の32を負担する。
補助	③国保組合の医療給付費等 ⑥	100分の13～100分の32の範囲内で補助することができる。

ポイント
- 都道府県等の事務費に対しては、国庫負担はない。

※国保組合…国民健康保険組合

① 「国庫負担」は国が当然に負担すべきもの、「国庫補助」は国が裁量をもって任意に負担するものと考えればよいでしょう。

② このほか、雇用保険二事業の一環として行っている就職支援法事業（雇用保険の失業等給付等を受給できない求職者に対して支援を行う事業）に対しても、国庫負担があります。

③ 出産育児一時金、埋葬料（費）、家族出産育児一時金、家族埋葬料は、対象から除かれています。

④ 「特定健康診査等」とは、40歳以上の者に対して行う生活習慣病に関する健康診査等のことです。

⑤ 「基礎年金拠出金」とは、国民年金の第2号被保険者と第3号被保険者に係る基礎年金の給付費を賄うために厚生年金保険が拠出するものです。➡国年P223

⑥ 国保組合ごとに、財政力を考慮し、組合員の所得水準に応じて補助割合が定められます。

督促、滞納処分、延滞金

- 保険料等を滞納した場合には、まず督促状による督促が行われます。
- 指定期限までに納付しない場合は、滞納処分と延滞金の徴収が行われます。
- 延滞金の額は、納期限の翌日～完納等の前日の日数に応じて計算されます。

1 保険料等を滞納した場合の流れ

　このレッスンでは、労働保険（徴収法）や社会保険（健康保険、国民年金及び厚生年金保険）において、**保険料などを滞納**した場合に行われる処分について説明します。その内容は、労働保険と社会保険のすべてで**ほぼ共通**しますが、各制度に特有の内容もあります。

　まずは、大まかな流れをイメージしてください。

2 督促

　保険料などの徴収金（保険料等）を滞納する者がいるときは、まずは、**期限を指定**してこれを**督促**します。つまり、納付の催促をするということですね。

　督促は、次ページの滞納処分や延滞金の徴収の前提となるものです。きちんと証拠を残す必要があるため、**督促状**という文書を納付義務者に発する（送付する）ことにより行います。

　なお、督促状には**期限を指定**しますが、この期限は、**督促状を発する日から起算して10日以上を経過した日**でなければなりません。

たとえば…

　督促は、基本的には保険者等の義務（督促しなければならない）とされていますが、国民年金法では任意（督促することができる）とされています。したがって、たとえば、国民年金の保険料を滞納した場合には、必ずしも督促が行われるとは限りません。

3 滞納処分と延滞金の徴収

（1）滞納処分

　督促を受けた者が、**督促状に指定した期限**までに、保険料等を納付しないときは、次のいずれかの方法により**滞納処分**を行い、さらに**延滞金**を徴収します。

滞納処分 ①②のいずれか （徴収法は①のみ）	①国税滞納処分の例によって処分 **1** ②滞納者の居住地又は財産所在地の**市町村**に対して処分を請求 （➡市町村が市町村税の例によって処分 **2**）

（2）延滞金の徴収

　延滞金は、滞納した保険料等に対する**遅延利息**として徴収します。徴収法では、**労働保険料だけ**が延滞金の対象となります（追徴金（➡ 徴収P139）は対象外）。

　延滞金の額は、保険料等の額に、**納期限の翌日**から**保険料完納又は財産差押えの日の前日**までの期間の日数に応じ、次の割合を乗じて計算します。 **3** **4**

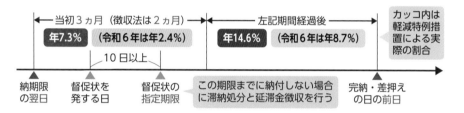

なお、次の場合には、延滞金を徴収しません。

① **督促状に指定した期限**までに保険料等を完納した場合

② 督促した保険料等の額が**1,000円未満**（国民年金は**500円未満**）である場合

③ 延滞金の額が**100円未満**（国民年金は**50円未満**）である場合

④ 納付義務者の住所等が不明で、**公示送達 5** により督促した場合　等

---

1 国税の滞納者については、国税徴収法に滞納処分のルール（財産の差押え、公売など）が定められています。「国税滞納処分の例」とは、これと同様に処分することを意味します。

2 この場合は、手数料として、徴収金額の100分の4に相当する額が市町村に交付されます。

3 保険料以外の徴収金を滞納した場合は、滞納期間にかかわらず、年14.6％（令和6年は年8.7％）の割合で計算します。

4 計算の際、保険料等の額の1,000円未満（国民年金は500円未満）の端数は切り捨てます。また、計算された延滞金の額の100円未満（国民年金は50円未満）の端数は切り捨てます。

5 「公示送達」とは、書類等の送付が不可能な場合にとる手続き（官報への掲載、庁舎の掲示板への掲示等）のことです。これにより送達したものとみなされます。

不服申立て（1）

● 労働保険の審査請求先は労働者災害補償保険審査官又は雇用保険審査官です。
● 審査請求の期間は3ヵ月、再審査請求の期間は2ヵ月です。
● 審査請求を経た後は、再審査請求を経なくても、訴訟の提起が可能です。

1 労働保険の不服申立ての流れ

　行政庁の処分に不服がある場合は、基本的には、一般法である行政不服審査法（行政庁に対する不服申立てについて一般的なルールを定めた法律）により不服の処理を行います。しかし、労働保険や社会保険では、不服の件数が多く、また労働者の生活の安定に直結する内容も多いことから、専門的な特別な機関（**審査官**や**審査会** ）を設けて、迅速に不服の処理を行うこととしています。

　労働保険（労災保険及び雇用保険）における不服申立ては、次の流れにより行います。まずは概要をつかんでください。

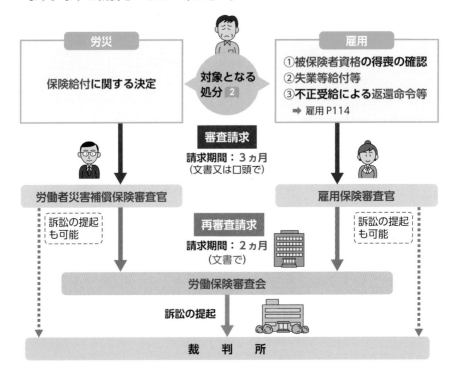

2 労働保険の審査請求及び再審査請求

（1）審査請求及び再審査請求の方法等

前記**1**の審査請求及び再審査請求の対象となっている処分に不服のある者は、**労働者災害補償保険審査官**又は**雇用保険審査官**に対して**審査請求**をし、その決定に不服のある者は、**労働保険審査会**に対して**再審査請求**をすることができます。

	請求期間	方法
審査請求	審査請求人が原処分のあったことを知った日の翌日から起算して**3ヵ月**を経過したときは、することができない。	文書又は口頭
再審査請求	審査官の決定書の謄本が送付された日の翌日から起算して**2ヵ月**を経過したときは、することができない。	**文書のみ**

なお、審査請求をした日から**3ヵ月**を経過しても審査請求についての**決定がないとき**は、審査官が**審査請求を棄却**したものとみなすことができます。つまり、この場合は、労働保険審査会への再審査請求のほか、訴訟の提起も可能となります。

（2）その他のポイント

① 雇用保険の**被保険者資格**の得喪の確認に関する処分が確定したときは、その処分についての不服を当該処分に基づく**失業等給付等**に関する処分についての不服の理由とすることができません。蒸し返しを禁止した規定です。

② 審査請求及び再審査請求は、**時効の完成猶予及び更新**に関しては**裁判上の請求**とみなします。**3**社会保険においても同じです。

3 労働保険の不服申立てと訴訟との関係

前記**1**の審査請求及び再審査請求の対象となっている処分の取消しの訴え（訴訟）は、審査請求に対する**審査官の決定を経た後**でなければ、裁判所に提起することができません。逆に言えば、審査官の決定を経れば、再審査請求を経なくても、訴訟の提起が可能です。

---

1 労働者災害補償保険審査官と雇用保険審査官は各都道府県労働局に置かれ、労働保険審査会は厚生労働省に置かれます。

2 これら以外の処分（労働保険徴収法による処分を含む。）について不服がある場合は、行政不服審査法に基づき厚生労働大臣に審査請求をするか、又は裁判所に訴訟の提起をすることができます。この考え方は、社会保険においても同じです。

3 これは、審査請求等をすると、その手続きが終了するまでの間、「時効の完成猶予（時効が完成しない）」がなされ、却下となった場合等を除き、「時効の更新（すでに進行した時効の期間がゼロに戻る）」がなされること等を意味します。

1 労基
2 安衛
3 労災
4 雇用
5 徴収
6 労一
7 健保
8 国年
9 厚年
10 社一
11 横断①
12 横断②

横断② Lesson 11 不服申立て（2）

Point
- 社会保険の不服申立てには二審制と一審制があり、審査請求先が異なります。
- 健康保険及び厚生年金保険の保険料等に関する処分は、一審制です。
- 保険料等に関する処分については、直ちに訴訟を提起することができます。

🟦1 社会保険の不服申立ての流れ

　社会保険（健康保険、国民年金及び厚生年金保険）においても、不服申立てについて特別な機関が設けられています。🟦1 不服申立ての流れは次のとおりですが、労働保険の場合とは異なり、**二審制**と**一審制**に分かれている点が特徴です。

　なお、審査請求の期間（**3ヵ月**）及び再審査請求の期間（**2ヵ月**）の考え方は、労働保険と同じです。🟦2

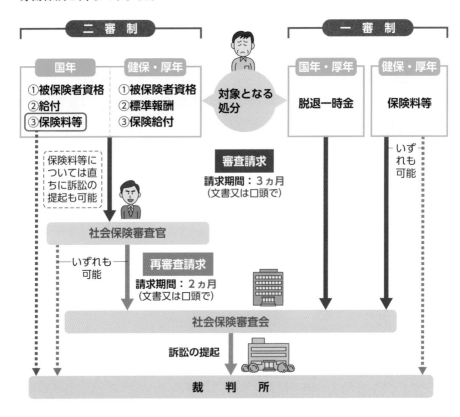

2 社会保険の審査請求及び再審査請求

（1）二審制の場合

前記 **1** の二審制の対象となっている処分に不服のある者は、**社会保険審査官に対して審査請求**をし、その決定に不服のある者は、**社会保険審査会に対して再審査請求**をすることができます。 **3**

なお、審査請求をした日から**2ヵ月以内に決定がないとき**は、社会保険審査官が審査請求を棄却したものとみなすことができます。つまり、この場合は、社会保険審査会への再審査請求のほか、訴訟の提起も可能となります。

（2）一審制の場合

前記 **1** の一審制の対象となっている処分に不服のある者は、**直接社会保険審査会に対して審査請求**をすることができます。

たとえば…

社会保険の不服申立てについては、次の点に注意しましょう。
①審査請求と再審査請求は、いずれも文書又は口頭で行うことができる点
②保険料等については、国年は二審制だが、健保・厚年は一審制である点
③脱退一時金については、国年も厚年も一審制である点

3 社会保険の不服申立てと訴訟との関係

処分の取消しの訴え（訴訟）との関係については、次のとおりです。

① 二審制の対象となっている処分については、原則として、審査請求に対する**社会保険審査官の決定を経た後**でなければ、裁判所に訴訟を提起することができません（再審査請求を経なくても訴訟の提起が可能）。

② **保険料等**に関する処分については、二審制の場合も一審制の場合も、**直ちに**裁判所に訴訟を提起することができます。

③ **脱退一時金**に関する処分については、審査請求に対する**社会保険審査会の裁決を経た後**でなければ、裁判所に訴訟を提起することができません（必ず不服申立てを前置）。

---

1 社会保険審査官は各地方厚生（支）局に置かれ、社会保険審査会は厚生労働省に置かれます。

2 社会保険に特有の規定として、被保険者の資格又は標準報酬に関する処分に対する審査請求は、原処分のあった日の翌日から起算して2年を経過したときは、することができません。

3 被保険者の資格又は標準報酬に関する処分が確定したときは、その処分についての不服を当該処分に基づく保険給付（国年は給付）に関する処分についての不服の理由とすることができません。

1 労基
2 安衛
3 労災
4 雇用
5 徴収
6 労一
7 健保
8 国年
9 厚年
10 社一
11 横断①
12 横断②

横断②
Lesson
12

時効等

 Point →
- 労働社会保険諸法令における時効の期間は、主に2年か5年です。
- 労災保険の障害（補償）等給付、遺族（補償）等給付などは、時効が5年です。
- 厚生年金保険の保険給付は、一時金も含め、時効が5年です。

1 労働関係諸法令における時効等のまとめ

　保険給付を受ける権利などは、その権利の主張をせずに一定の期間が経過すると消滅してしまい、それ以後はその権利を主張することができなくなってしまいます。これを「時効（消滅時効）」といいます。**1** このレッスンでは、主に時効の期間についてまとめます。労働社会保険諸法令における時効の期間は、主に2年か5年です。特に**5年**のものを意識して覚えるとよいでしょう。

　まず、労働関係諸法令における主な時効の期間をまとめます。

制度	時効の対象となる権利	時効の期間
労基	災害補償、年次有給休暇の請求等	2年
	賃金（退職手当を除く。）の請求	5年(当分の間3年)
	退職手当の請求	5年
労災	下記以外の保険給付（前払一時金を含む。）の受給 **2**	2年
	障害（補償）等給付、障害（補償）等年金差額一時金、遺族（補償）等給付の受給	5年
雇用	失業等給付等の受給・返還	2年
	不正受給による返還命令等に係る金額の徴収	
徴収	労働保険料その他徴収金の徴収・還付	2年

★労災保険の特別支給金に係る申請可能期間（除斥期間）

　労災保険の特別支給金（➡ 労災P90）については、時効の適用はなく **3**、次のように申請可能期間（これを「除斥期間」という。）が定められています。

特別支給金の種類	申請可能期間
休業特別支給金	2年
上記以外の一般の特別支給金、ボーナス特別支給金	5年

1 労基

2 安衛

3 労災

4 雇用

5 徴収

6 労一

7 健保

8 国年

9 厚年

10 社一

11 横断①

12 横断②

② 社会保険諸法令における時効等のまとめ

次に、社会保険諸法令における主な時効の期間をまとめます。

制度	時効の対象となる権利	時効の期間
健保	保険料その他徴収金の徴収・還付	2年
	保険給付の受給	
国年	保険料その他徴収金の徴収・還付	2年
	死亡一時金（➡国年P221）の受給	
	年金給付の受給	5年
厚年	保険料その他徴収金の徴収・還付	2年
	保険給付 4 の受給・返還	5年
国保	保険料その他徴収金の徴収・還付、保険給付の受給	2年
介保	保険料、納付金その他徴収金の徴収・還付、保険給付の受給	
高確	保険料その他徴収金の徴収・還付、後期高齢者医療給付の受給	
児手	児童手当（➡P305）の受給、不正受給による徴収金の徴収	

※国保…国民健康保険法、介保…介護保険法、高確…高齢者医療確保法、児手…児童手当法

　時効は、基本的に、権利を行使することができる時から（具体的には、権利が発生した日の翌日から）進行します。たとえば、労災保険の休業（補償）等給付（➡労災P100）や健康保険の傷病手当金（➡健保P186）は、労務不能であった日ごとに、権利が発生しますので、その権利は、労務不能であった日ごとにその翌日から起算して2年が経過すると、時効によって消滅します。

③ 時効に関する共通ルール

時効に関しては、次の共通ルールがあります。

① 保険料等に関する**告知**や**督促**は、**時効の更新の効力**を有します。

② 国民年金及び厚生年金保険の**年金給付**を受ける権利の時効は、年金給付がその**全額**につき支給を停止されている間は、**進行しません**。

1 時効の成立には、原則として援用（利益を受ける側が時効を主張すること）が必要です。

2 傷病（補償）等年金（➡労災P101）については、労働者の請求によるのではなく、所轄労働基準監督署長の職権により支給決定が行われるため、（支給決定請求権の）時効の問題は生じません。

3 特別支給金は、保険給付のように確定的な権利に基づくものではないため、時効の適用はありません。

4 国民年金とは異なり、厚生年金保険では一時金である障害手当金（➡厚年P248）も含め5年です。

該当レッスン	Let's チャレンジ ○×問題・穴うめ問題	
Lesson 1 女性に関する制度等	○× **1**	育児時間は、男性も請求することができる。
	穴うめ **2**	使用者は、(A)(多胎妊娠の場合は(B))以内に出産予定の女性が休業を請求した場合には、その者を就業させてはならない。
Lesson 2 年少者・児童に関する制度等	○× **3**	行政官庁の許可を受けて使用する児童の労働時間は、修学時間を通算して、1週間40時間、1日8時間が限度である。
	穴うめ **4**	児童手当の支給を受けるためには、(C)の認定が必要である。
Lesson 3 高齢者に関する制度等	○× **5**	高年齢者雇用確保措置には、継続雇用制度の導入が含まれる。
	穴うめ **6**	高年齢求職者給付金の支給を受けるためには、離職の日以前(D)に被保険者期間が通算して(E)以上であることが必要である。
Lesson 4・5 日雇労働者に関する制度等／外国人に関する制度等	○× **7**	日雇労働被保険者となった者は、5日以内に、日雇労働被保険者資格取得届を管轄公共職業安定所長に提出しなければならない。
	○× **8**	事業主は、日雇労働被保険者に賃金を支払うつど、印紙保険料を納付しなければならない。
	○× **9**	脱退一時金は、日本国籍を有する者には支給されない。
Lesson 6・7 給付制限等	○× **10**	健康保険において自殺は、給付制限の対象とされない。
	穴うめ **11**	労災保険では、(F)又は重大な過失により負傷等を生じさせた場合には、保険給付の全部又は一部を行わないことができる。
Lesson 8 国庫負担等	○× **12**	高年齢雇用継続給付に要する費用については、国庫負担はない。
	○× **13**	組合管掌健康保険の保険給付等に要する費用については、その額に1,000分の164を乗じて得た額を国庫が補助する。
Lesson 9 督促、滞納処分、延滞金	○× **14**	延滞金の額は、督促状の指定期限の翌日から保険料完納又は財産差押えの日の前日までの期間の日数に応じ、計算される。
	穴うめ **15**	督促状の指定期限は、督促状を発する日から起算して(G)を経過した日でなければならない。
Lesson 10・11 不服申立て	○× **16**	健康保険の保険料等に関する処分の不服申立ては一審制である。
	穴うめ **17**	審査請求は、審査請求人が原処分のあったことを知った日の翌日から起算して(H)を経過したときは、することができない。
Lesson 12 時効等	○× **18**	労働基準法において、退職手当の請求権の時効は5年である。
	○× **19**	国民年金の死亡一時金を受ける権利の時効は5年である。

解答 **1**× 男性は請求することができない。 **2**(A)6週間 (B)14週間 **3**× 「1日7時間」である。 **4**(C)市町村長 **5**○ **6**(D)1年間 (E)6ヵ月 **7**○ **8**○ **9**○ **10**○ **11**(F)故意の犯罪行為 **12**○ **13**× 組合の保険給付等については、国庫補助はない。 **14**× 「督促状の指定期限の翌日から」ではなく、「納期限の翌日から」である。 **15**(G)10日以上 **16**○ **17**(H)3ヵ月 **18**○ **19**× 「2年」である。

さくいん

ユーキャン社労士試験研究会

本会は、ユーキャン社労士通信講座で、教材の制作や添削・質問指導、講義を担当している現役講師の中から、選りすぐりの精鋭が集まり結成されました。通信講座で蓄積したノウハウを活かし、分かりやすい書籍作りのために日々研究を重ねています。本書では、執筆、寄稿及び校正を行っています。

執筆

常深 孝英 (つねふか たかひで)

ユーキャン社労士試験研究会主宰。1998（平成10）年から社労士の受験指導を始める。講義・執筆では「分かりやすさ」の追求に余念がなく、毎年多くの学習者を合格に導いている。

窪田 信一郎 (くぼた しんいちろう)

2004（平成16）年から社労士の受験指導を始める。理系出身の特性を活かし、論理的で無駄のない講義と、執筆ぶりに定評がある。実務面にも強い。

松田 富士子 (まつだ ふじこ)（Introduction・マンガ）

2008（平成20）年から社労士の受験指導を始める。一般企業に勤務するかたわら、社労士業界では極めて珍しい「マンガの描ける社労士」として、今後の活躍が期待されている。

寄稿

早川 幸男 (はやかわ ゆきお)（社会保険労務士早川幸男事務所代表）

久守 由紀 (くもり ゆき)（社会保険労務士法人アシスト）

中尾 友美 (なかお ともみ)（社会保険労務士法人 Voice）

校正

近藤 眞理子 (こんどう まりこ)／**辻田 亜紀子** (つじた あきこ)

似顔絵制作：kenji

本文デザイン：荒川　浩美（ことのはデザイン）

MEMO

MEMO

●法改正・正誤等の情報につきましては、下記「ユーキャンの本」ウェブサイト内「追補（法改正・正誤）」をご覧ください。
https://www.u-can.co.jp/book/information

●本書の内容についてお気づきの点は
・「ユーキャンの本」ウェブサイト内「よくあるご質問」をご参照ください。
https://www.u-can.co.jp/book/faq

・郵送・FAX でのお問い合わせをご希望の方は、書名・発行年月日・お客様のお名前・ご住所・FAX 番号をお書き添えの上、下記までご連絡ください。
【郵送】〒 169-8682　東京都新宿北郵便局郵便私書箱第 2005 号
「ユーキャン学び出版　社労士資格書籍編集部」係
【FAX】03-3378-2232
◎より詳しい解説や解答方法についてのお問い合わせ、他社の書籍の記載内容等に関しては回答いたしかねます。

●お電話でのお問い合わせ・質問指導は行っておりません。

2025 年版　ユーキャンの 社労士　はじめてレッスン

2016 年 9 月 30 日	初　版	第 1 刷発行	編　者　ユーキャン社労士試験研究会
2017 年 8 月 25 日	第 2 版	第 1 刷発行	発行者　品川泰一
2018 年 8 月 24 日	第 3 版	第 1 刷発行	発行所　株式会社 ユーキャン 学び出版
2019 年 8 月 23 日	第 4 版	第 1 刷発行	〒 151-0053
2020 年 8 月 21 日	第 5 版	第 1 刷発行	東京都渋谷区代々木 1-11-1
2021 年 8 月 20 日	第 6 版	第 1 刷発行	Tel 03-3378-1400
2022 年 8 月 25 日	第 7 版	第 1 刷発行	組　版　有限会社　中央制作社
2023 年 8 月 25 日	第 8 版	第 1 刷発行	
2024 年 8 月 23 日	第 9 版	第 1 刷発行	発売元　株式会社 自由国民社
			〒 171-0033
			東京都豊島区高田 3-10-11
			Tel 03-6233-0781 （営業部）

印刷・製本　望月印刷株式会社

※落丁・乱丁その他不良の品がありましたらお取り替えいたします。お買い求めの書店か自由国民社営業部（Tel 03-6233-0781）へお申し出ください。